»Kaiser Wilhelm ist ein geborener Redner, und er macht ausgiebig Gebrauch von seinem Talent, da er es für notwendig hält, auch seine Person vollständig einzusetzen, wenn es gilt, für seine Ideen Propaganda zu machen«, schrieb 1902 ein begeisterter Zeitgenosse. Der Kaiser ließ sich in seiner Redelust nicht bremsen und sprach bei jeder sich bietenden Gelegenheit in der Öffentlichkeit. Sein Volk vernahm ihn bei Denkmalsenthüllungen und Sängerfesten, bei nationalen Gedenktagen und Fahnenweihen, bei Schiffstaufen und Empfängen. Mehr als andere historische Dokumente der Epoche enthüllen diese Reden den Regierungsstil Wilhelms II. Sie lassen die fatale Auswirkung des »Neuen Kurses« auf die Politik und seine Bedeutung für die Geschichte des zwanzigsten Jahrhunderts in vollem Ausmaß erkennen. – Dr. Ernst Johann hat sechzig repräsentative Ansprachen, Predigten und Trinksprüche des Monarchen aus den Jahren 1888 bis 1918 zusammengestellt. In einer ausführlichen Einleitung analysiert er die geistigen und politischen Grundlagen der Wilhelminischen Ära. Vor diesem Hintergrund zeichnen sich die Persönlichkeit des Kaisers und die Eigenart seiner Politik scharf ab. Einen besonderen Akzent erhält diese Sammlung durch die im Anhang abgedruckten Kommentare von Zeitgenossen, die erstaunlich klar über den Monarchen und über seine historische Bedeutung urteilten.

Reden des Kaisers

Ansprachen, Predigten und Trinksprüche
Wilhelms II.

Herausgegeben von Ernst Johann

Deutscher
Taschenbuch
Verlag

Originalausgabe
1. Auflage April 1966
2. Auflage August 1977: 21. bis 32. Tausend
©Deutscher Taschenbuch Verlag GmbH & Co. KG,
München
Umschlaggestaltung: Celestino Piatti
Umschlagbild: Kaiser Wilhelm II. als Johanniter
Foto: Ullstein
Gesamtherstellung C. H. Beck'sche Buchdruckerei,
Nördlingen
Printed in Germany · ISBN 3-423-02906-4

Inhalt

»Na«, sagte ich, »wohin geht die Fahrt des Kaisers? – Norden? Süden? Osten? Westen?« »Nee«, sagte er (der Steuermann) gedehnt, »ick fahre nur man so drauflos.«
Aus einem Bericht Philipp Eulenburgs von der Nordlandreise 1898.

Lobt mich nicht, denn ich bedarf keines Lobes;
Rühmet mich nicht, denn ich bedarf keines Ruhmes;
Richtet mich nicht, denn ich werde gerichtet werden.
Der von Wilhelm II. ausgesuchte Grabspruch, verlesen vom Hofprediger D. Doehring am 9. Juni 1941 während der Beisetzung in Doorn.

Die Wahrheit ist jedoch, daß kein Menschenwesen jemals in eine solche Stellung und Lage hätte versetzt werden dürfen. Auf dem deutschen Volk ruht eine gewaltige Verantwortung für seine Unterwürfigkeit unter den barbarischen Gedanken der Selbstherrschaft. Dies ist die Hauptbeschwerde, welche die Geschichte gegen die Deutschen vorbringen muß – daß sie trotz all ihres Verstandes und ihres Mutes die Macht anhimmelten und sich an der Nase herumführen ließen.
Winston Churchill über Wilhelm II.

Einleitung: Kaiser Wilhelm II.

Das zweite deutsche Kaiserreich wurde am Mittwoch, den 18. Januar 1871 in Versailles proklamiert; die Verfassung des neuen Reiches war schon am 1. Januar in Kraft getreten, ungeachtet des Umstandes, daß noch die Abstimmung der Zweiten bayerischen Kammer ausstand; als den »eigentlichen Geburtstag« des Reiches hat man bis zum Ersten Weltkrieg den 2. September gefeiert, den »Sedanstag«, die Kapitulation Napoleons III. Der äußerliche Abschluß des von Bismarck so zielstrebig betriebenen Einigungswerkes war jetzt fällig, um nicht zu sagen überfällig. Friedrich, der Kronprinz von Preußen, hatte dazu, in romantischer Erinnerung an die Kaiserkrönung Karls des Großen, das Weihnachtsfest des Jahres 1870 vorgeschlagen; andere meinten, man solle sich damit Zeit lassen und die Kaiserkrönung nach dem militärischen Siege, der für das Frühjahr 1871 angenommen wurde, in Berlin zelebrieren. Noch war Paris belagert; in Versailles residierten der preußische König, sein Kanzler und sein Kriegsminister – nicht im Schloß, das als Lazarett diente, sondern in verschiedenen Quartieren. Die Abstimmung in München, ursprünglich auf den 4. Januar 1871 festgesetzt, wurde verschoben, am 10. Januar erschien Prinz Luitpold von Bayern in Versailles, mit der Bitte um ein neues Sonderrecht für sein Königreich im künftigen deutschen Kaiserreich (den Bayern sollte der Fahneneid auf den Kaiser erspart bleiben). Jetzt handelte Bismarck. Am 15. Januar hatte er die Zustimmung seines Königs, als nächstes Datum bot sich der 18. an, der Tag des preußischen »Ordensfestes«, welches man zur Erinnerung an den 18. Januar 1701 feierte. Damals hatte sich Kurfürst Friedrich III., das Ziel der Hohenzollernschen Wünsche erreichend (dank der Zustimmung des Kaisers des Heiligen Römischen Reiches Deutscher Nation), mit eigener Hand die Königskrone aufs Haupt gesetzt – ebenfalls nicht in Berlin, sondern in Königsberg. Der Tag der Erinnerung an die preußische Königskrönung und der der Kaiserkrönung des preußischen Königs konnten jetzt zusammenfallen. Bismarck griff zu, obwohl er wußte, daß die Wahl von Versailles eine bleibende Demütigung für die Franzosen bedeuten mußte. Man weiß, daß Preußens König Wilhelm I. noch bis zur letzten Minute zögerte; offiziell ging es ihm um den Titel »Kaiser von Deutschland«, den er haben wollte (statt »Deutscher Kaiser«), im Grunde seines Herzens aber zögerte er, weil er wußte, daß er mit der Übernahme des Kaiser-Amtes und -Titels Abschied von der preußischen Geschichte nahm. Ihm, dem »Kartätschenprinzen« von 1848, haftete an dem neuen Amte, selbst wenn es von seinen preußischen Soldaten auf den Schlachtfeldern von Königgrätz und von Sedan errungen worden war, noch zuviel »Paulskirche«, noch zuviel Erinnerung an heftigen Volkswillen, an Uhlands Wort, daß die deutschen Kaiser künftig »mit einem vollen Tropfen demokratischen Öls« gesalbt sein sollten; und in ihm steckte zuviel Treue zur eigenen preußischen Vergangenheit, die er willentlich oder nicht aufgeben (um nicht zu sagen »verraten«) mußte – diesem neuen Kaiseramte gegenüber.

In Versailles, dem Ort der Handlung, war man ebenso überrascht (man hatte die Vorbereitungen im Schloß als Vorbereitungen für das Ordensfest gehalten) wie in ganz Deutschland. Selbst wenn man daran gedacht haben sollte, zur Proklamation auch Vertreter des Volkes zu entsenden, die Zeit war zu knapp, und so blieb es denn allein bei der zufälligen Repräsentation einiger Deputierten aus Berlin und bei jener Krankenschwester, die aus Neugierde von dem benachbarten Lazarettzimmer in den Spiegelsaal eingetreten war. Sonst waren die Fürsten, die Diplomaten, die Militärs unter sich. Über die Aufnahme des Versailler Aktes bei der Bevölkerung des neuen Reiches berichtete die ›Frankfurter Zeitung‹ vom 21. Januar (Nr. 21, Bl. 1):

»Außer in den offiziellen und offiziösen Kreisen zeigen sich die Spuren des Jubels oder der Freude über die Proclamirung des neudeutschen Kaiserreiches nicht viele. In Berlin will die ›Börsenzeitung‹ an ›manchen Stellen‹ Flaggenschmuck entdeckt haben und entschuldigt den Mangel eines allgemeinen Hervortretens der Freude mit der Ungewißheit über das Votum der bayerischen Kammer; die ›Zukunft‹ aber versichert, die Nachricht von der Proclamation habe eine ›stimmungslose‹ Aufnahme gefunden. So weit wir für den Augenblick übersehen können, ist Karlsruhe die einzige Stadt gewesen, die nach der offiziellen Zeitung ›trotz der gedrückten Stimmung der Bevölkerung‹ ihren Flaggenschmuck anlegte.«

Nun, die Geschichte hatte gesprochen (bei der Schlußabstimmung im bayerischen Landtag, am 21. Januar, fanden sich nur zwei Stimmen mehr über die erforderliche Zweidrittelmehrheit) – Uhland, als Sprecher der Paulskirche, hatte einen Wahlkaiser gewollt, Bismarck, der Verächter von Volksabstimmungen und

Parlamentsbeschlüssen, hatte einen Erbkaiser geschaffen. Dieser war an eine Verfassung gebunden, welche nach dem Modell des »Norddeutschen Bundes« von 1867 zugeschnitten war: mit einem Reichstag, der aus allgemeinen, gleichen, direkten und geheimen Wahlen hervorgegangen ist, mit der Festlegung von Preußens Führung im Bundesrat (der Vertretung der Regierungen) und mit dem jeweiligen preußischen Ministerpräsidenten als Reichskanzler.

Nicht nur dem neuen Kaiser war es unbehaglich zumut (noch am Vorabend der Proklamation hielt er Bismarck vor, daß damit das alte Preußen zu Grabe getragen würde), die Liberalen, besonders in Süddeutschland, konnten sich schlecht mit Bismarcks Gewaltakt abfinden, und außerhalb Deutschlands fürchtete man für ein Reich, das nicht in einem klar ausgedrückten Volkswillen wurzelte, sondern in militärischen Siegen.

»Ach, Ludwig«, hatte der bayerische Thronfolger Otto seinem Bruder über die Proklamation von Versailles geschrieben, »mein Herz wollte zerspringen, alles so kalt, so stolz, so glänzend, so prunkend und großtuerisch und herzlos und leer« – fürwahr Worte, die schon den ganzen, kommenden »Wilhelminismus« charakterisierten. Noch drastischer äußerte sich der bayerische Nationalismus, der gegen das Reich und gegen den Kaiser abgestimmt hatte: »*Caesarem habemus*, das ist die Zuchtrute die unser Herrgott dem deutschen Volke geschickt hat ... [was ist die] Kaiserkrone anders als die vergrößerte preußische Pickelhaube?« Die Morgengaben des Kaisertums seien »mehr Kriege, mehr Krüppel, mehr Totenlisten und mehr Steuerzettel«*.

Jakob Burckhardt, von der »Torheit des Weissagens« geplagt, schrieb schon am 27. September 1870 in einem Brief aus Basel: »Oh, wie wird sich die arme deutsche Nation irren, wenn sie daheim das Gewehr in den Winkel stellen und den Künsten und dem Glück des Friedens obliegen will! Da wird es heißen: vor allem weiterexerziert! und nach einiger Zeit wird niemand mehr sagen können, wozu eigentlich das Leben noch vorhanden ist.«**

Nicht weniger besorgt – und nicht weniger prophetisch – äußerte sich der junge Arthur Rimbaud; er hatte im Winter 1870/71 Krieg und Besatzung am eigenen Leibe verspürt. Als

* Gustav Adolf Rein, Die Reichsgründung in Versailles, München 1958, S. 75.
** Jakob Burckardt, an Friedrich von Pren, zitiert in: Briefe, hrsg. von Fritz Kaphahn, Leipzig 1935, S. 335.

ihn sein Freund Delahaye auf die unzweifelhafte Überlegenheit der deutschen Eroberer hinwies, antwortete Rimbaud: »Diese Dummköpfe! Hinter ihren kreischenden Trompeten und wirbelnden Trommeln werden sie nach Hause gehen, ihre Wurst essen und glauben, daß alles vorbei sei. Aber warte nur ein Weilchen ab. Militarisiert, daß es nicht mehr zum Aushalten ist, bleiben sie noch für längere Zeit, ihre vor Stolz aufgeblasenen Unteroffiziere lassen sie nicht aus den Fingern, sie müssen den ganzen Ruhmesdreck hinunterschlucken . . . Von hier aus breitet sich eine Herrschaft aus Eisen und aus Wahnsinn aus, welche die ganze Nation kasernieren wird. Und das Ende? Es wird irgendeine Koalition zustande kommen, die sie zerschmettern wird.«*

Tatsächlich nahm die Ausbreitung des Militarismus ihren Lauf, eine Beobachtung, welche Leopold von Ranke zu der Überlegung veranlaßte: »Sonderbar, wie der Zustand der Gesellschaft mit den Elementen, die in ihr vorherrschen, jedes einzelne Institut erfüllt.«** Und nur eine Generation später, hat es das Militärdenken geschafft, »jedes einzelne Institut der deutschen Gesellschaft« zu beherrschen. Dann kann der Kaiser ungestraft von »dämlichen Zivilisten« sprechen und von seinen Soldaten verlangen, die eigenen Verwandten, Brüder, ja Eltern niederzuschießen (in der Rede vom 23. November 1891 [8]***, S. 56).

Jedoch, wir wollen gerecht sein: das Jahrhundert dachte in Kriegen, wie es denn auch, von Napoleon angeführt, die europäischen Völker mit Kriegen überzog wie kaum eines zuvor. Der Krieg galt als der Weisheit letzter Schluß, und die Definition, daß er nichts anderes sei »als die Fortsetzung der Politik mit anderen Mitteln« – zufällig die Meinung eines deutschen Politikers –, kennzeichnet die Epoche. Erst mit dem Krim-Krieg hörte man allmählich auf etwas, das sich als »humanitäres Gewissen« zu regen begann. Persönlichkeiten wie Henry Dunant (der Schöpfer des Roten Kreuzes) oder wie Bertha von Suttner, die Pazifistin, sollten erst noch auftreten. Was immer die Ziele der Völker sein mochten, sobald das bestehende Machtgefüge bedroht wurde, lief es auf eine militärische Auseinandersetzung hinaus, auf Krieg. Dies Gesetz galt nicht nur für die

---

* Zitiert nach: Henry Miller, Rimbaud, französische Ausgabe, Genf 1952, S. 87, übersetzt vom Herausgeber.
** Leopold von Ranke, Das politische Gespräch, Halle 1925, S. 17.
*** Die in eckigen Klammern stehenden Zahlen beziehen sich auf die abgedruckten Reden.

beiden deutschen Großmächte, Österreich und Preußen, es galt für Rußland, Frankreich, England, Italien ebenso. Dabei konnte man den Diplomaten und Generalen in Berlin und Wien noch zubilligen, daß sie sich vor die entscheidende Aufgabe des Jahrhunderts gestellt sahen: die Schaffung eines deutschen Nationalstaates. Wie ein riesiges Schwungrad trieb das Nationalitäten-Prinzip die Geschichte des 19. Jahrhunderts zu immer neuen Aktionen an – Aktionen, die nur allzuoft »mit anderen Mitteln« fortgesetzt wurden. Soeben hatte das Nationalitäten-Prinzip die Italiener geeinigt; mußte Napoleon III. nicht die nächste Veränderung auf der europäischen Landkarte voraussehen? So stand er denn, politischer und militärischer Abenteurer, der er ohnehin war, Gewehr bei Fuß, die Dinge beobachtend, die da kommen sollten. Als sie kamen, das heißt, als es Bismarck klargeworden war, daß Preußen und nicht Österreich (mit seiner Nationalitäten-Vielfalt) dazu berufen sei, den Staat der Deutschen zu schaffen – da ließ sich der französische Militarist von dem preußischen überspielen. Napoleon III. war es, der eine bewußte Herausforderung Bismarcks mit einer Kriegserklärung beantwortete.

Jedoch, die Erbin der Niederlage von 1871, die dritte französische Republik, gab sich nicht weniger militaristisch als das besiegte zweite Kaiserreich. Ja, hatten nicht die Preußen gezeigt, worauf es ankam? Allein ihrer militärischen Macht, ihrem Generalstab, ihren gedrillten Soldaten hatten sie »den Raub« der Provinzen Elsaß und Lothringen zu verdanken. Frankreich führte, ein Jahr nach seiner Niederlage, 1872 die allgemeine Wehrpflicht ein und schon drei Jahre später, 1875 war es soweit, daß man in Paris und in Berlin von einer »Krieg-in-Sicht-Krise« sprach. Den Höhepunkt des Revanche-Strebens erreichte die französische Nation, als sie 1886 den General Georges Boulanger (1837–1891) zu ihrem Kriegsminister machte, einen säbelrasselnden Chauvinisten. Aber Frankreich war eine Republik, trotz allem; dort gab, im Gegensatz zu Deutschland, der Wille des Parlaments den Ausschlag: Boulanger wurde 1887 gestürzt. Die Behandlung der Affäre Dreyfus bewies nach 1894 aufs neue, wer Herr im Lande war: das Parlament nämlich, und nicht das Militär. Es ist wahrscheinlich, daß es damals in Frankreich mehr Revanchisten, Chauvinisten und Militaristen gab als in Deutschland. Es fand sich aber dort, im Gegensatz zu Deutschland, ein Zola, der sie in ihre Grenzen verwies; es gab dort ein Parlament, das sie kontrollierte. In Frankreich bestimmte die Regierung das

Gesetz des Handelns; in Deutschland, wie immer man es dreht und wendet, ob man Bismarck sagt oder Wilhelm II., war das Gesetz des Handelns dem Militär anheimgegeben. Diesen Zustand muß man wohl Militarismus nennen.

Also der Weisheit seiner Waffen vertrauend, ging jetzt die Nation daran, den »Sedan-Deutschen« herzustellen – jenen Untertan, der es sich bei Wurst und Bier und Bismarck gut sein läßt. Und die Verherrlichung »unserer Siege« (eine Tätigkeit, die man »Patriotismus« nannte) betrieb man ebenso konsequent wie das Vergessen der Leistungen der Paulskirche. Bismarck herrschte, wie er wollte, und er konnte der liberalen Idee nicht entgegenkommen. Er häufte alle Macht auf die konstitutionelle Monarchie – auf sich –, ohne zu bedenken, wie sehr sein souveräner Umgang mit der Macht den Gedanken an deren Mißbrauch nahelegte. Für sich selber durfte er einigermaßen sicher sein, aber war es nicht auch seine Pflicht, an einen Kanzler-Nachfolger, an den Kaiser-Nachfolger zu denken? Und ist die Erwartung gar zu vermessen, daß er sogar auch an das Volk hätte denken müssen? Immerhin waren, dem Akt der Reichsgründung unmittelbar folgend, Wahlen für einen Reichstag ausgeschrieben worden; immerhin gab es also ein vom Volk gewähltes Parlament, wenn auch mit wenigen Rechten; und immerhin fand sich ein Abgeordneter des Volkes, August Reichensperger, der am 4. Dezember 1874 vor dem Reichstag warnend ausrief: »Hüten Sie sich vor dem Prinzip, welches der Herr Reichskanzler eben proklamiert hat, vor dem Prinzip der absoluten Staatsomnipotenz! Die absolute Staatsomnipotenz ist Byzantinismus; statuieren Sie dieselbe, dann werden Sie weiter nichts tuen, als dem Reiche das Ende von Byzanz zu bescheren!«*

Vergeblich solche Mahnungen: der Reichskanzler war dem Parlament gegenüber nicht verantwortlich – er war es nur der Krone gegenüber; und bei Bismarck hieß dies, keinem anderen als sich selbst. Durfte er sich darüber wundern, daß Wilhelm II., dieses Vorbild vor Augen, ebenfalls »sein eigener Kanzler« sein wollte? So blieb es; und noch im Jahre 1917, als der Druck der Volksvertretung auf die Regierung so gewichtig geworden war, daß er auch vom Kaiser nicht hätte übergangen werden dürfen, ernannte Wilhelm II. einen Reichskanzler, Georg Michaelis, ohne den Parteiführern diesen Namen vorher auch nur genannt zu haben.

* Zitiert nach: Robert Saitschick, Bismarck und das Schicksal des deutschen Volkes, München 1949, S. 69.

Zurück zu Bismarck. Im Verein mit seinem Kaiser gedachte er, um es mit einem Wort der Königin Victoria auszudrücken: »zu den ältesten Zeiten der Regierungsweise zurückzukehren«*. Dies Verhalten Bismarcks hat die Reichsgründung zu einem Anachronismus gemacht – nicht die Institution des Kaiserreiches als solche, denn eine Monarchie könnte in Deutschland auch heute noch bestehen, aber eine von Volkes, nicht von Gottes Gnaden.

»Bismarcks Meisterleistung«, schreibt Golo Mann, »besteht nicht darin, daß er die deutsche Einheit schuf; die war seit fünfzig Jahren ersehnt und zerredet worden. Das ungeheuer Geschickte, Kühne, Widernatürliche seiner Leistung liegt darin, daß er die deutsche Einheit zuwege brachte ohne die Elemente, die man seit fünfzig Jahren mit ihr verbunden hatte: Parlamentsherrschaft, Demokratie, Demagogie. Das was ein halbes Jahrhundert lang der Traum des Bürgertums gewesen war, wurde nun ohne, ja zeitweise gegen das Bürgertum gemacht.«**

Es bleibt eine Ironie der Geschichte, daß Bismarck in einem Augenblick stürzen mußte, da er das Parlament abzuschaffen im Sinne hatte. Wilhelm II. kam dem Staatsstreich zuvor. Es folgte der »Neue Kurs« des Kaisers, zwar unter Beibehaltung des Reichstages, aber auch unter dessen öffentlicher Mißachtung. »Es ist mir vollständig gleichgültig, ob in dem Reichstagskäfig rote, schwarze oder gelbe Affen herumspringen«*** – telegraphierte der Kaiser seinem Kanzler Bülow, nachdem er das Ergebnis der Reichstagswahlen 1903 gehört hatte.

Und *sein* Volk war mit ihm. Allzuleicht gerät der heutige Beobachter in die Gefahr der Besserwisserei. Um das zu vermeiden, sei versucht, die Reaktion des Volkes auf die Reichsgründung und auf die Verfassung, d. h. auf die Regierungsmethoden Kanzler Bismarcks und Kaiser Wilhelms II., zu begreifen.

Schon die Paulskirche war ja nicht etwa das Ergebnis eines stürmischen und allgemeinen Volkswillens, sondern die Angelegenheit von Einzelpersonen – wenn man will, von Professoren, beseelt von der reinen und guten Absicht, das Volk zu seinem demokratischen Glück zu zwingen, ebenso wie die Landesfürsten der absolutistischen Staaten des 18. Jahrhun-

* Zitiert nach: Virginia Cowles, Wilhelm der Kaiser, Frankfurt am Main 1965, S. 68.
** In: Deutsche Geschichte des 19. Jahrhunderts, Frankfurt am Main (1958), S. 340.
*** Zitiert nach: Fürst Bernhard von Bülow, Denkwürdigkeiten, Bd. 2, Berlin 1930, S. 7.

derts das Glück, ihr Untertan zu sein, für naturgegeben hielten. Zwischen beiden Regierungsweisen lag die Französische Revolution, deren Folgen für Deutschland nicht »Freiheit, Gleichheit und Brüderlichkeit« hießen, sondern »Napoleon«. Damit hatte sich Deutschland auseinanderzusetzen, und zwar militärisch. Die Hauptlast bei der Niederwerfung Napoleons fiel Preußen zu; seine Verbündeten waren aber nicht etwa alle anderen deutschen Fürsten, sondern die Russen und die Engländer. Die deutschen Rheinbundstaaten kämpften zumeist noch 1813 in Leipzig auf der Seite der Franzosen. Es folgte das Zeitalter der Restauration, und nur die Burschenschaften schienen nicht vergessen zu haben, daß der Befreiungskrieg von 1813 nicht nur gegen Napoleon geführt worden war, sondern auch für »Germanien«, wie die romantische Umschreibung für ein geeintes deutsches Vaterland lautete. Daß dieses eine Verfassung haben sollte, war den ausziehenden Kriegern versprochen worden. In der Metternichzeit erinnerten nur noch die Ereignisse wie das Wartburgfest (1817), die Ermordung Kotzebues (1819), das Hambacher Fest (1832) an die Träume von 1813 oder Flugschriften wie die des jungen Georg Büchner an die Mißstände der Gegenwart. Nachdem auch der frische und so verheißungsvoll begonnene Frühjahrs-Freiheits-Sturm vom März 1848 abgeebbt und unter der eisigen Ablehnung Königs Friedrich Wilhelm IV., dem die Paulskirche die deutsche Kaiserkrone angeboten hatte, wie ein Nichts verweht war, fügte sich das Volk, und Bismarck war ganz der kommende Mann. Nicht, daß Friedrich Wilhelm IV. die Ehre einer deutschen Kaiserkrone nicht zu schätzen gewußt hätte. Jedoch sie aus den Händen des Volkes zu empfangen, hieß für ihn sie aus »Dreck und Letten« aufheben, und »ihr da« – war er gesonnen, der Frankfurter Delegation zu sagen –, »ihr da, habt ja gar nichts zu *biethen:* Das mach’ ich mit meines Gleichen ab; jedoch zum Abschied die Wahrheit: Gegen Demokraten helfen nur Soldaten. Adieu!«*.

Gut gegeben! Bismarck hat dann »Seinesgleichen«, die deutschen Fürsten, dazu gebracht, dem Nachfolger Friedrich Wilhelms IV. die Kaiserkrone anzubieten. Allerdings war jene Geste mit einem Bruderkrieg erkauft worden: 1866 hatte Königgrätz nicht nur den Gegenspieler Österreich ausgeschaltet; der Sieg hatte wieder einmal die Überlegenheit des preußischen

---

* Leopold von Ranke, Briefwechsel Friedrich Wilhelm IV. mit Bunsen. Zitiert nach: Tim Klein, 1848, der Vorkampf, Ebenhausen – München – Leipzig 1914, S. 415.

Systems erwiesen, die Überlegenheit der militärischen Lektion. Nichts macht siegreicher als ein Sieg. Für Bismarck war der nächste, der von 1871, schon der dritte (nach dem über Dänemark 1864 und über Österreich 1866). Darf man es dem Volk verübeln, wenn es sich jetzt ganz vom Vorrang des Militärs vor jeder anderen staatlichen Einrichtung überzeugt gab? Drei Kriege schaffen eine ganze Menge von Veteranen, und von Heldentaten, die fürs Lesebuch geeignet sind, von Gelegenheiten zur Errichtung prächtiger Erinnerungsmale und stolzer Inschriften. Drei Siege schaffen einen Patriotismus, der um so verständlicher wird, als er eng mit jener Tätigkeit verknüpft ist, die man heute »Freizeitgestaltung« nennt. Stammtischstolz und -strategie, Kriegsvereinsmeierei, Sonntagsaufmarsch, vormittags in die Kirche und nachmittags ins Bierzelt, Turnstunden und Turnerfeste, Gesangstunden und Sängerfest – der Patriot nach 1871 hatte zu tun. Seine Schule und seine Dienstzeit hatten ihn dafür vorbereitet, seine Lehrer und seine Unteroffiziere wiesen ihm den Weg. Genoß er zudem des Vorteils, protestantischen Glaubens zu sein, war das für ihn vorbereitete Glück beinahe vollkommen; denn daß der liebe Gott eindeutig auf der Seite der Hohenzollern sei, diese Überzeugung hatte ihm sein Pfarrer überdies beigebracht. Über die Grenzen sehen konnte er nicht. Das Lokalblatt, welches er las, sah selbst nicht über die Grenzen; es bescherte ihm aber tagtäglich einen neuen Grund, auf das Reich stolz zu sein. Denn, von ihrer Freizeit abgesehen, waren die Deutschen jetzt dabei, bienenfleißig die »Früchte ihrer Einigung« einzubringen.

Ihre Bilanz, die öffentliche und die private, zeigte von Jahr zu Jahr steigende Gewinne; die Krise der Gründerjahre war bald vergessen, und in die stolzen Reden zum Sedanstag mischten sich Jahr für Jahr mehr die stolzen Ziffern über die deutsche Produktion an Rohstahl, dem Wirtschaftsbarometer der Zeit. Dieses stand auf »weiterhin freundlich«, und tatsächlich hat sich die Rohstahlproduktion in einer Zeitspanne (1887–1912), da sie sich in England verdoppelte – in Deutschland verfünfzehnfacht. Mußte nicht auch aus diesem Grunde unser politisches System dem englischen überlegen sein? Jedoch mit Gründlichkeit, Fleiß, Gelehrtheit, Einfallsreichtum und Organisationstalent vermag man aktive Handelsbilanzen zu machen, aber doch keinen Staat. Bismarck hat Patrioten erzogen, aber keine Staatsbürger; aus heutiger Sicht ist das sein schlimmstes Versäumnis, zumal seine Nachfolger im Glauben an die Omnipotenz des Staates, Wilhelm II. und Hitler, sich auf ihn berufen konnten. Bismarcks große Leistung, die Einigung Deutschlands, machte ihn, gerade weil sie sein persönliches Werk war, gelinde gesagt, den Ansprüchen des Zeitgeistes gegenüber voreingenommen. Im Besitze der Macht und in der Absicht, diese seinem Sohn zu übertragen – die Bismarcks als Hausmeier der Hohenzollern –, verließ ihn die Witterung für das eigentliche Drängen und Treiben der Zeit. Dieses ging nicht auf monarchistisch-verbrämten Absolutismus, sondern auf parlamentarischen Demokratismus. Gerade weil sich das neue Reich anschickte, seine Produktion an Rohstahl zu verfünfzehnfachen. Ein moderner Industriestaat gedeiht nicht unter Mißachtung der Masse, die ihn ausmacht, die ihn trägt. Und für diese Masse mußte einmal der Tag kommen, da sie sich ihrer eigenen Macht bewußt wurde. Ob Bismarck Marx und Lassalle gelesen hat, ist gleichgültig; nichts deutet aber darauf hin, daß er damit gerechnet hat, daß andere jene Schriften lesen könnten. So bereitete Bismarck den Dünkel der Zeit vor – er selbst, dessen Charakter eine Garantie gegen das Aufkommen der deutschen Überheblichkeit schien. Natürlich gefiel er sich in der Uniform des Kürassiers. Hängt mit solchem Gefallen nicht die Tatsache zusammen, daß keiner seiner Nachfolger ohne militärischen Rang und ohne Uniform denkbar war? Ein deutscher Reichskanzler in Zivil? Bei Caprivi und bei Hohenlohe verstand sich die Uniform von selbst, Bülow mußte sich als Husarengeneral kleiden (wodurch er denkbar lächerlich wirkte), um als Kanzler etwas darzustellen. Bethmann Hollweg und Michaelis wagten sich nicht anders ins Große Hauptquartier als im Rock des Majors, der eine, und des Reserveoffiziers, der andere.

Natürlich rechnete Bismarck mit einem Nachfolger Wilhelms I. Aber dank seines Hausmeier-Planes glaubte er ihn in der Hand zu haben, wer immer es sei. Durch die Krankheit Kaiser Friedrichs III. wurde – das Zwischenspiel von 1888 zählt nicht – nicht der Sohn Wilhelms I. Nachfolger, sondern der Enkel. Dem Zeitgeist, welcher mit dem Kaiser und der Kaiserin Friedrich Einzug zu halten schien, wurde grausig der Garaus gemacht. Der »rückständige und chauvinistische Unsinn des Prinzen Wilhelm« – so die Kaiserin Friedrich*, die nicht vergaß hinzuzufügen, daß er ganz das Ergebnis des Bismarckschen Systems sei – sollte die Oberhand gewinnen. Selbst Bismarck hat mit solcher Einseitigkeit und Radikalität nicht gerechnet.

* Zitiert nach: Robert Saitschick, Bismarck und das Schicksal des deutschen Volkes, S. 92.

Hand in Hand mit der Überschätzung des militärischen Denkens (bis es unter Wilhelm II. zum allein seligmachenden erklärt wurde) ging die Reduzierung des deutschen Nationalbewußtseins auf die Daten von Krieg und Sieg. Kein großer Deutscher, der nicht wenigstens Reserve-Leutnant gewesen wäre. In den Lesebüchern wurden »unsere Herrscherhäuser« als der heilige Ort und als der heilige Hain deutscher Größe gefeiert. Den Hohenzollern gebührte der Vortritt; und als nach Bismarcks Entlassung, erst recht nach dessen Tod, die Hemmnisse beseitigt waren, stand der zweiten Kaiserproklamation, der Verkündung des »Gottesgnadentums« nichts mehr im Wege. Der Schlußabsatz der Botschaft ›An das deutsche Volk‹, die von Versailles aus verkündet worden war, hatte gelautet: »Uns aber und Unseren Nachfolgern an der Kaiserkrone wolle Gott verleihen, alle Zeit Mehrer des Deutschen Reiches zu sein, nicht an kriegerischen Eroberungen, sondern an den Gütern und Gaben des Friedens, auf dem Gebiete nationaler Wohlfahrt, Freiheit und Gesittung.«* In ihrem Kommentar dazu schrieb die ›Frankfurter Zeitung‹ am 20. Januar 1871: »Dem Wunsche, mit dem die Botschaft schließt, fügen wir unsererseits den Wunsch an, daß die erbetene göttliche Leitung von menschlicher Seite ein stetes Entgegenkommen finde.« Die Skepsis war nicht zu überhören; die Frankfurter kannten ihren Bismarck; sie wußten, daß er sich stellvertretend für die »göttliche Leitung« hielt. Also bereitete Bismarck den Weg, den Wilhelm II. einschlagen sollte. Was aber bei ihm noch »Junkerherrschaft« war oder »Realpolitik« heißen konnte, bei aller Verachtung demokratischer Einrichtungen oder anderer politischer Ansichten, bei aller Förderung des Militärdünkels und bei aller Verkennung der sozialen Situation – dies wuchs bei Wilhelm II. zu einer einzigen bösartigen Frucht zusammen, zur Überzeugung vom Gottesgnadentum seiner Person. Der göttlichen Leitung sicher, konnte er auf jede menschliche Leitung verzichten. Hat Bismarck ahnen können, zu welchen Konsequenzen sich sein allzu gelehriger Schüler eines Tages entscheiden würde? Mit Willen und Wissen Bismarcks wurde an der Herstellung des »Sedan-Deutschen« weitergearbeitet, von der Mehrzahl der Zeitungen, der Kanzeln, der Katheder, der Lehrstühle. Der Historiker Heinrich von Treitschke gab von seinem Lehrstuhl in Berlin aus den Universitätston an. Jedoch darf

* Zitiert nach: Harry Pross, Die Zerstörung der deutschen Politik. Dokumente 1871-1933, Frankfurt 1959, S. 24.

man nicht glauben, daß dieser dann in Erlangen oder in Greifswald verhallt wäre; im Gegenteil: von dorther tönte es verstärkt zurück, denn man wollte ja in Berlin gehört werden. Der Student Max Weber, ein Hörer Treitschkes, äußerte sich besorgt; er bildete schon jetzt eine Ausnahme; ein Charakteristikum seiner späteren Ansichten. Max Weber schrieb im Jahre 1887 aus Berlin: »Und wäre bei meinen Altersgenossen nicht an sich schon die Anbetung der militärischen und sonstigen Rücksichtslosigkeit, die Kultur des sogenannten ›Realismus‹ . . . zeitgemäß, so würden die zahllosen oft schroffen Einseitigkeiten, die Leidenschaftlichkeiten des Kampfes gegen andere Meinungen und die durch den mächtigen Eindruck des Erfolgs hervorgerufene Vorliebe für das, was man heute ›Realpolitik‹ nennt, ihnen nicht das einzige sein, was sie aus den Treitschkeschen Kollegien mitnehmen.«*

Zu Treitschke traten andere Verhängnisse hinzu – es ist hier nicht unsere Aufgabe, das Sichausbreiten des Militarismus im neuen deutschen Kaiserreich darzustellen. Aber mit dieser Entwicklung ist Wilhelm II. groß geworden; sie bedingte seine Welt, sie schuf seine Umwelt. Deshalb muß man den Militarismus kennen, und man lernt ihn nicht besser kennen als dort, wo er am schärfsten formuliert worden ist. Eine solche Charakteristik verdanken wir wiederum einem Universitätsprofessor, dem Nationalökonomen Werner Sombart; er schrieb sie 1915, wohlgemerkt zum Verständnis, ja zur Heiligung des Krieges. In seinem Buch ›Händler und Helden‹ (die Händler-Nation ist dabei die englische, die Helden-Nation die deutsche) definiert Sombart das Wesen des Militarismus: »Militarismus ist der zum kriegerischen Geiste hinaufgesteigerte heldische Geist. Er ist Potsdam und Weimar in höchster Vereinigung. Er ist ›Faust‹ und ›Zarathustra‹ und Beethoven-Partitur in den Schützengräben. Denn auch die ›Eroika‹ und die ›Egmont‹-Ouvertüre sind doch wohl echtester Militarismus . . . Vor allem wird man unter Militarismus verstehen müssen, das, was man den Primat der militärischen Interessen im Lande nennen kann. Alles, was sich auf militärische Dinge bezieht, hat bei uns den Vorrang. Wir sind ein Volk von Kriegern. Den Kriegern gebühren die höchsten Ehren im Staate . . . unser Kaiser erscheint selbstverständlich offiziell immer in Uniform . . . die Prinzen kommen sozusagen als Soldaten auf die Welt . . . Alle andern Zweige des

---

* Max Weber, Brief vom 25. 7. 1887, zitiert bei: Wolfgang J. Mommsen, Max Weber und die deutsche Politik, 1890–1920, S. 9.

Volkslebens dienen dem Militär-Interesse ... Weil aber im Kriege erst alle Tugenden, die der Militarismus hoch bewertet, zur vollen Entfaltung kommen, weil erst im Kriege sich wahres Heldentum bestätigt, für dessen Verwirklichung auf Erden der Militarismus Sorge trägt: darum erscheint uns, die wir vom Militarismus erfüllt sind, der Krieg selbst als etwas Heiliges, als das Heiligste auf Erden. Und diese Hochbewertung des Krieges selber macht dann wiederum einen wesentlichen Bestandteil des militaristischen Geistes aus.«* Hier ist alles mit wünschenswerter Deutlichkeit gesagt. Solches Denken ist das Gesetz, wonach Wilhelm II. angetreten, und es hätte des Wunders einer Ausnahme-Persönlichkeit bedurft, sich diesem Gesetz zu entziehen.

Die andere Frage zu stellen muß allerdings erlaubt sein: wie hat sich das Volk zu diesem Militarismus verhalten? Weshalb hat es sich ihm gebeugt (zweimal bis zum bitteren Ende)? Nun: das Gefühl der endlich erreichten staatlichen Einheit, das Gefühl der militärischen Überlegenheit, ein sich merklich steigernder Wohlstand – das sind schon Gründe genug, auf die Ursache stolz zu sein, und diese hieß eben: »Militarismus«. Zum vollen Verständnis muß man nur noch die jahrhundertealte Gewohnheit der meisten Deutschen kennen, sich als Untertanen eines Polizeistaates, vornehmer ausgedrückt: eines Obrigkeitsstaates, wohlzufühlen. Den Deutschen fehlte von der Reichsgründung bis zum Jahre 1918 zu ihrem Glück nichts, denn sie hatten den Militarismus. Das sei ohne Ironie und ohne Übertreibung gesagt; im Kaiser-Reich gab es nur *eine* Opposition von politischem Einfluß, und das war nicht die liberale und nicht die sozialdemokratische, es war die nationalistische, die sogenannte »alldeutsche«. Dieser Gruppe war der Militarismus nicht ein zu starkes, sondern ein zu schwaches Stück; sie wollten höher hinaus mit dem deutschen Wesen – Welteroberer, Herrenmenschen, Übermenschen und Antisemiten zugleich – als je der Kaiser in all seiner Forschheit. Aber das Bürgertum? Auf diese Frage gibt Walther Rathenau Antwort: »Nicht einen Tag lang hätte in Deutschland regiert werden können, wie regiert worden ist, ohne die Zustimmung des Volkes«**.

* Werner Sombart, Händler und Helden, zitiert bei: Pross, Die Zerstörung der deutschen Politik, S. 196.
** Walther Rathenau, Der Kaiser, Berlin 1919, S. 25.

Wilhelm II. regierte dreißig Jahre lang (1888–1918) – Zeit genug für einen Charakter, sich zu festigen, für eine Persönlichkeit, sich zu entfalten, für einen Herrscher, sich zu zügeln. Dem Beobachter der Handlungsweisen des Kaisers muß aber auffallen, daß solche inneren Entwicklungen bei ihm nicht zu verzeichnen sind. Die Zeit hat Wilhelm II. nichts anhaben können; er ist immer der gleiche geblieben, ob als Thronanwärter, ob als Kaiser, ob als Zivilist im Exil. Das Glück hat seinen Sinn nicht bescheiden gemacht, das Unglück seine Seele nicht größer. Als grauhaariger Großvater beging er noch die gleichen Taktlosigkeiten, die ihn schon als jungen Mann kennzeichneten. Und ist Mangel an Takt nicht eine Umschreibung für Mangel an Herzensbildung? In seinen Erinnerungen ›Ereignisse und Gestalten‹ blickt der Kaiser mit gleichem Stolz auf jeden Lebenstag zurück. Es ist der ungerührte Stolz der Beschränktheit. Man darf sich nicht scheuen, diese harte Beurteilung auszusprechen, sonst versteht man das Unheil dieses Herrschers nicht. Bei vielen guten Anlagen hat sich der Mensch Wilhelm II. nie zur Reife entwickelt. Da er die Versprechungen seiner Anlagen schon für Erfüllungen hielt, blieb er dabei, von seinen Leutnantstagen an bis ins hohe Alter. Als sei seine Seele unberührbar, erzitterte sie unter keiner tieferen Empfindung; sie schwärmte, ob sie dem Prinzen, dem Herrscher oder dem Geschlagenen angehörte, aber sie verschenkte sich nicht. Ihre Kräfte wurden kaum geweckt und kaum beansprucht: mußten sie deshalb nicht verkümmern? Diesem Herrscher war nie die Seele aufgegangen – nie ein Blick für den Himmel der Schönheit, nie ein Blick für die Hölle der Kunst. Auch kann man sich nicht denken, daß er je Zwiesprache mit seiner Seele gehalten hätte, denn keine Katastrophe hat ihn geläutert, geschweige denn gebessert. Eine Seele, die sich nicht zu bereichern weiß, sie weiß auch nichts von ihrer Last, das heißt, sie bricht auch nicht zusammen. Nur so ist das Unbegreifliche zu begreifen, daß dieser Kaiser bei bestem Humor den Weltkrieg und seine Folgen überlebte; von Verantwortung redet er nicht, dieser Begriff ist seiner festen Überzeugung nach ein Bestandteil jenes Gottesgnadentums, das er über seinem Haupte ausgegossen meint.

Nicht viel besser ist es mit seinem Herzen bestellt. Er heiratet, erst zweiundzwanzig Jahre alt, standesgemäß; die Kinder folgen in korrekten Abständen, das Familienleben »unseres Kaiserhauses« wird als glücklich, als vorbildlich hingestellt. Von großer Liebe ist nicht die Rede, doch auch nicht von Eifersucht. Die beginnende Langeweile der Ehe wird 1886 aufgelockert durch den Freundschaftsausbruch Wilhelms zu dem Grafen Philipp zu Eulenburg. Der Prinz nennt ihn »Mein lieber Phili«, der Kaiser wählt ihn für höchste Ämter aus, überhäuft ihn mit höchsten Ehrungen – und opfert ihn in höchster Gelassenheit schließlich der Staatsräson. Ohne Zweifel bleibt diese Freundschaft jahrzehntelang stark gefühlsbetont; Phili spielt am Klavier, wobei er in dem Prinzen einen andachtsvollen Zuhörer hat (der ihm das Blatt umwendet). Phili dichtet und komponiert Lieder im Geschmack der Nachahmung nordischer Heldensagen, er redigiert wichtige Briefe des Prinzen; den Kaiser begleitet er nicht weniger als vierzehnmal auf den Nordlandreisen. Mit seiner Hilfe entsteht auch das Gedicht, mit welchem Wilhelm II. in die deutsche Lyrik einzugehen gedachte, der ›Sang an Aegir‹. Diesem Verhältnis ist ganz und gar nichts Unreines nachzusagen, allerdings viel Verhängnisvolles; war es doch die Ursache dafür, daß am Kaiserhofe Frauen nicht aufkommen konnten. Nichts von ihrer Anmut, nichts von ihrer den Umgangston mildernden Geselligkeit ist zu spüren. Niemals eine Frau an Bord, während der wochenlangen, sich alljährlich wiederholenden Nordlandreisen, nicht einmal die Kaiserin. Dafür aber eine Damenkapelle, die sich aus verkleideten, jungen Matrosen zusammensetzt; dafür werktags eine Andacht, wobei der Kaiser aus der Bibel vorträgt, und sonntags eine Predigt, nicht selten aus dem Munde seiner Majestät selbst. Nicht zu vergessen: vorher hatten die Herren gemeinsam Freiübungen an Deck gemacht, der Kaiser als oberster Turnlehrer kontrollierte die Kniebeugen – und keinem dieser hohen Würdenträger – auch den »alten Knackern« nicht, so erzählt einer, der dabei war, fiel es ein zu murren, wenn der Kaiser ihm ein »Noch einmal« und ein »Noch tiefer« befahl. Der Stolz dieser deutschen Männer bestand im Ertragen von Demütigungen. Sogar der Reichskanzler machte davon keine Ausnahme: als er eines wolkenverhangenen Morgens in dunklen Hosen an Deck erschien, äußerte der Kaiser sein Mißfallen an diesem zur Schau getragenen Wetterpessimismus –, worauf der Fürst von Bülow allerschleunigst verschwand, um in hellen Hosen wiederzukommen.

Man muß sich damit abfinden, daß solche Männer-Gesellschaften – und -Vergnügungen –, ob auf den Nordlandfahrten, ob auf den zahllosen Jagdreisen des Kaisers an der Tages- und

Abend-Ordnung waren. Der derbe »Herrenwitz« gehörte durchaus dazu, der Kaiser liebte ihn besonders, und wer »einen neuen« wußte, war schon in seiner Gunst. Ja, es gibt sogar einen Hinweis darauf, daß er pornographische Schriften sammelte. »Nach dem Erscheinen seines (berüchtigten) Essays ›1601‹ wurde Mark Twain . . . vom deutschen Kaiser aufgefordert, sich nach Herzenslust seine umfangreiche Privatsammlung von Erotica anzusehen.«* Bezeichnend für Wilhelm II. aber bleibt es, daß er solches Kasinotreiben fein säuberlich von seinem Eheleben trennen konnte, daß er es aber neben seiner Ehe brauchte und daß er sich erst nach einem Skandal, der ihn aus allen Wolken fallen ließ, von Freund Phili abwenden konnte. In dem Militär- und Kasernendenken des Kaisers spielte also die Frau als gesellschaftliches Element keine Rolle. Leben und regieren, das war und blieb Männersache. Ganz im Einklang mit den geltenden Moralvorstellungen der Zeit war die Frau, auch die Kaiserin, zunächst für Kinder, Küche und Kirche da. Ob auch sie des Gottesgnadentums von berufswegen genoß? Fest steht, daß sie zur Idealfigur der deutschen Frau erhoben wurde, wie der Kaiser zur Idealfigur des deutschen Mannes. Dieses Geschäft wurde nicht nur mit sinnigen Familienphotos ›Aus unserem Kaiserhaus‹ (als Postkarte in jedem Papierladen zu haben, in größerem Format in der neuesten Nummer der ›Woche‹) betrieben, sondern auch mit der entsprechenden Schmeichelliteratur. In dieser Hinsicht tat sich der Kaiser selbst keinen Zwang an. Sein Hoch auf die Kaiserin vom 18. Juni 1902, in ihrer Gegenwart ausgebracht, enthüllt geradezu einen Kult, den er mit ihrer Erscheinung getrieben wissen wollte.

Stefan Georges Beschwörung in letzter Minute – »und Herr der Zukunft, wer sich wandeln kann« –, selbst wenn sie ihn erreicht hätte, mußte wirkungslos bleiben, der Kaiser konnte sich nicht wandeln. Es kommt hinzu, daß er auch keine Veranlassung sah, dies zu tun. Der Hof gab ihm recht (es war *Sein* Haus), die Generale und Admirale gaben ihm recht (es war *Seine* Armee und *Seine* Marine), die Kanzler gaben ihm recht (es war *Seine* Regierung) und das Volk gab ihm recht (es waren *Seine* Untertanen). Für die Handlung jeder Stunde dieser langen Regierungszeit sah er sich gerechtfertigt. Verhängnisvollerweise befand er sich tatsächlich im Recht, als im November 1908, nach

* Eberhard und Phyllis Kronhausen, Pornographie und Gesetz, Schmiden 1963, S. 68 f.

Bekanntwerden seines Interviews im ›Daily Telegraph‹, durch die Öffentlichkeit ein Sturm der Entrüstung ging. Zum erstenmal bewies der Deutsche Reichstag, daß er mehr sein konnte als eine Maschine zur Herstellung von Gesetzen und eine Versammlung, gerade gut genug zur Bewilligung und Billigung des Etats. Zum erstenmal wurde der Kaiser von seinem Kanzler »fallengelassen«, zum erstenmal wagte sich in die Öffentlichkeit der Gedanke an seinen Rücktritt. Jedoch diesmal befand sich der Kaiser im Recht – verhängnisvollerweise, wie gesagt. Er hatte zwar einen Haufen Unsinn zusammengeredet, dem Kanzler aber die Möglichkeit gegeben, eine Veröffentlichung zu verhindern. Dieser tat nichts dergleichen, das Unglück geschah, und nicht durch des Kaisers Verschulden. Dennoch hätte es ihm eine Lehre geben können; statt dessen trumpfte er auf. Die Wohltat und die Plage von Ahnungen wie immer von sich abweisend, ging er seinem gewöhnlichen Vergnügen nach, der Jagd, während sich das Parlament sorgte. Zufrieden über die Strecke, die er auf Schloß Eckartsau, dem Landsitz des österreichischen Thronfolgers Franz Ferdinand, hinterlassen hatte, und nach einem Besuch in Wien zog er nach Donaueschingen weiter, zu seinem Freunde, dem Fürsten Maximilian Egon zu Fürstenberg, wo das Vergnügen tagsüber weiterging. Aber die Novemberabende sind lang; deshalb hatte Fürst Egon das gesamte Ensemble des Frankfurter Union-Theaters und das Berliner Kabarett »Schwarzer Kater« zur Unterhaltung der Herrschaften engagiert. Trotz dieses erstklassigen Programms verlangte es den Kaiser nach einer anderen Nummer. Der betreffende Künstler ließ sich auch nicht lange bitten, nur daß er nicht dem leichten Künstlervölkchen angehörte, sondern der Armee. Es war der Chef des Militärkabinetts selber, Graf Dietrich von Hülsen-Haeseler, der da befehlsgemäß die Generaluniform mit einem Ballettröckchen vertauschte, um, wie schon oft, dem Kaiser eins vorzutanzen. Herr von Haeseler war 57 Jahre alt und dieser Anstrengung nicht mehr ganz gewachsen; ein Schlaganfall streckte ihn tot aufs Parkett. Der Kaiser zeigte sich mehr als verstimmt über diese letzte Pose seines Freundes. Man behauptete sogar, er sei an diesem Abend früher zu Bett gegangen, und er habe dieses für ein paar Tage gehütet. Fest steht, daß ihn dieses Ereignis mitgenommen hat, nicht aber die große Reichstagsdebatte des gleichen Tages, bei der es immerhin um eine Grundfrage der Monarchie ging. Wahrlich, der Charakter des Kaisers war durch nichts zu erschüttern. Zehn Jahre später, da nichts anderes übrigbleibt, als den Krieg verlorenzugeben und zu kapitulieren, findet der Kaiser kein Wort – er der allzeit redselige –, das Schicksal, das er nicht begreifen konnte, wenigstens zu bedauern. Sang- und klanglos ergreift er die Flucht; und so viele Jahre er auch noch leben wird, er bleibt dabei, allemal richtig gehandelt zu haben.

Das Verhalten des Kaisers gibt weniger Rätsel auf, wenn man sich seiner Herkunft, seiner Erziehung und seiner Auffassung vom Beruf des Herrschers erinnert.

An seinem zehnten Geburtstag trat er – als Leutnant – offiziell in die preußische Armee ein, die erste Uniform hatte er schon früher getragen. Gleichzeitig wurde ihm der Hohe Orden vom Schwarzen Adler verliehen. Als Zwölfjähriger nahm er an den glänzenden Äußerlichkeiten des Sieges von 1871 und der Reichsgründung teil. Der Einmarsch mit den siegreichen Truppen durchs Brandenburger Tor, an der Seite seines Vaters, blieb ihm unvergeßlich. »Welch eine Wendung, durch Gottes Fügung!« stand dort zu lesen, und wer weiß, ob sich nicht seit diesem Knabentag der Wunsch nach einer Wiederholung dieses Jubels und jener Fügung Gottes in ihm festsetzte? Seinen Großvater sah er als den Heldenkaiser, seinen Vater als den Helden von Wörth. War ihm nicht die eigene Laufbahn vorgeschrieben? An der Gestalt Bismarcks sah der junge Prinz noch vorbei; erst da er als Student in Bonn Privatunterricht in Geschichte erhielt, wurde er auf die Leistung dieses Zivilisten aufmerksam gemacht, und er begann sich für ihn zu begeistern. Dies Gefühl schwand im gleichen Maße, wie sich seine Aussichten erhöhten, den Thron zu besteigen. Sobald zu erkennen war, daß seines Vaters Krankheit zum Tode führen werde, schlich sich das Mißtrauen in seine Seele, Bismarck könne seinen künftigen Herrscherruhm beeinträchtigen. Jetzt fand er, von einer liebedienerischen Umgebung, Phili voran, in seinem Suchen bestärkt, die einzige Waffe, die ihn Bismarck gegenüber unschlagbar machte: das Bewußtsein seiner Auserwähltheit, seines Gottesgnadentums. Bismarck mochte geleistet haben, was auch immer – es war Menschenwerk, »Handlangerdienst«, wie Wilhelm II. es später nennen wird, der Gnade von oben war er nicht teilhaftig. An der Verfälschung des Titelzusatzes »durch die Gnade Gottes« in »von Gottes Gnaden« trägt Wilhelm II. keine Schuld, er hat diese Form vorgefunden. Seine Tat ist es aber, jenem Titel einen realen Inhalt wiedergegeben zu haben. Hundert Jahre nach der Französischen Revolution und vierzig Jahre nach der

Paulskirche ein Anachronismus zwar, aber Wilhelm II. hat ihn wahr gemacht; er regierte dreißig Jahre lang in der Überzeugung, nur seinem »Lehnsherrn im Himmel« verantwortlich zu sein. Diese Überzeugung hat ihm niemand zu nehmen verstanden, weder Bismarck, den es erstaunt haben muß, eine so rostige Waffe so wirksam gehandhabt zu sehen, noch der Reichstag, der ein Vierteljahrhundert dazu brauchte, sich daran zu erinnern, daß es eigentlich auch ein »von Volkes Gnaden« gibt, und erst recht nicht die beamteten Vermittler der Gnadenäußerungen Gottes, die Geistlichkeit. In Preußen jedenfalls bildeten »Thron und Altar« einen einzigen Begriff; dieser Interessengemeinschaft verdanken wir die Zuversicht der Inschrift auf dem Koppelschloß der Soldaten: »Gott mit uns.«

Die Überzeugung, mit Gott im Bunde zu sein, hat den Kaiser in keinem Augenblick seiner Regierungszeit verlassen. Sie allein erklärt die Enge, die Starrheit, die Un-Entwickeltheit seines Charakters, das Ausbleiben der Reife, den Stillstand vor der Reife; die Taktlosigkeiten. Derjenige, der sich als das Werkzeug eines Höheren weiß und dem man dies obendrein mindestens dreimal täglich bestätigt, sieht sich schwerlich veranlaßt, an sich selber zu arbeiten. Wozu denn auch? So wie es ist, das Werkzeug, ist es vollkommen. Das Volk hat es hinzunehmen: »Sie wissen, daß ich Meine ganze Stellung und Meine Aufgabe als eine mir vom Himmel gesetzte auffasse und daß ich im Auftrag eines Höheren, dem Ich später einmal Rechenschaft abzulegen habe, berufen bin«, rief er am 20. Februar 1891 seinen Brandenburgern zu ([7], S. 55). Und noch am 10. Februar 1918 verkündete er in Bad Homburg: »Es hat unser Herrgott entschieden mit unserem deutschen Volke noch etwas vor . . . Nun hat er uns Aufgaben gestellt . . . Unser Herrgott will den Frieden haben . . . Wir sollen der Welt den Frieden bringen . . .« ([59], S. 129).

Wer so unbeirrt wie Wilhelm II. davon überzeugt ist, daß Gottes Statthalterschaft auf Erden dem Hause Hohenzollern zugefallen sei, der muß in der knappen, vom Tod beschatteten Regierungszeit seines Vorgängers einen Wink von oben gesehen haben. Die Vorsehung wollte es nicht anders, die liberalen Vorstellungen Kaiser Friedrichs und seiner Ratgeber, die ausersehen waren, sie zu verwirklichen – sie sollten nicht aufkommen. Und Wilhelm II. zeigte sich hellhörig genug und nur allzubereit, jenen Wink zu verstehen. Nur auf diesem Hintergrund erklären sich die beschämenden Vorgänge beim Tode

Friedrichs und beim Regierungswechsel. Die Vorsehung hat's gewollt – so wird sie wohl auch nichts gegen eine kräftige Nachhilfe einzuwenden haben.

Die erste Lektion in Nachhilfe gedachte Prinz Wilhelm den deutschen Fürsten zu erteilen; noch ehe er zum erlauchten Kreis der Souveräne zählte, traf er seine Vorbereitungen. Noch zu Lebzeiten seines Großvaters und seines Vaters gedenkt er, seinen künftigen Kollegen, den deutschen Bundesfürsten, beizubringen, daß sie »zu parieren« haben. »Dabei muß die von Gottes Gnaden herstammende Erbfolge als ein selbständiges Fait accompli den Fürsten gegenüber betont werden, und zwar so, daß sie keine Zeit haben, viel darüber zu grübeln.«* Bismarck verhinderte zwar die Aktion, schaffte aber den Tatbestand nicht aus der Welt.

Das Haus Hohenzollern bestätigen, das heißt für Wilhelm II., sich selbst bestätigen. Deshalb die »Heiligsprechung« seines Großvaters (Rede vom 26. Februar 1897), deshalb die nimmermüde Nachahmung des Regierungsstils von Friedrich dem Großen, deshalb die blinde Überschätzung auch noch der unfähigsten Regenten des Hauses, deshalb schließlich der Gedanke einer »Siegesallee« – welche »die unbekanntesten Markgrafen scharenweise der Vergessenheit entreißt«**. Die Überschätzung der Verdienste seines Hauses steht für die Selbstüberschätzung der Leistung seiner eigenen Person. Am 6. August 1900 sagte der Kaiser in Bielefeld:

»Woher ist es möglich gewesen, daß bei dem kurzen Rückblick auf die Geschichte unseres Landes und Hauses diese wunderbaren Erfolge unseres Hauses zu verzeichnen sind? Nun daher, weil ein jeglicher Hohenzollernfürst sich von Anfang an bewußt ist, daß er nur Statthalter auf Erden ist, daß er Rechenschaft abzulegen hat von seiner Arbeit vor einem höheren König und Meister, daß er ein getreuer Arbeitsführer sein muß, im allerhöchsten Auftrage ... Daher die felsenfeste Überzeugung von der Mission, die jeden einzelnen meiner Vorfahren erfüllte. Daher die unbeugsame Willenskraft, durchzuführen, was man sich einmal zum Ziel gesetzt hat.«***

Ludwig Thoma, ein nüchterner Beurteiler der Taten und der Reden Wilhelms II., bemerkt zu diesem Ausflug in die Geschich-

* Zitiert nach: Bismarck, Erinnerung und Gedanke, Stuttgart – Berlin 1919, S. 13.
** Ein Denkmal Karls des Großen in Niedersachsen, in: Frankfurter Zeitung, Nr. 138, 19. Mai 1899.
*** Ludwig Thoma, Die Reden Kaiser Wilhelms II., München 1965, S. 21.

te: »Die Wahrheit ist, daß seit Friedrich II. kein Hohenzoller ›unbeugsame Willenskraft‹ gezeigt hat.«[*]

Prinz Wilhelm an Bismarcks Seite, das bedeutet nicht mehr und nicht weniger als das Ende aller Aussichten auf eine Liberalisierung und Parlamentarisierung des Staatswesens. Dabei muß man die üblen Dinge noch gut nennen, solange die Staats-Allmacht Bismarck anvertraut war, einem verantwortlichen Diener des Staates, der sich seiner Verantwortung immer bewußt war. Das Verhängnis begann erst Gestalt anzunehmen, als sich der Kaiser zu seinem eigenen Kanzler machte; anstelle der Verantwortung trat jetzt die Vorsehung, diese dem Gottesgnadentum so naheliegende Konsequenz.

Im übrigen geben die zahlreichen Biographien über die mannigfachen und oft bewunderten Begabungen des Kaisers genügend Aufschluß. Aber Talente haben, heißt etwas anderes als Charakter haben, und wenn zu viele, mittelmäßige Begabungen auf einen Charakter treffen, der sich für ein Geschenk des Himmels hält, dann bleibt für die Erkenntnis von Maß und Mitte kein Raum. Das böse Wort von der »gottbegnadeten Beschränktheit« Wilhelms II. hat sein Zeitgenosse, der kaiserliche Vetter Kronprinz Rudolf von Österreich gesprochen.

Die zahlreichen, der persönlichen oder politischen »Schuld« des Kaisers nachgehenden Anklage- und Rechtfertigungsschriften interessieren hier weniger als die psychologischen Untersuchungen seines Charakters. Emil Ludwig hat in seiner bahnbrechenden Darstellung das Dröhnende und Tönende des kaiserlichen Auftretens als einen Ausgleich für den Geburtsfehler (der ein wenig verkürzte, etwas gelähmte linke Arm) erklärt und damit zur Lösung des Charakter-Rätsels viel beigetragen. Der Biograph J. Daniel Chamier sieht mit einiger Bewunderung auf Wilhelm II. als auf ein »Fabeltier unserer Zeit« zurück; er und seine – kritischere – Nachfolgerin Virginia Cowles haben gut reden, verfügen sie doch als Engländer über die Fähigkeit, die Taten ihres halben Landsmannes verständig zu analysieren, ohne – wie es alle deutschen Betrachter sind –, von ihren Folgen betroffen zu sein.

Haben die Deutschen unter diesem Kaiser gelitten? Eindeutig läßt sich diese Frage nur von einem einzigen Standpunkt aus beantworten, und das ist der Standpunkt des Kaisers selber – er hätte die Frage als absurd empfunden. Wo immer in deutschen Landen er zu erscheinen geruhte, umbrauste ihn der Jubel der

[*] Ebenda, S. 21.

Menge, die nicht bloß aus den Mitgliedern der Kriegervereine und aus Schulkindern bestand, die einen freien Tag hatten. Der Kaiser war beliebt. Seine, einen allzeit fröhlichen Optimismus ausstrahlende Persönlichkeit (»unseren jungen Kaiser« hat man ihn noch bis zu seinem 25jährigen Regierungsjubiläum genannt) galt den Bürgern als die Verkörperung des jungen Deutschen Reiches selber. Man warf ihm seine Vorliebe für Schaugepränge und theaterhafte Aufzüge nicht etwa vor, man begrüßte sie als die dem neuen Reiche entsprechende Repräsentation. Ohne Murren haben die Stadtväter die oft in die Hunderttausende gehenden Dekorationskosten bei seinem Einzuge bezahlt (und der Kaiser selbst ließ sich über die Höhe solcher Ausgaben genau unterrichten), und ohne Murren bewilligte ihm die Volksvertretung immer neue Millionenbeträge zur Bestreitung seines Aufwandes. Man rechnete ihm nichts nach – man drückte beide Augen zu, als es sich herausstellte, daß die Gelder, die zum Bau eines Kriegsschiffes bewilligt worden waren, für ein privates kaiserliches Luxusschiff verwendet worden waren. Geschah das doch alles zur höheren Ehre der Nation. Das neue Reich benahm sich wie alle Neu-Reichen, und in seiner Gefallsucht, in seiner Prunksucht, in seinem forschen Draufgängertum kam ihm dieser Kaiser gerade recht. Nicht nur der Kaiser hatte einen Minderwertigkeits-Komplex auszugleichen; die Nation, die sich von ihm regieren ließ, befand sich in der gleichen Situation. Für die Nation galt es, das Jahr 1848 zu verdrängen, die großdeutsche Sehnsucht, Bismarcks Verabschiedung, den Katholizismus, um nur die wichtigsten jener tief einschneidenden Erlebnisse zu nennen, die verdrängt – oder wie wir heute sagen, die nicht bewältigt worden waren. Nur auf diesem Hintergrund versteht sich der Leichtsinn, mit welchem man, nach Caprivis Abtreten, im Deutschen Reiche Außenpolitik machte. Glich sie nicht auf ein Haar dem Charakter des Kaisers? Tatsächlich entsprachen das aufgeregte Hinter-den-Dingen-Herjagen (statt sie zu lenken) und die Effekthascherei dem Spiel des Kindes, das sich mit der Herstellung schillernder Seifenblasen begnügt. Der eigentlich wilhelminische Kanzler unter den Kanzlern Wilhelms, Fürst Bülow, nannte jene Tätigkeit »Deutsche Politik«.

Bülow war denn doch zu gescheit, um vom Gottesgnadentum des Kaisers überzeugt zu sein; insgeheim spöttische Witze machend, verteidigte er es öffentlich. Nicht zufällig ist er derjenige von allen Kanzlern, die das wenigste Risiko eingegangen sind. Wenn der liebe Gott ein Preuße war, und der Kaiser sein direktes Werkzeug, dann war auch der Kanzler ein für alle Male mit im Bunde.

Und der liebe Gott war ein Preuße. Wenigstens die evangelischen Christen des Königreiches Preußen hörten es nicht anders. Die Kirche – das war der Staat. Und der Staat – das war die Kirche. Das ist zwar eine vereinfachte Formel für kompliziertere Verhältnisse, aber sie stimmt im Kern. Als z. B. in Frankreich die Trennung von Kirche und Staat längst eingeführt und selbstverständlich war, galt für das Königreich Preußen immer noch das Prinzip, daß der Pastor der verlängerte Arm der Regierung sei, so wie die »Allerhöchste« Person des Kaisers der Vertraute und Auserwählte des »Höchsten« sei. Kirchenfromm sein und regierungsfromm sein, war die gleiche Sache. Rekruten vereidigen und Kanonen segnen auch. Die Seepredigt Seiner Majestät (vom 29. Juli 1900 [36], S. 91), erfüllt von dieser sicheren Welt-Ordnung, meint nur, daß man sie nicht ganz umsonst haben könne, und deshalb – »Wer will des Reiches Hüter sein?« – »Steige hinauf auf den Berg! Hebe deine Hände empor zum Himmel! Das Gebet des Gerechten vermag viel, wenn es ernstlich ist!«

»Gott, der Herr . . . kann uns nicht plötzlich von seiner Vaterhand loslassen . . . Ich sehe getrost in die Zukunft. Gott der Herr wird uns einen ehrenvollen Frieden schenken«, das ist ein Wort Hindenburgs, zu Weihnachten 1914 an die Posener Schuljugend gerichtet*; und auf der Ebene von Versprechungen an Schulkinder zu Weihnachten wurde, auf Grund des Gottesgnadentums unter Wilhelm II., von Wilhelm II. und mit Wilhelm II. in Deutschland Politik gemacht.

Auch mit der ärgerlichen Tatsache, daß viele Millionen von Untertanen seines Reiches nicht »der reinen Lehre des Evangeliums« anhängen, hatte sich der Kaiser auseinanderzusetzen. Nun, die meisten von ihnen waren wenigstens christlich-katholisch. Am 27. Februar 1905, im Anschluß an die Einweihungsfeier des Berliner Doms fiel dann dem Kaiser die Lösung ein: »an den Früchten werde man erkennen, wohin sich der Sieg neige und ob Gott mit den Protestanten sei; in diesem Falle siege der Protestantismus, wenn auch nicht in 20 und 200, aber vielleicht in 500 Jahren.«**

---

* Zitiert nach einer anonym erschienenen Publikation: Die Tragödie Deutschlands, Stuttgart 1924, S. 275.

** Max Buchner, Kaiser Wilhelm II., seine Weltanschauung und die deutschen Katholiken, Leipzig (1929), S. 34.

Auf diese Weise war dem Katholizismus noch eine genügend lange Zeit in Aussicht gestellt, sich auf Preußen zu besinnen, und jedem Untertanen insgemein war wieder einmal klargemacht, wie sicher er sich im Bunde von Thron und Altar fühlen konnte. Um so weniger brauchte er zu denken. Um so weniger ist anzunehmen, daß er unter dem persönlichen Regime des mit Gott dem Herrn alliierten Kaisers gelitten habe. Er brüstete sich mit dem Kaiser, er glaubte mit dem Kaiser an die Macht des Geldes und der Kanonen, und er wußte sich mit dem Kaiser des himmlischen Beistandes sicher.

Es gab eine Opposition. Die politische der Sozialdemokraten, und die liberale der Intellektuellen. Jedoch, angesichts der Erfolge des Reiches, das sich unter ihren Augen zu einem Imperium auswuchs, war sie zur Einflußlosigkeit verurteilt, obwohl die Sozialdemokraten zeitweise die meisten Sitze im Reichstag innehatten, obwohl die Elite der Universitäten, der Literatur, der Kunst, der Presse die Mängel und die Skandale des öffentlichen Lebens unter Wilhelm II. laut und scharf anprangerte. Sie waren zur Einflußlosigkeit verurteilt; noch niemals zuvor war es den Deutschen materiell so gut gegangen wie unter »ihrem Kaiser«. »Gott mit uns«, hieß seine Verblendung, »Gott mit ihm«, hieß die Verblendung seines Volkes. Sonst hätten die Reden des Kaisers nicht gehalten und nicht mit Hurra-Geschrei beklatscht werden können.

Seine Reden

Kaiser Wilhelm II. konnte reden – das war seine Begabung; und er wollte reden – das war sein Verhängnis. Er glänzte als ein Meister des Wortes, die Gedanken schienen ihm nur so zuzufliegen. In der Kriegsakademie sprach er einmal zweieinhalb Stunden lang über die Zusammenarbeit der Armee und der Marine völlig frei, ohne ein einziges Manuskriptblatt. Jedoch diese Fähigkeit verführte ihn auch dazu, sie nach Kräften auszunutzen, und er verschaffte sich diesen Genuß viel zu oft. Schließlich verwechselte er den geborenen Redner mit dem geborenen Täter. Eine Selbsttäuschung, auf welcher er sein Leben lang beharren sollte. Allein während dem ersten Dutzend Jahre seiner Regierung (also vom 15. Juni 1888 bis zum 31. Dezember 1900) ergriff er nicht weniger als 406mal als offizieller Redner das Wort. Inoffiziell hat er noch öfter gesprochen, schon die authentische Zahl besagt aber, daß es mit dem Inhalt der Reden nicht weit her sein kann. Welcher Herrscher könnte mit Regelmäßigkeit seinem Volke dreimal monatlich etwas Wichtiges sagen? Wie in allen regierenden Häusern, so gehörte es sich auch im Hause Hohenzollern, daß die Souveräne schweigen und nur zur Weihe der sogenannten historischen Augenblicke das Wort ergreifen. Die Ausnahme machen Diktatoren, denn ihre Macht beruht auf ihrer Fähigkeit, das Volk zu »überreden«. Kaiser Wilhelm II. war aber keineswegs zum Alleinherrscher über die Deutschen eingesetzt. Als konstitutioneller Monarch war er an die Verfassung gebunden, eigentlich an zwei Verfassungen, an diejenige des Königreichs Preußen – und an diejenige des Deutschen Reiches. Dementsprechend gab es zwei Parlamente, den preußischen Landtag und den Deutschen Reichstag, die ihn hätten kontrollieren können, wenn sie auch nicht die Machtbefugnisse heutiger Parlamente hatten.

Tatsache ist, daß der Kaiser niemals auf die Reichsverfassung förmlich vereidigt wurde; dies unterblieb auf Rat Bismarcks, so daß sich der Kaiser im Bewußtsein seines Gottesgnadentums nur bestärkt fühlen durfte. Er ließ keinen Zweifel darüber, daß er sich als das auserwählte Werkzeug des Herrn betrachtete, dazu ausersehen, Volk und Reich »herrlichen Tagen« entgegenzuführen (Rede vom 24. Februar 1892 [9], S. 58).

Das war eine Verheißung, die sich hören ließ; dennoch hatte sich der Kaiser damit – er war zu der Zeit erst vier Jahre an der Regierung – zuviel zugemutet. Spätestens nach Bismarcks Entlassung war auch der Untertan aufmerksam geworden. Sein Kaiser redete zu viel, und er redete bei zu vielen, bei zu unterschiedlichen Gelegenheiten. Zweifel schlichen sich im Volke ein, ob denn der Kaiser in Wirklichkeit der Allerweltskerl sei, als der er sich gab und als der er sich geflissentlich feiern ließ. Und ein Jahrzehnt später, ausgefüllt mit Reden bei Denkmalsenthüllungen, Fahnenweihen, Schiffstaufen, Vereidigungen, Paraden, Empfängen und Verabschiedungen, war die Öffentlichkeit ihrer müde geworden. Man nahm die Reden des Kaisers hin, jedoch man nahm sie nicht mehr ernst. Jetzt hatte man auch gemerkt, daß der Kaiser zwar »tönte«, aber nichts zu sagen wußte. Keine seiner vielen Reden war von außenpolitischem Rang, keine hat »Weltpolitik« gemacht (wohl hat die Summe seiner Großsprecherei aber zur Einkreisungspolitik beigetragen), und unter den tausend Ansprachen zur Innenpolitik findet sich vielleicht ein halbes Dutzend (wie die Königsberger Rede vom 6.

September 1894 [13], S. 61 ff.), die Anspruch erheben können, politisch ernst genommen zu werden. Dagegen hat eine ganze Reihe seiner Reden aus anderen Gründen Aufsehen gemacht: sie zeigen den taktlosen, um nicht zu sagen den verblendeten Kaiser. So die ›Handlangerrede‹ (vom 26. Februar 1897 [18], S. 68 ff.), so die ›Hunnenrede‹ (vom 27. Juli 1900 [35], S. 90 f.), so die ›Zuchthausrede‹ (vom 6. September 1898 [25], S. 79 f.).

Und es gab niemand, der den kaiserlichen Redeschwall gedämpft hätte, der ermächtigt gewesen wäre, eine Rede gutzuheißen (oder abzumildern, oder zu berichtigen), ehe sie gehalten wurde. Die »persönlichen Willensäußerungen« des Kaisers, also seine Reden, Telegramme, Randbemerkungen bedurften nicht der Gegenzeichnung durch den Kanzler. Als während der Etatdebatte am 20. Januar 1903 die Rede auf die peinlichen Entgleisungen Seiner Majestät kam, stellte sich Reichskanzler Bülow ganz auf die Seite seines Herrn: »Das will ich aber mit aller Bestimmtheit aussprechen, daß das Recht der persönlichen Initiative dem Kaiser von keinem Reichskanzler verkürzt werden soll noch wird. Das würde weder den Traditionen des deutschen Volkes entsprechen noch seinen Interessen. Das deutsche Volk will gar keinen Schattenkaiser, das deutsche Volk will einen Kaiser von Fleisch und Blut; die Schattenkaiser haben genug Unheil über das alte Reich gebracht.«*

Anders urteilte die Mutter des Kaisers; in ihren Briefen an die Königin Victoria schrieb sie: »Wenn ich den Schatten eines Einflusses hätte, würde ich Wilhelm anflehen, keine öffentlichen Reden mehr zu halten, denn sie sind zu schrecklich.« Und später noch einmal: »Ich wollte, ich könnte ihm bei allen Gelegenheiten, bei denen er öffentlich sprechen will, ein Schloß vor den Mund hängen.«** Anders urteilt Graf Waldersee, der in sein Tagebuch einträgt, daß man die Rede des Kaisers »nicht ohne weiteres ernst nimmt, weil man sein lebhaftes Temperament kennt«.***

»Meine Nachfolger sollen einmal wissen, daß ich forsch war«, sagte der Kaiser zu Bülow****, nachdem dieser versucht hatte, eine seiner Reden zu redigieren, d. h. sie zur Verbreitung in der Presse zurechtzumachen. Bei dieser Gelegenheit bestätigt Bülow, was man auch aus anderen Berichten kennt, daß sich Wilhelm II. nur ungern an die von seinen Ministern aufgesetzten

* Fürst Bülow, Reden, Zweiter Band: 1901-1903, Leipzig o. J., S. 210.
** Zitiert nach: Virginia Cowles, Wilhelm der Kaiser, S. 148.
*** Graf Waldersee, Denkwürdigkeiten, Stuttgart 1925, Bd. 2, S. 443.
**** Graf Waldersee, Denkwürdigkeiten, Bd. 1, S. 570.

Konzepte hielt, daß er meist eigene Entwürfe mitbrachte und
daß er, lieber noch, sich ganz den rednerischen Eingebungen des
Augenblicks hingab. Ihm ging es um den rhetorischen Erfolg;
war damit seiner Eitelkeit Genüge getan, kümmerte er sich um
die politischen Unklugheiten, die er gesagt hatte, wenig. Fand
er die diesbezüglichen Stellen am nächsten Tag in den Zeitungen nicht, konnte er klagen: »das Schönste haben sie mir weggestrichen«, oder – es handelt sich um die Bülowsche Redak-
tion einer auf der Marienburg gehaltenen Ansprache –: »Meine
Rede war der alten Hochmeister würdig . . . Sie aber lassen mich
reden, als ob ich der Lehrer der Geschichte an einer höheren
Töchterschule wäre.«

Andererseits gab es Fälle genug, die beweisen, wie geschickt
sich der Kaiser aus der Affäre zu ziehen verstand, wenn es galt,
eine Rede zu halten, die von fremder Feder entworfen worden war. Ein zeitgenössischer Beobachter, der anonyme Verfasser des Buches ›Wilhelm II. und die Schwarzseher‹, wagte
die Andeutung: »Wie der Kaiser die Gabe hat, eine von
seinen Räten vorbereitete und von ihm nur gut memorierte
Rede so vorzutragen, daß sie als glänzende Improvisation
zündende und originelle Wirkung zu üben vermag, so macht
er sich auch jedes ihm sympathische Urteil, jeden ihm plau-
siblen Standpunkt, jeden Entschluß, zu welchem man ihn zu
führen gewußt hat, so völlig zu eigen, daß er bei dem Unbe-
fangenen keinen Zweifel darüber aufkommen läßt, wer der Au-
tor ist.«*

Immer deutlicher zeigte es sich, daß die Taten des Kaisers
seine Reden waren; wirkliche Taten, das heißt außenpolitische
oder innenpolitische Erfolge blieben ihm versagt. In der Öffentlichkeit breitete sich eine Stimmung aus, die man nicht »Unzu-
friedenheit« nannte, sondern »Reichsverdrossenheit« – das Gefühl, daß es mit den ewigen dreifachen Hurras am Ende nicht
getan sei; ja man begann sich unsicher zu fühlen auf der »Sicherheit der 500 000 Bajonette«, und von Jahr zu Jahr mischten sich
größere Zweifel in die vom Kaiser selbst behauptete Überzeugung seiner Auserwähltheit. Schließlich lebten die Deutschen
nicht nur nicht mehr in einem von Schildwachhäuschen umstell-
ten Polizeiländchen des 18. Jahrhunderts, sondern waren die
Schöpfer eines machtvollen Industriestaates, und der Kaiser
selbst hatte ihnen das Tor zum Welthandel aufgestoßen. Dort
draußen in der Welt konnten sie sehen, wie reibungslos eine gro-

* S. 12 ff.

ße, konstitutionelle Monarchie, England, funktionieren konnte, ohne die Berufung auf das Gottesgnadentum, ohne den prunkvollen, patriotischen Firlefanz und ohne daß sich der Herrscher in rednerischer Dauerpose hielt. In Frankreich, nebenan, hatten sie das Beispiel einer Republik vor Augen, die entgegen den Erwartungen Bismarcks nicht in Sumpf untergegangen war. Zwar bekreuzte sich unsere fromme Kaiserin dreimal, wenn sie nur den Namen »Paris« aussprechen hörte, des Sündenbabels – und alle Konsistorialräte und alle Oberlehrer taten es mit ihr –, ungeachtet dessen aber und obwohl sie sich demokratisch regierten, hatten die Franzosen ihre Niederlage von 1871 längst vergessen gemacht. Es gab dort ein tüchtiges Bürgertum, einen tüchtigen Soldatenstand und eine Diplomatie, die vor der deutschen den außenpolitischen Erfolg für sich hatte. Vom »englischen Vetter« ganz zu schweigen. Die Haßliebe des Kaisers – ein Schlüssel zum Verständnis der außenpolitischen Handlungen und Wandlungen seiner Reichskanzler – hatte sich seinem gläubigen Volke mitgeteilt. Die Bewunderung machte sich in der Nachahmung englischer Lebensweise breit, der Haß in der Enttäuschung nach dem Eintritt Englands in den Weltkrieg. Obwohl Frankreich als der erklärte Erbfeind galt, wurde ein »Haßgesang« nur auf England geschrieben.

Es gab auch noch andere Gründe für die »Reichsverdrossenheit« – sie lagen in der Antwort auf die Frage: »War die Einheit Deutschlands mit der Regierungsweise Wilhelms II., also mit dem Verzicht auf die klassischen, deutschen Freiheits-Ideen, nicht allzu teuer bezahlt?« »Hatte sich die kleindeutsche, d. h. die preußische Lösung gelohnt?« Heinrich Mann hat diesem Gefühl Ausdruck verliehen: »Man hatte Erfolg gehabt. Das Deutsche Reich und seine Sinnesart waren erzeugt vom Sieg . . . Der Sieg von 1870 verlor sich nie in unserem Leben, er ward nie aufgesogen. Er vermehrte sich in unserem Blut wie ein Giftkeim, millionenfach. 1913 waren wir in Handlungen, Gedanken, Weltansicht und Lebensgefühl unendlich mehr Sieger als 1871. Wir waren unendlich prahlerischer und machtgläubiger, unendlich hohler und unsachlicher. Erst jetzt hatten wir fast alle Würde der Freien verloren und ganz dem Geist entsagt, dem letzten Glauben an Dinge, die man nicht sieht, nicht zählen, nicht raffen kann . . . Ein bürgerliches Deutschland, auf sich selbst gestellt, auf seine Freiheits- und Völkerliebe, seinen noch lebenden Idealismus, wäre andere Wege gegangen.«*

* In: Macht und Mensch, S. 177 ff.

Das war die tiefere Ursache der »Reichsverdrossenheit«, und man darf als gewiß annehmen, daß der Kaiser von ihr auch nicht einen Hauch verspürte. Er fuhr fort zu reden und zu prahlen und in der Hoffnung, daß er alles so gut wie möglich gemacht habe und es auch künftig so gut wie möglich machen werde. Zum Stil der Reden bleibt, nach der vortrefflichen Analyse, welche der Schriftsteller Ludwig Thoma nach dem Erscheinen der ersten beiden Rede-Sammlungen (in Reclams »Universalbibliothek«) in einem 1907 veröffentlichten Aufsatz gegeben hat, nicht mehr viel hinzuzufügen. Man kann Thoma nur zitieren: »Der Stil des Kaisers ist beherrscht vom Superlative. In kurzen Trinksprüchen finden sich zwei und mehr, in den größeren Kundgebungen sind sie entsprechend zahlreicher, in keiner Rede fehlen sie gänzlich. Der Superlativ ist auch als rhetorische Form nicht gut. Ein Gedanke soll einfach und wahr ausgedrückt werden. Der Superlativ ist überschwänglich und darum unwahr . . . Der Kaiser liebt ferner das schmückende Beiwort; er fügt es zu jedem Hauptworte, und wo er begeistern will, häuft er die Adjektiva. Aber durch Beiwörter leidet die Klarheit des Hauptwortes. Zudem: schmückende, ausmalende Beiworte lassen die Form schwülstig erscheinen; außerdem beweisen sie, daß ein Redner sich selbst nicht zutraut, eine Empfindung oder einen Gedanken knapp mit dem treffenden Worte auszudrücken . . . Wer nun die festlichen Reden des Kaisers prüft, kann darin weder Eigenart des Empfindens noch Eigenart des Ausdruckes finden. Wir sehen häufige Wiederholung von Worten, die hochgespannte Empfindungen ausdrücken sollten. Dadurch erhalten sie konventionelles Gepräge; die Worte, wie die Gefühle.«[*]

Der wilhelminische Rede-Stil wurde nicht nur beklatscht, sondern auch bereitwillig nachgeahmt. Die Anpassung an die kaiserliche Schnurrbartform »Es ist erreicht« darf man noch als erträglich nennen, gegenüber der Forschheit im Stil der öffentlichen Rede, die jetzt Mode wurde. Schon im Jahre 1906 beklagt der konservative Publizist Graf Ernst Reventlow diesen Zustand: »In der Natur des Kaisers liegt, und wir müssen es deswegen als unabänderlich ansehen, im rednerischen Ausdruck an die obere Grenze zu gehen. Der byzantinische Teil der Presse hauptsächlich, und nicht weniger hochgestellte Beamte etc. haben sich aller Mittel der Sprache bedient, um noch eine Steigerung möglich zu machen, und in diesen Paroxismus von Worten

---

[*] Ludwig Thoma, Die Reden Kaiser Wilhelms II., S. 10 ff.

leben wir nun schon länger als ein halbes Menschenalter.«*
Die gesellschaftlichen Auswirkungen, auf welche hier ange-
spielt wird, liest man am besten in Heinrich Manns Roman ›Der
Untertan‹ nach, dessen Held, Diederich Hessling, spricht, wie
es Seiner Majestät zu sprechen gefiel.

Das Urteil eines heutigen Philologen lautet: »Selten dürfte
in der neueren Geschichte der deutschen Sprache mehr Sprach-
vernutzung und Sprachverhunzung getrieben worden sein als
hier, Wort- und Begriffsabwertungen sondergleichen, bomba-
stisch ausgeleert in einem ideologischen Protz- und Trotzstil,
dem superlativisch und adjektivisch nichts zuviel wurde: schnei-
dig und kolossal, energisch und brutal, fest entschlossen und
absolut, und das Ganze verbrämt zugleich so idealistisch wie
soldatisch, Weltanmaßung großer Worte über geistige Flach-
heit – das war mehr oder minder die offizielle Sprache dieser
wilhelminischen Jahrzehnte.«**

Hingegen schrieb Johannes Penzler, der Herausgeber der
ersten beiden Bände der Kaiser-Reden, in seiner Einleitung:
»Die Reden des Kaisers geben ein getreues Bild seines Wesens.
Man vergegenwärtige sich, daß er fast immer unvorbereitet
spricht, und halte damit zusammen den reichen Inhalt und die
oft wahrhaft künstlerische Form seiner Reden, die nicht selten
einen hohen Grad edelster Rhetorik erreichen. Sie bezeugen die
hohe Auffassung von seinem Herrscherberuf, sein strenges,
echt hohenzollernsches Pflichtgefühl, seine Treue gegen die verbündeten Fürsten, die Liebe zu seinem Volk, die Teilnahme für
alle Notleidenden und heiligen Zorn gegen alles Unedle und
Unwahre und Ungetreue. Daher mag noch so viel über die Person des Kaisers geschrieben werden, nichts vermag ihn uns so
wahr darzustellen, wie seine eigenen Reden.«*** Penzler ahnte
nicht, wie entlarvend dieser letzte Satz , den er voller Stolz hin-
zufügte, in Wirklichkeit war.

Heute, gleichsam nach der Entlarvung, können wir über die
Reden Wilhelms II. lächeln, aber wir müssen sie respektieren
als ein Stück politischer Realität deutscher Geschichte. Um sie
ernst nehmen zu können, sollten wir sie kennen – wenn auch
nur, um sie als den Versuch zu betrachten, »unser geduldiges
Volk jeden Tag besoffen zu machen«, wie Liliencron sagte.

* In: Kaiser Wilhelm II. und die Byzantiner, München (1906), S. 78.
** Hans Schwerte: Deutsche Literatur im wilhelminischen Zeitalter, in: Wirkendes Wort, 14.
Jg., 1964, Heft IV.
*** Die Reden Kaiser Wilhelms II., Bd. 1 (1897).

Es war die erste »Versuchsreihe«, die zweite, die der Hitler-Reden sollte folgen. Beide endeten mit einer Katastrophe.

Wir glauben in unserer Auswahl die wichtigsten Reden gesammelt zu haben; von offiziellen Kundgebungen, Thronreden usw. haben wir Abstand genommen. Um das Zeit-Kolorit zu bewahren, haben wir jede Rede ungekürzt gebracht. Dort wo der amtliche Teil Beschönigungen anbrachte, haben wir auch die inoffizielle Lesart beigefügt. Unsere Kommentierung ging davon aus, daß wir nicht die Entwicklung der deutschen Außen- und Innenpolitik, zu welcher die Kaiser-Reden oft genug die Begleitmusik abgaben, darzustellen hatten; es war unsere Absicht, die Reden »als die persönlichen Willensäußerungen« Wilhelms II. neu bekannt zu machen. Nicht zuletzt deshalb, weil sie erklären, wie es zum »persönlichen Regiment« dieses Herrschers gekommen ist und wie es dazu hat kommen können. Hervorhebungen des Herausgebers in den Reden Kaiser Wilhelms II. erscheinen in Schrägdruck.

Reden des Kaisers

Nach der Enthüllung eines Denkmals für den Armeeführer Prinz Friedrich Karl antwortete der Kaiser auf die Huldigung des Oberbürgermeisters am 16. August 1888:

Ich spreche Ihnen Meinen herzlichen Dank aus für die Worte, die Ich soeben vernommen, und bitte Sie, zugleich der Übermittler Meines wärmsten Dankes für den so herzlichen Empfang an die Stadt zu sein.

Ich weiß sehr wohl, daß, wie Sie eben erwähnten, die Bande inniger, treuer Ergebenheit Frankfurt seit Jahrhunderten mit Meinem Hause verbunden haben.

Mein Herr Großvater wußte dies wohl und erwählte deshalb die Stadt zum Ort des Standbildes. Sein Wille übertrug dem Hochseligen Prinzen das Kommando des III. Armeecorps. Der eiserne, gewaltige Charakter, der mächtige Wille und das strategische Genie des Prinzen befähigten ihn besonders, an der Spitze des Armeecorps zu stehen und Brandenburgs Söhne in harter, schwerer Schule heranzubilden, wie sie sich später in den Schlachten bei Vionville gezeigt haben.

Es ist eine ernste Zeit, in der wir stehen. Die großen Heerführer, die unsre Armee zum Siege geleitet haben, die beiden großen Vettern, der Kronprinz und der Prinz Friedrich Karl, sind dahin.

Solange die Geschichte bestehen wird, so lange werden Mein Vater als der deutsche Kronprinz und Mein Oheim als der deutsche Feldmarschall par excellence als die Hauptvorkämpfer und Stifter des Reichs gefeiert werden.

Wie das Brandenburger Volk mit eiserner Energie und unermüdlicher Thätigkeit dem sandigen Boden seinen Erwerb abringt, so rang das III. Armeecorps heute vor 18 Jahren* dem Feinde den Sieg ab. Die Leistungen aber, welche das Armeecorps vollbracht, hat es dem Prinzen und seiner Schule zu verdanken.

Ich trinke auf das Wohl der Stadt Frankfurt und auf das Wohl des III. Armeecorps.

Doch Eines will Ich noch hinzufügen, Meine Herren, im Hinblick auf den großen Tag, den wir feiern. Es giebt Leute, die sich nicht entblöden zu behaupten, daß Mein Vater das, was er mit dem seligen Prinzen gemeinsam mit dem Schwert erkämpfte, wieder herausgeben wollte. Wir alle haben ihn zu gut gekannt,

---

* Am 16. August 1870 in der Schlacht bei Vionville und Mars-la-Tour.

als daß wir einer solchen Beschimpfung seines Andenkens nur einen Augenblick ruhig zusehen könnten. Er hatte denselben Gedanken als wir, daß nichts von den Errungenschaften der großen Zeit aufgegeben werden kann. Ich glaube, daß wir sowohl im III. Armeecorps wie in der gesamten Armee wissen,

daß darüber nur eine Stimme sein kann, daß wir lieber unsre gesamten 18 Armeecorps und 42 Millionen Einwohner auf der Walstatt liegen lassen, als daß wir einen einzigen Stein von dem, was Mein Vater und der Prinz Karl errungen haben, abtreten.

In diesem Sinne erhebe Ich Mein Glas und trinke auf das Wohl Meiner braven Brandenburger, der Stadt Frankfurt und des III. Armeecorps!

[2] Zu einer Abordnung streikender Bergleute (14. Mai 1889)

Im Ruhrgebiet war ein Lohnkonflikt ausgebrochen. Der Kaiser entschloß sich, beide Parteien anzuhören. Zuerst gab er am 14. Mai 1889 den Vertretern der Bergleute (Schröder, Siegel, Bunte) eine Audienz. Auf Schröders Bericht antwortete der Kaiser:

Jeder Unterthan, wenn er einen Wunsch oder eine Bitte vorträgt, hat selbstverständlich das Ohr seines Kaisers. Das habe Ich dadurch gezeigt, daß Ich der Deputation gestattet habe, hierher zu kommen und ihre Wünsche persönlich vorzutragen. Ihr habt euch aber ins Unrecht gesetzt, denn die Bewegung ist eine ungesetzliche, schon deshalb, weil die vierzehntägige Kündigungsfrist nicht innegehalten ist, nach deren Ablauf die Arbeiter gesetzlich berechtigt gewesen sein würden, die Arbeit einzustellen. Infolgedessen seid ihr kontraktbrüchig. Es ist selbstverständlich, daß dieser Kontraktbruch die Arbeitgeber gereizt hat und sie schädigt.

Ferner sind Arbeiter, welche nicht streiken wollen, mit Gewalt oder durch Drohungen verhindert worden, ihre Arbeit fortzusetzen. Sodann haben sich einzelne Arbeiter an obrigkeitlichen Organen und fremdem Eigentum vergriffen und sogar der zu deren Sicherheit herbeigerufenen militärischen Macht in einzelnen Fällen thätlichen Widerstand entgegengesetzt. Endlich wollt ihr, daß die Arbeit erst dann gleichmäßig wieder aufgenommen werde, wenn auf allen Gruben eure sämtlichen Forderungen erfüllt sind.

Was die Forderungen selbst betrifft, so werde Ich diese durch

Meine Regierung genau prüfen und euch das Ergebnis der Untersuchung durch die dazu bestimmten Behörden zugehen lassen. Sollten aber Ausschreitungen gegen die öffentliche Ordnung und Ruhe vorkommen, sollte sich der Zusammenhang der Bewegung mit socialdemokratischen Kreisen herausstellen, so würde Ich nicht imstande sein, eure Wünsche mit Meinem Königlichen Wohlwollen zu erwägen. *Denn für Mich ist jeder Socialdemokrat gleichbedeutend mit Reichs- und Vaterlandsfeind.* Merke Ich daher, daß sich socialdemokratische Tendenzen in die Bewegung mischen und zu ungesetzlichem Widerstande anreizen, so würde Ich mit unnachsichtlicher Strenge einschreiten und die volle Gewalt, die Mir zusteht – und die ist eine große – zur Anwendung bringen.

Fahrt nun nach Hause, überlegt, was Ich gesagt, und sucht auf eure Kameraden einzuwirken, daß dieselben zur Überlegung zurückkehren. Vor allem aber dürft ihr unter keinen Umständen solche von euren Kameraden, welche die Arbeit wieder aufnehmen wollen, daran hindern.

[3] Empfang der Arbeitgeber im Bergbau (16. Mai 1889)

Die Audienz für die Arbeitgeberdeputation (Dr. Hammacher, Geheimer Kommerzienrat Haniel, Bergrat von Velsen und Bergassessor Krabler) fand am 16. Mai 1889 statt. Auf den Bericht Dr. Hammachers, des Vorsitzenden des Vereins für bergbauliche Interessen im Bezirk des Oberbergamts Dortmund, erwiderte der Kaiser:

Meine Herren! Ich habe Ihnen die Audienz gestattet, weil es selbstverständlich Sache des Monarchen ist, daß, wenn Seine Unterthanen in Streitigkeiten untereinander der Verständigung bedürfen und sie sich dann vertrauensvoll an das Staatsoberhaupt wenden, dann beide Parteien gehört werden. Ich habe die Arbeiter vorgestern gehört und freue Mich, Sie heute bei Mir zu sehen. Was die Ursache des Streikes betrifft und die Mittel zur Beseitigung desselben, so erwarte Ich darüber noch eingehende Berichte Meiner Behörden. Mir kommt es hauptsächlich darauf an, in Anbetracht der weitreichenden Schädigung der gesamten Bevölkerung, welche der Streik zur Folge hat, und nachdem ein zweiter Streik bereits in Schlesien, übertragen aus Westfalen, im Ausbruch begriffen ist, möglichst bald dem großen westfälischen Streik ein Ende zu machen.

Was Ich den Arbeitern gesagt habe, das wissen die Herren; es hat gestern überall in den Blättern gestanden; Ich habe darin Meinen Standpunkt in aller Schärfe gekennzeichnet. Die Arbeiter haben Mir übrigens einen guten Eindruck gemacht, sie haben sich der Fühlung mit der Socialdemokratie enthalten. Daß die Worte, die Ich zu ihnen gesprochen, in den Arbeiterkreisen Westfalens Anklang gefunden haben, ist Mir durch Telegramme bezeugt, und Ich habe Mich gefreut, daß Einmischungsversuche der Socialdemokratie von ihnen mit Energie abgewiesen worden sind. Die Verhandlungen, die Sie, Herr Hammacher, als Vorsitzender des Vereins, wie Ich gern höre, mit der Arbeiterdeputation geführt haben, sind Mir durch das Ministerium des Innern zugegangen, und Ich spreche Meine Anerkennung aus für das Entgegenkommen, was Sie den Arbeitern gezeigt haben, wodurch die Grundlage zu einer Verständigung gewonnen worden ist. Ich werde mich freuen, wenn auf dieser Basis sich Arbeitgeber und Arbeiter verständigen werden.

Ich möchte von Meinem Standpunkte aus noch Eins betonen. Wenn die Herren etwa der Ansicht sind, daß die von Mir gehörten Deputierten der Arbeiter nicht die maßgebenden Vertreter der Kreise wären, die dort streiken, so macht das nichts aus. Wenn sie auch nur einen Teil der Arbeiter hinter sich haben und die Meinung wiedergeben, die in ihren Kreisen besteht, so wird doch immer der moralische Einfluß des Versuchs der Verständigung von hohem Werte sein. Sind sie aber wirklich die Delegierten derselben, und haben sie die Ansicht der gesamten westfälischen Arbeiter vertreten, und sind sie dann mit den Punkten, die Sie ihnen eröffnet haben, einverstanden, dann habe ich zu dem gesunden und vaterländischen Sinn dieser Männer das Vertrauen, daß sie – und nicht ohne Erfolg – alles daran setzen werden, möglichst bald wieder ihre Kameraden zur Arbeit zu bringen.

Ich möchte bei dieser Gelegenheit allen Beteiligten dringend empfehlen, daß die Bergwerks-Gesellschaften und ihre Organe sich in Zukunft stets in möglichst naher Fühlung mit den Arbeitern erhalten, damit ihnen solche Bewegungen nicht entgehen. Denn ganz unvorbereitet kann der Streik sich unmöglich entwickelt haben. Es sind, wie Mir berichtet worden, allerdings Vorbereitungen getroffen; es bestand die Absicht, einen allgemeinen Streik ausbrechen zu lassen, nur zu einer späteren Zeit; und der Streik ist dort nur vorzeitig zum Ausbruch gekommen.

Ich möchte Sie bitten, dafür Sorge zu tragen, daß den Arbeitern Gelegenheit gegeben werde, ihre Wünsche zu formulieren, und sich vor allen Dingen immer vor Augen zu halten, daß diejenigen Gesellschaften, welche einen großen Teil Meiner Unterthanen beschäftigen und bei sich arbeiten lassen, auch die Pflicht dem Staat und den beteiligten Gemeinden gegenüber haben, für das Wohl ihrer Arbeiter nach besten Kräften zu sorgen und vor allen Dingen dem vorzubeugen, daß die Bevölkerung einer ganzen Provinz wiederum in solche Schwierigkeiten verwickelt werde. Es ist ja menschlich natürlich, daß jedermann versucht, sich einen möglichst günstigen Lebensunterhalt zu erwerben. *Die Arbeiter lesen Zeitungen und wissen, wie das Verhältnis des Lohnes zu dem Gewinne der Gesellschaften steht.* Daß sie mehr oder weniger daran teilhaben wollen, ist erklärlich. Deshalb möchte Ich bitten, daß die Herren mit größtem Ernst die Sachlage jedesmal prüfen und womöglichst für fernere Zeiten dergleichen Dingen vorzubeugen suchen. Ich kann Ihnen nur ans Herz legen, daß das, was der Herr Vorsitzende Ihres Vereins am gestrigen Tage mit Erfolg begonnen hat, möglichst bald zu einem guten Ende geführt werde.

Ich betrachte es als Meine Königliche Pflicht, den Beteiligten, den Arbeitgebern sowohl wie den Arbeitern, Meine Unterstützung bei vorkommenden Meinungsverschiedenheiten in dem Maße zuzuwenden, in welchem sie ihrerseits bemüht sind, die Interessen ihrer gesamten Mitbürger durch Pflege ihrer Einigkeit untereinander zu fördern und vor Erschütterungen, wie diese, zu bewahren.

[4] Festmahl in Sandown-Bai (5. August 1889)

Am 5. August 1889 wohnte der Kaiser, den die englische Königin zum Admiral of the fleet ernannt hatte, einer Regatta in Sandown-Bai bei. Er antwortete auf einen Toast des Prinzen von Wales folgendes:

Die große Ehre, welche Mir von der Königin durch die Ernennung zum Admiral der englischen Flotte erwiesen worden ist, schätze Ich sehr hoch. Ich freue Mich sehr, der Besichtigung der Flotte* beigewohnt zu haben, welche Ich als die schönste

* Vor dem Beginn der Regatta hatte der Kaiser die Abfahrt der englischen Flotte zu den großen Manövern mitangesehen.

der Welt betrachte. Deutschland besitzt eine seinen Bedürfnissen entsprechende Armee; und wenn die britische Nation eine ihren Bedürfnissen entsprechende Flotte hat, so wird dies von Europa im allgemeinen als ein höchst wichtiger Faktor für die Aufrechterhaltung des Friedens betrachtet werden.

[5] Festmahl des Brandenburgischen Provinziallandtages (5. März 1890)

Der Kaiser nahm am 5. März 1890 am Festmahl des Brandenburgischen Provinziallandtages im Hotel Kaiserhof in Berlin teil. Er hielt dabei folgende Tischrede:

Zunächst spreche Ich Ihnen, Meine Herren, Meinen Dank dafür aus, daß Sie den Wunsch gehabt haben, Mich heute Abend in Ihrer Mitte zu sehen.

Es sind drei Jahre verflossen, seit Ich – abgesehen von dem kurzen Besuche im Landhause am Schlusse Ihrer vorjährigen Sitzungen – mit Meinen Brandenburgern zusammengewesen bin. In diesen drei Jahren hat sich manches ereignet, was Mein Haus und mit Meinem Hause die Mark Brandenburg betroffen hat.

Das oft bewunderte und für die Ausländer unverständliche innige Zusammenhalten der Hohenzollern mit Brandenburg beruht vor allem darauf, daß im Gegensatz zu anderen Staaten es den Brandenburgern vergönnt gewesen ist, im schwersten Unglück ihre Treue dem Hohenzollernhause bewahren und beweisen zu können.

Lassen Sie Mich an Meine Vorfahren erinnern, unter ihnen vor allen an den Großen Kurfürsten, von dem Ich immer gerne, besonders zu Ihnen, spreche, da man ihn schon bei seinen Lebzeiten den Großen Brandenburger nannte; an Friedrich den Großen – sie beide haben es jederzeit als ihre erste Pflicht erkannt, das Land, welches sie einst mit ihrer – wie man sagt – schöneren Heimat in Süddeutschland vertauscht hatten, nicht zu ihrem Vorteil zu nutzen, sondern ihre Interessen ganz mit denen ihres neuen Vaterlandes zu verschmelzen und als ihre höchste Aufgabe zu betrachten, rastlos für das Wohl desselben thätig zu sein.

Bei Meinen Reisen, von denen Ihr Herr Vorsitzender sprach, habe Ich nicht allein den Zweck verfolgt, fremde Länder und Staatseinrichtungen kennenzulernen und mit den Herrschern benachbarter Reiche freundschaftliche Beziehungen zu pflegen; sondern diese Reisen, die ja vielfach Mißdeutungen ausgesetzt waren, haben für Mich den hohen Wert gehabt, daß Ich, entrückt dem Parteigetriebe des Tages, die heimischen Verhältnisse aus der Ferne beobachten und in Ruhe einer Prüfung unterziehen konnte. Wer jemals einsam auf hoher See auf der Schiffbrücke stehend, nur Gottes Sternenhimmel über sich, Einkehr in sich selbst gehalten hat, der wird den Wert einer solchen Fahrt nicht verkennen. Manchem von Meinen Landsleuten möchte Ich wünschen, solche Stunden zu erleben, in denen der Mensch sich Rechenschaft ablegen kann über das, was er erstrebt und was er geleistet hat. *Da kann man geheilt werden von Selbstüberschätzungen und das thut uns allen not.*

In Meinem Zimmer hängt ein Bild, das lange in Vergessenheit geraten war; es zeigt eine Reihe stolzer Schiffe, den roten Adler Brandenburgs in der Flagge. Dieses Bild erinnert Mich täglich daran, wie schon der Große Kurfürst die richtige Erkenntnis dafür gehabt hat, daß Brandenburg zur Verwertung seines Fleißes und seiner Arbeitskraft eine Stellung im Weltmarkt sich erobern müsse. Groß sind die Fortschritte gewesen, die seit jener Zeit Preußens und Deutschlands Gewerbe und Handel aufzuweisen hat, besonders unter der Regierung Meines Herrn Großvaters. Das weitere Aufblühen unserer wirtschaftlichen Thätigkeit zu fördern, erachte ich für eine Meiner vornehmsten Aufgaben; Ich habe deshalb, nachdem Meine Thätigkeit zunächst der Sicherung der Ruhe nach außen gegolten, Meinen Blick nach innen gerichtet.

Die Ziele, die Mein Hochseliger Herr Großvater in Seiner Botschaft aufgestellt hat, habe Ich Mir angeeignet. In Seinen Fußstapfen fortschreitend, ist es Meine vornehmste Sorge gewesen, Mich eingehender um das Wohl der unteren Klassen Meiner Unterthanen zu bekümmern. Die Erfolge der Beratungen des Staatsrates, welche hoffentlich bald in gesetzlicher Form für unser Vaterland nutzbringend wirken werden, verdanke Ich nicht zum mindesten der treuen und aufopfernden Mithilfe brandenburgischer Männer.

Die von Mir vorher berührten Gesichtspunkte, nach welchen Meine Vorfahren und die Familie der Hohenzollern überhaupt ihre Stellung zu Brandenburg auffaßten, war im höchsten Maße in Meinem Hochseligen Großvater verkörpert. Derselbe betrachtete Seine Stellung als eine Ihm von Gott gesetzte Aufgabe, der Er Sich mit Daransetzung aller Kräfte bis zum letzten Augenblick widmete. So wie Er dachte, denke auch Ich und sehe in dem Mir überkommenen Volke und Lande ein von Gott Mir anvertrautes Pfund, welches – wie schon in der Bibel steht – zu mehren Meine Aufgabe ist und worüber Ich dereinst Rechenschaft abzulegen haben werde. Ich gedenke nach Kräften mit dem Pfunde so zu wirtschaften, daß Ich noch manches andere hoffentlich werde dazulegen können. Diejenigen, welche Mir dabei behilflich sein wollen, sind Mir von Herzen willkommen, wer sie auch seien; *diejenigen jedoch, welche sich Mir bei dieser Arbeit entgegenstellen, zerschmettere Ich.*

Sollten ernste Zeiten uns bevorstehen, so bin Ich der Treue Meiner Brandenburger gewiß und hoffe, daß sie Mir bei der Erfüllung Meiner Pflichten treulich beistehen werden. Darauf bauend, trinke Ich unter dem Wahlspruch »Hie guet Brandenburg allewege« auf das Wohl Meiner Brandenburger und dieses teuren Landes.

[6] Festmahl des Provinziallandtages in Königsberg (15. Mai 1890)

Der Kaiser hielt bei dem ihm vom Ostpreußischen Provinziallandtage am 15. Mai 1890 gegebenen Festmahle als Antwort auf die Rede des Landtagsmarschalls Graf Eulenburg-Prassen folgende Ansprache:

Mein verehrter Graf!

Ich spreche Ihnen aus tief bewegtem Herzen Unsern innersten, wärmsten Dank aus, im Namen der Kaiserin und in Meinem Namen.

Gestatten Sie, Meine Herren, daß Ich am heutigen Tage, wo wir wieder miteinander versammelt sind, zunächst eines Mannes gedenke, der in Ihrer aller Herzen einen hohen Platz einnimmt, der lange Vorsitzender des Ostpreußischen Provinziallandtages war und in der gesamten Provinz hochgeehrt und, geachtet von Meinem Herrn Vater und Meinem Herrn Großvater und Mir, gleichmäßig beliebt war. Ich denke an den verstorbenen Grafen von Dohna-Schlodien*. Möge das Andenken dieses Mannes ein gesegnetes sein und zum Heile der Provinz gereichen!

* Karl Graf zu Dohna-Schlodien (geb. 29. September 1814), Obermarschall im Königreich Preußen, war am 2. April 1890 gestorben, Graf Eulenburg-Prassen vom Provinzialausschuß zu seinem Nachfolger gewählt worden.

Ich beglückwünsche die Provinz zu der Neuwahl, die sie getroffen hat. Die eben vernommenen Worte bürgen für den, der sie gesprochen.

Unter den Gedanken, die Mich umwehen, wenn Ich in der Stadt Königsberg bin, hat auch einer Raum, von dem Ich fest überzeugt bin, daß er jedem von Ihnen auch wohl im Leben schon gekommen ist, und das ist der, daß Königsberg durch eine Thatsache für unser ganzes modernes Leben einen bedeutenden Platz erhalten hat dadurch, daß Seine Majestät der dahingegangene Kaiser Wilhelm I. das Königtum von Gottes Gnaden von neuem hier proklamiert und dort in der Schloßkirche der gesamten Welt gegenüber zum Ausdruck gebracht hat*; *dieses Königtum von Gottes Gnaden, was ausdrückt, daß Wir Hohenzollern Unsere Krone nur vom Himmel nehmen und die darauf ruhenden Pflichten dem Himmel gegenüber zu vertreten haben. Von dieser Auffassung bin auch Ich beseelt, und nach diesem Prinzip bin Ich entschlossen, zu walten und zu regieren.*

Die Provinz hängt mit Unserem Hause fest zusammen. Ein gutes, segenbringendes Königtum ist vor allem fundiert auf der Grundlage eines fest und zuversichtlich zum Rechten strebenden, Ackerbau treibenden Volkes. Die Zuversicht und das Vertrauen zwischen dem Herrscherhause und der Provinz sind gekräftigt durch schwere Schläge, die beide miteinander getragen haben; denn ein Land, welches mit seinem Fürstenhause eine Zeit, wie die vom Jahre 1806 bis 1813 durchgemacht hat, das, denke Ich, weiß, wie es in seinem Fürstenhause aussieht, und das weiß auch, wie es selber zu seinem Fürstenhause steht.

Ich weiß sehr wohl, Meine Herren, daß Momente kommen mögen, gerade in einer Provinz, wie dieser, mit überwiegend ländlicher Bevölkerung, wo es Ihnen Sorge machen kann, wohin es wohl mit Ihnen gehen werde. Seien Sie unbesorgt, Meine Herren! Wenn es auch zuweilen so scheinen mag, als ob die Sympathie oder das Verständnis für die Interessen der Landwirtschaft nicht da seien, so mögen Sie sicher sein: der König von Preußen steht so hoch über den Parteien und über dem Getriebe des Parteihaders, daß Er, unentwegt auf jeden einzelnen seines Landes schauend, auch für das Wohl jedes einzelnen und jeder Provinz beflissen ist. Ich weiß sehr wohl, wo es Ihnen gebricht und was für Sie zu thun bleibt, und ich habe auch Meine Wege dementsprechend vorgezeichnet.

Es ist Meine Pflicht und, solange Ich es kann, werde Ich dafür

---

* Die Krönungsfeier hat am 18. Oktober 1861 stattgefunden.

sorgen, daß dem Lande der Frieden erhalten bleibt. Dies ist besonders wichtig gerade für Ihre Ackerbau treibende, Ihre Landbevölkerung. Der Überzeugung lebe Ich aber auch, und Ich freue Mich, daß es hier hervorgehoben worden ist, daß gerade das Bewußtsein, daß jeder einzelne Unterthan, jeder einzelne Preuße, Mann für Mann zu seinem König stehend, wenn es not thun sollte, alles zu opfern bereit ist, dem preußischen Könige die Kraft giebt, mit Zuversicht diese Friedensworte reden zu können.

Er ist imstande, den Frieden aufrechtzuerhalten, *und Ich habe das Gefühl, daß denjenigen, die den Frieden umzustoßen wagen sollten, eine Lehre nicht erspart bleiben wird, welche sie in hundert Jahren nicht vergessen werden.*

Oft genug sind Versuche gemacht worden, die Interessen der Landwirtschaft, welche in dieser Provinz eine so hervorragende Bedeutung haben, zurückzudrängen. Es sind auch Strömungen da, die leider die Achtung vor dem Ackerbau und vor der Landbevölkerung nicht mehr haben. Ich freue Mich aber, es sagen zu können, daß ein Umschwung schon eingetreten ist; denn einer unserer bedeutendsten Parlamentarier hat Mich noch diesen Winter versichert, daß er, obgleich er früher anderer Ansicht gewesen, nach eifrigem Studium und tieferem Eingehen auf die bäuerlichen und grundbesitzlichen Dinge zu der festen Überzeugung gekommen sei, daß das Heil für die Zukunft unseres Landes in einer festen, sicher fundierten Bauernschaft liege und daß er seine größte Aufgabe darin erblicke, seine Partei dahin zu bringen, dafür wirken zu wollen.

Nun, Meine Herren, das ist auch Meine Ansicht und Ich spreche als König von Preußen: Ich werde stets, wie Ich auch gestern gesagt habe, das Beste Ihrer Provinz im Auge und für ihre Bedürfnisse ein warmes Herz haben. Sie müssen nur Geduld haben, wenn nicht alles sogleich geschieht. Das aber verspreche Ich Ihnen, an der Provinz rühren lasse Ich nicht, und sollte es doch versucht werden, so wird Meine Souveränität als ein *rocher de bronce* sich dagegen setzen.

Ich erhebe Mein Glas und trinke auf das Wohl der Provinz. Sie lebe hoch! – hoch!! – hoch!!!

[7] Bei dem Brandenburgischen Provinziallandtage
(20. Februar 1891)

Der Kaiser folgte am 20. Februar 1891 einer Einladung des Brandenburgischen Provinziallandtages in Berlin und hielt nachstehende Rede:

In Meinen Dank für die freundlichen Worte des Herrn Vorsitzenden möchte Ich zunächst das tiefe Bedauern und den innigen Schmerz einschließen, der Mein und, Ich bin überzeugt, Ihrer aller Herzen durchzogen hat bei dem Verlust eines Ihrer wertesten Mitglieder; ich meine des Herrn von Rochow-Plessow. Ihm, einem alten märkischen Edelmann von treuem, festem Schrot und Korn, einem Vorbild aller ritterlichen Tugenden, der seinem Fürstenhause treu ergeben war bis zum letzten Atemzuge seines Lebens, möchte Ich als König noch nachträglich Meinen Dank aussprechen für das lange Leben treuen Arbeitens, welches er für Meine Vorfahren und für Mich im Dienste der Provinz zugebracht hat.

Brandenburgische Männer! Ich freue Mich von ganzem Herzen, daß es Mir vergönnt ist, wieder einen Abend unter Ihnen zuzubringen, denn es ist einem immer wohl, mit Männern sich zusammenzufinden, von denen man weiß, daß man mit ihnen übereinstimmt und daß man sich miteinander eins fühlt. Wir stehen gewissermaßen noch unter dem Schatten jenes Tages, den wir vor kurzer Zeit gefeiert haben, Ich meine des Jubiläums jenes großen Brandenburgers, von dem Ich so oft und gern zu Ihnen gesprochen habe, des Großen Kurfürsten; jenes Mannes, der mit seinem vollsten Herzen und allen Fibern an seinem Heimatlande hing und mit unermüdlicher, rastloser Thätigkeit dafür sorgte, daß aus tiefer Not und tiefem Elend die Mark Brandenburg zu einem festen, einigen Ganzen emporstieg. Es ist der Vorfahre von Mir, für den Ich die meiste Schwärmerei habe, der von jeher meiner Jugend als Vorbild vorangeleuchtet hat.

Ich weiß sehr wohl, daß in dieser Zeit und im vergangenen Jahr manches geschah und sich ereignet hat, was Ihre Herzen und Gemüter bewegt. Ich freue Mich, daß Meiner Aufforderung zum gemeinsamen Arbeiten, zum einigen Thun im Lande, welche Ich damals in Schleswig-Holstein und später in Schlesien aussprach, so gern und willig in jeder Beziehung in der Bevölkerung entsprochen worden ist, ebenso auch hier in der Mark Brandenburg. Ich meine aber zu gleicher Zeit einen gewissen

Stillstand wahrnehmen zu können, ein gewisses Zagen und ein gewisses Zaudern; *Ich meine zu sehen, daß es den Herren nicht leicht wird, den Weg zu erkennen, den Ich beschreite und den Ich Mir vorgezeichnet habe, um Sie und uns alle zu Meinem Ziel und zum Heil des Ganzen zu führen.* Wenn wir Schritte thun und arbeiten wollen zum Ziele des Ganzen, so müssen wir dieses auch immer im Auge haben. Zu diesem Zwecke thut es wohl gut, sich zuweilen in unsere Geschichte rückblickend zu vertiefen.

Ich habe im vorigen Jahre an einer Stelle gestanden, die uns allen teuer, lieb und wert, Ich möchte sagen geheiligt erscheint; es ist der Boden von Memel*. Ich bin in dem Hause gewesen, wo Meine Urgroßeltern gelebt und ihre Zeit in schwerer Anfechtung und Sorge zugebracht haben, da unser Land zerschmettert am Boden lag, den Eroberer in sich walten und schalten sehend, ohne Hoffnung auf die Zukunft. Und gerade von dort aus, da niemand wußte und niemand sich denken konnte, daß das Land sich jemals wieder erheben würde, von dort aus sind die ersten Anfänge zur Größe unserer Jetztzeit ausgegangen. Das Fürstenhaus, festhaltend an Gott, am Glauben, an der Treue zu seiner Pflicht; das Volk, fest vertrauend der Hand seines Führers: sie fanden sich beide wieder zusammen, und in diesem Vertrauen liegt die Größe, darin liegt das Geheimnis der Größe unseres Vaterlandes.

Ich weiß sehr wohl, daß es in der Jetztzeit versucht wird, die Gemüter zu ängstigen. *Es schleicht der Geist des Ungehorsams durch das Land; gehüllt in schillernd verführerisches Gewand, versucht er die Gemüter Meines Volkes und die Mir ergebenen Männer zu verwirren; eines Oceans von Druckerschwärze und Papier bedient er sich, um die Wege zu verschleiern, die klar zu Tage liegen und liegen müssen für jedermann, der Mich und Meine Prinzipien kennt.* Ich lasse mich dadurch nicht beirren. Es mag Meinem Herzen wohl wehe thun, zu sehen, wie verkannt die Ziele sind, die Ich verfolge; aber Ich hege das Vertrauen, daß alle diejenigen, die monarchisch gesonnen sind, die es gut mit Mir meinen, und daß vor allen Dingen die brandenburgischen Männer nicht einen Augenblick wankend geworden sind und nie gezweifelt haben an dem, was Ich that. Wir müssen vorwärts streben, wir müssen arbeiten und im Innern kämpfen. Aber wenn das Ganze gedeihen soll, so, sein Sie sich dessen klar, müssen hie und da im Einzelinteresse Opfer gebracht werden. Unsre jetzigen Parteien sind gegründet auf Interessen und verfolgen dieselben oft zu sehr, eine jede für sich.

* Am 25. August 1890 bei der Rückkehr aus Rußland.

Es ist ein hohes Verdienst Meiner Vorfahren, daß sie sich nie zu den Parteien gestellt, sondern daß sie stets darüber gestanden haben, und daß es ihnen gelungen ist, die einzelnen Parteien zum Wohle des Ganzen zu vereinigen. Nun, Sie sehen ja, wie der Erfolg diese Bemühungen gekrönt hat zum Heile des Ganzen, zum fortschreitenden Gedeihen unserer Arbeit. Ich hoffe und spreche die feste Zuversicht aus, daß ein jeder von Ihnen in seiner Arbeit und in seinem Wirkungskreis verstehen wird, daß er für das Ganze wirken und arbeiten soll, daß er Mir treu zur Seite stehen und Mir helfen muß. Ich glaube nicht, daß die brandenburgischen Männer zaudern werden, Mir zu folgen auf den Bahnen, die Ich beschreite. *Sie wissen, daß ich Meine ganze Stellung und Meine Aufgabe als eine Mir vom Himmel gesetzte auffasse und daß Ich im Auftrag eines Höheren, dem Ich später einmal Rechenschaft abzulegen habe, berufen bin. Deshalb kann Ich Sie versichern, daß kein Abend und kein Morgen vergeht ohne ein Gebet für Mein Volk und speciell ein Gedenken an Meine Mark Brandenburg.*

Nun, Brandenburger! Ihr Markgraf spricht zu Ihnen, folgen Sie ihm durch Dick und Dünn auf allen den Wegen, die Er Sie führen wird! Sie können versichert sein, es ist zum Heil und zur Größe unseres Vaterlandes. In dieser Gesinnung rufe Ich: Es lebe die Provinz Brandenburg, Hurra! Hurra!! zum drittenmal Hurra!!!

[8] Rekrutenvereidigung in Potsdam (23. November 1891)

Der Kaiser wohnte am 23. November 1891 der Rekrutenvereidigung der Potsdamer Garderegimenter bei und richtete an sie nach der kirchlichen Feier und der Eidesleistung eine Ansprache:

Rekruten Meiner Garderegimenter!

Ihr seid hier aus allen Teilen Meines Reiches zusammengezogen, um eurer Militärpflicht zu genügen, und habt eben an heiliger Stätte euerm Kaiser Treue geschworen bis zum letzten Atemzuge. Ihr seid noch zu jung, um das alles zu verstehen, ihr werdet aber nach und nach damit bekannt gemacht werden. Stellt euch dies alles nicht zu schwer vor und vertraut auf Gott, betet auch manchmal ein Vaterunser, das hat schon manchem Krieger wieder frischen Mut gemacht.

Kinder Meiner Garde, mit dem heutigen Tage seid ihr Meiner

Armee einverleibt worden, steht jetzt unter Meinem Befehle und habt das Vorrecht, Meinen Rock tragen zu dürfen. Tragt ihn in Ehren. Denket an unsere ruhmreiche vaterländische Geschichte; denket daran, daß die deutsche Armee gerüstet sein muß gegen den inneren Feind sowohl als gegen den äußeren. Mehr denn je hebt der Unglaube und Mißmut sein Haupt im Vaterlande empor, *und es kann vorkommen, daß ihr eure eignen Verwandten und Brüder niederschießen oder -stechen müßt.* Dann besiegelt die Treue mit Aufopferung eures Herzblutes. Und nun geht nach Hause und erfüllet eure Pflichten.

So sprach der Kaiser nach dem ›Breslauer Lokalanzeiger‹ vom 8. Dezember 1891. Nach der ›Neißer Zeitung‹ hatte die Rede folgenden Wortlaut:

Rekruten!

Ihr habt jetzt vor dem geweihten Diener Gottes und angesichts dieses Altars Mir Treue geschworen. Ihr seid noch zu jung, um die wahre Bedeutung des eben Gesprochenen zu verstehen; aber befleißigt euch zunächst, daß ihr die gegebenen Vorschriften und Lehren immer befolgt. Ihr habt Mir Treue geschworen, das – Kinder Meiner Garde – heißt, ihr seid jetzt Meine Soldaten, ihr habt euch Mir mit Leib und Seele ergeben; *es giebt für euch nur einen Feind, und der ist Mein Feind. Bei den jetzigen socialistischen Umtrieben kann es vorkommen, daß Ich euch befehle, eure eignen Verwandten, Brüder, ja Eltern niederzuschießen – was ja Gott verhüten möge –, aber auch dann müßt ihr Meine Befehle ohne Murren befolgen.*

[9] Festmahl des Brandenburgischen Provinziallandtages
  (24. Februar 1892)

Der Kaiser nahm am 24. Februar 1892 am Festmahl des Brandenburgischen Provinziallandtages teil. Auf die Ansprache des Geheimrats von Bornstedt erwiderte er:

Meine Herren!

Sie haben in althergebrachter Weise, zu Ihrer Arbeit zusammengekommen, als gute Brandenburger Ihres Markgrafen nicht vergessen. Dafür sei Ihnen Mein herzlichster Dank gesagt. Mir bereitet es stets besondere Freude, wenn Ich mit Märkern zusammensein kann. Um so mehr ist dies der Fall, wenn das gesamte Land Brandenburg, in so würdiger Weise vertreten, sich hier zusammenfindet.

Die Worte, die soeben gesprochen worden sind und welche Ihre treuen Gesinnungen Mir von neuem offenbaren, haben Mir sehr wohl gethan. Es ist Mir in Meiner schweren Arbeit doppelt angenehm und auch zu gleicher Zeit anregend, wenn in so warmer Weise Meine Bestrebungen für das Wohl Meines Volkes dankbare Anerkennung finden. Es ist ja leider jetzt Sitte geworden, an allem, was seitens der Regierung geschieht, herumzumäkeln. Unter den nichtigsten Gründen wird den Leuten ihre Ruhe gestört und ihre Freude am Dasein und am Leben und Gedeihen unseres gesamten großen deutschen Vaterlandes vergällt. Aus diesem Nörgeln und dieser Verhetzung entsteht schließlich der Gedanke bei manchen Leuten, als sei unser Land das unglücklichste und schlechtest regierte in der Welt und sei es eine Qual, in demselben zu leben. Daß dem nicht so ist, wissen wir alle selbstverständlich besser. *Doch wäre es dann nicht besser, daß die mißvergnügten Nörgler lieber den deutschen Staub von ihren Pantoffeln schüttelten und sich unsern elenden und jammervollen Zuständen auf das schleunigste entzögen?* Ihnen wäre ja dann geholfen, und uns thäten sie einen großen Gefallen damit.

Wir leben in einem Übergangszustande! Deutschland wächst allmählich aus den Kinderschuhen heraus, um in das Jünglingsalter einzutreten. Da wäre es wohl an der Zeit, daß wir uns von unsern Kinderkrankheiten frei machten. Wir gehen durch bewegte und anregende Tage hindurch, in denen das Urteil der großen Menge der Menschen der Objektivität leider zu sehr entbehrt. Ihnen werden ruhigere Tage folgen, *insofern unser Volk sich ernstlich zusammennimmt, in sich geht und unbeirrt von fremden Stimmen auf Gott baut und die ehrliche fürsorgliche Arbeit seines angestammten Herrschers.*

Ich möchte dieses Übergangsstadium mit einer kleinen Geschichte vergleichend beleuchten, welche Ich einmal gehört habe. Der berühmte englische Admiral Sir Francis Drake war in Centralamerika gelandet nach schwerer, stürmisch bewegter Reise; er suchte und forschte nach dem andern großen Ocean, von dem er überzeugt war, daß er vorhanden sei, den die meisten seiner Begleiter jedoch als nicht existierend annahmen. Der Häuptling eines Stammes, dem das eindringliche Fragen und Forschen des Admirals aufgefallen, von der Macht seines Wesens eingenommen, sagte ihm: »Du suchst das große Wasser; folge mir, ich werde es dir zeigen«, und nun stiegen die beiden trotz warnenden Zurufs der übrigen Begleiter einen gewaltigen Berg hinan. Nach furchtbaren Beschwerden an der Spitze angelangt, wies der Häuptling auf die Wasserfläche hinter ihnen, und Drake sah die wildbewegten Wogen des zuletzt von ihm durchschifften Meeres vor sich. Darauf drehte sich der Häuptling um, führte den Admiral um einen kleinen Felsvorsprung herum, und plötzlich that sich vor seinem entzückten Blicke der vom Gold der aufgehenden Sonne bestrahlte Wasserspiegel des in majestätischer Ruhe sich ausbreitenden Stillen Oceans auf.

So sei es auch mit uns! Das feste Bewußtsein Ihrer Meine Arbeit treu begleitenden Sympathie flößt Mir stets neue Kraft ein, bei der Arbeit zu beharren und auf dem Wege vorwärtszuschreiten, der Mir vom Himmel gewiesen ist.

Dazu kommt das Gefühl der Verantwortung unserm obersten Herrn dort oben gegenüber *und Meine felsenfeste Überzeugung, daß unser Alliierter von Roßbach und Dennewitz Mich dabei nicht im Stich lassen wird. Er hat sich solche unendliche Mühe mit unserer alten Mark und Unserem Hause gegeben, daß wir nicht annehmen können, daß er dies für nichts gethan hat. Nein, im Gegenteil, Brandenburger, zu Großem sind wir noch bestimmt, und herrlichen Tagen führe Ich euch noch entgegen.* Lassen Sie sich nur durch keine Nörgeleien und durch mißvergnügliches Parteigerede Ihren Blick in die Zukunft verdunkeln oder Ihre Freude an der Mitarbeit verkürzen. Mit Schlagwörtern allein ist es nicht gethan, und den ewigen mißvergnüglichen Anspielungen über den neuen Kurs und seine Männer erwidere Ich ruhig und bestimmt: »*Mein Kurs ist der richtige, und er wird weiter gesteuert!*« – daß Meine brave märkische Mannschaft Mir dabei helfe, das hoffe Ich bestimmt. Daher trinke Ich auf das Wohl Brandenburgs und seiner Männer Mein Glas.

[10] Taufe des Panzerschiffes Heimdall in Kiel (27. Juni 1892)

Der Kaiser traf auf der Rückreise von England in Kiel ein, um am 27. Juni 1892 dem Stapellaufe des Panzerschiffes Heimdall beizuwohnen. Die Schiffstaufe vollzog er selbst mit den Worten:

Ein neues stattliches Fahrzeug Meiner Marine sollst du hinabgleiten in dein Element, wohlvorbereitet, deine Aufgabe zu erfüllen. Du sollst die guten Eigenschaften, die in der kaiserlichen Marine vertreten sind, zur Geltung bringen, Gehorsam, Disziplin und vor allem Treue im Beruf. Möge deine Besatzung stets ihre Schuldigkeit thun!

Es gilt nun, dem Schiff einen Namen zu geben. Er wird genommen aus der Urgeschichte unserer Vorväter im Norden. Du sollst den Namen erhalten des Gottes, dem als Hauptaufgabe die Abwehr übertragen war, desjenigen, dem es oblag, die goldenen Thore Walhallas vor jedem bösen Eindringling zu beschützen und zu bewahren. Wie jener durch sein goldenes Horn weithinschallend, wenn Gefahr im Anzuge, die Götter herbeirief zum Streit in der Götterdämmerung und durch sein Horn Verwirrung und Verderben in die Reihe seiner Feinde brachte, so sei es auch mit dir!

Gleite hinab in dein Element, sei du stets ein treuer Hüter der Meere, sei stets ein treuer Hüter der Ehre unserer Nation, der Ehre unserer Flagge. *Und wenn du dereinst zum Kampfe berufen sein wirst, so bringe auch Zerstörung und Verwüstung in die Reihen deiner Feinde.*

Trage in Ehren den Namen Heimdall!

[11] Zum 80. Geburtstag des Generalobersten von Pape (4. Februar 1893)

Des Kaisers Tischrede während des Geburtstagsfestmahles für Generaloberst von Pape am 4. Februar 1893 lautete:

Meine Kameraden! Es ist für Mich eine Ehre, daß Ich Seiner Excellenz dem Generaloberst von Pape unsere gemeinsame Huldigung und unsere Wünsche zu Füßen legen darf. Wir haben vor wenigen Jahren schon einmal ein Fest mit Euer Excellenz gefeiert* und die Freude gehabt, von Ihnen aus alter Zeit zu hören.

Unser Leben währt siebzig Jahre, und wenn es hoch kommt, so sind es achtzig Jahre, und wenn es köstlich gewesen ist, so ist es Mühe und Arbeit gewesen, sagt der Psalmist. Das Leben, das hinter Euer Excellenz liegt, ist dasjenige preußischer Gesinnung, treuester Pflichterfüllung, hingebenden Dienstes von dem Augenblicke an, wo Sie den Rock der preußischen Armee angezogen haben. Es ist hier nicht der Ort und liegt auch nicht in Meiner Macht, den Lebenslauf zu schildern, den Sie durchgemacht haben; derselbe steht verzeichnet in den Geschichtsbüchern des Volkes und in den großen Momenten der letzten Kriege.

* Das 60jährige Dienstjubiläum am 17. April 1890.

Das kann Ich wohl als Empfindung Meiner, der Kameraden des Regiments, ebensowohl der ganzen preußischen Armee aussprechen, daß die Figur des Generaloberst von Pape, solange die preußische Armee existiert, nicht aus ihren Augen entschwinden wird. Sie ist der Inbegriff der Ritterlichkeit altpreußischer Tradition, hingebenden Gehorsams, der nur kennt die Gebote seines Herrn und die der Ehre und des Ruhmes der Fahne, die ihm anvertraut sind. Im Hinblick hierauf hat das Regiment* sich eine Gabe ausgedacht, die zu überreichen Mir obliegt; *sie soll darstellen einen Grenadier des Regiments, der die des Tuches schon längst entbehrende Fahnenstange in der Hand hält, die von der Geschichte der blutigen Zeit ein beredtes Wort redet, die die Zeit durchgemacht hat, besonders die Zeit, der es Ihnen vergönnt ist, nachzufliegen, und der es vergönnt ist, den blutigen Lorbeer um die Stirn zu schlingen.*

Ich schließe mit dem Wunsche, daß Sie noch recht lange Mir als treuer Diener, als ein Mann, auf den Ich unbedingt bauen kann in jeder Lebenslage und in jeder Zeit, sei sie schwer oder gut, daß Sie dem Regiment und der Armee als Vorbild erhalten bleiben.

Meine Herren! Wir erheben die Gläser und trinken auf das Wohl Seiner Excellenz des Generaloberst von Pape! Er lebe hoch!

[12] An die für Südwestafrika bestimmte Schutztruppe (15. Juni 1894)

Der Kaiser besichtigte am 15. Juni 1894 in Potsdam die Schutztruppe, welche für Deutsch-Südwestafrika bestimmt war, und richtete folgende Worte an sie:

Die Schutztruppe möge nicht vergessen, daß sie dem Deutschen Reiche angehört. Ich wünsche Ihnen Glück im fernen Lande, wo Sie den Deutschen Ehre machen sollen. Haben Sie stets vor Augen, daß die Leute, die Sie dort treffen, wenn sie auch eine andere Hautfarbe haben, gleichfalls ein Herz besitzen, das ebenfalls Ehrgefühl aufweist. Behandeln Sie diese Leute mit Milde.

---

* Das 2. Garderegiment zu Fuß, dem Generaloberst von Pape zuerst angehört hatte und bei dem er bis zu seinem Tode à la suite geführt wurde.

[13] Festmahl in Königsberg für die Vertreter der Provinz Ostpreußen (6. September 1894)

Nach seinem Toast auf König Wilhelm von Württemberg, der zugegen war, hielt der Kaiser am 6. September 1894 an die Teilnehmer des Königsberger Festmahles eine Ansprache, die mit einem Hoch auf die Provinz Ostpreußen endete:

Nach alter deutscher Sitte gilt Unser erstes Glas als Willkommenstrunk Unserm königlichen Gaste! Seine Majestät der König von Württemberg er lebe hoch! hoch!! hoch!!!

Ich begrüße Sie, Meine Herren, in diesem altehrwürdigen Schlosse als die Vertreter dieser Mir so teuern Provinz und heiße Sie von Herzen willkommen. Der Empfang in der alten Krönungsstadt Königsberg, den Ihre Bevölkerung Uns bereitet hat, ist Ihrer Majestät und Mir zu Herzen gegangen, und danken Wir Ihnen aufs innigste dafür.

Es sind nunmehr vier Jahre verflossen, seitdem Ich mit Ihnen bei dem Mir von der Provinz gebotenen Mahle vereint war [6]. Ich betonte damals, daß die Provinz Ostpreußen als eine hauptsächlich Landwirtschaft betreibende vor allen Dingen einen leistungsfähigen Bauernstand erhalten und behalten müsse und daß sie als solche die Säule und Stütze Meiner Monarchie sei. Es wird daher Mein stetes Bestreben sein, für das Wohl und die wirtschaftliche Hebung Ostpreußens angelegentlich zu sorgen.

In den vier verflossenen Jahren haben schwere Sorgen den Landwirt bedrückt, und es will Mir scheinen, als ob unter diesem Einfluß Zweifel aufgestiegen seien an Meinen Versprechungen, ob sie auch wohl gehalten werden könnten. Ja, Ich habe sogar tiefbekümmerten Herzens bemerken müssen, daß aus den Mir nahestehenden Kreisen des Adels Meine besten Absichten mißverstanden, zum Teil bekämpft worden sind, ja sogar das Wort Opposition hat man Mich vernehmen lassen. *Meine Herren! eine Opposition preußischer Adliger gegen ihren König ist ein Unding, sie hat nur dann eine Berechtigung, wenn sie den König an ihrer Spitze weiß, das lehrt schon die Geschichte Unseres Hauses.*

Wie oft haben Meine Vorfahren Irregeleiteten eines einzelnen Standes zum Wohl des Ganzen gegenübertreten müssen! Der Nachfolger dessen, der aus eigenem Recht souveräner Herzog in Preußen wurde, wird dieselben Bahnen wandeln wie sein großer Ahne; wie einst der erste König *ex me mea nata corona** sagte und sein großer Sohn seine Autorität als einen *rocher de bronce* stabi-

---

* Meine Krone habe ich mir selbst geschaffen.

lierte, so vertrete auch Ich gleich Meinem Kaiserlichen Großvater das Königtum aus Gottes Gnaden.

Meine Herren! Was Sie bedrückt, das empfinde auch Ich,
denn Ich bin der größte Grundbesitzer in unserm Staate und Ich
weiß sehr wohl, daß wir durch schwere Zeiten gehen. Täglich
ist Mein Sinnen darauf gerichtet, Ihnen zu helfen; aber Sie müssen Mich dabei unterstützen, nicht durch Lärm, nicht durch
Mittel der von Ihnen mit Recht so oft bekämpften gewerbs-
mäßigen Oppositionsparteien, nein, in vertrauensvoller Aussprache zu Ihrem Souverän. Meine Tür ist allezeit einem jeden
Meiner Unterthanen offen, und willig leihe Ich ihm Gehör. Das
sei fortan Ihr Weg, und als ausgelöscht betrachte Ich alles, was
geschah!

Um Mich aber zu vergewissern, ob wirklich Ich Meinen Versprechungen nachgekommen sei und die Fürsorge, die Ich der
Provinz einst versprach [vgl. 6], in der Weise ausgeführt worden ist, wie Ich es wünschte, habe Ich zusammenstellen lassen,
was für die Provinz unter Meiner Regierung bisher geschehen.
Es sind seit der Zeit, als Ich zu Ihnen sprach, für Eisenbahnen,
zum Erlaß von Darlehen an Deich- und Meliorationsverbände,
für Weichselregulierung und Seekanal für Ostpreußen 85 Millionen Mark und für Westpreußen 24¼ Millionen Mark aus allgemeinen Staatsmitteln aufgewendet worden, zusammen 110
Millionen. Mein Wort habe Ich gehalten.

Aber noch mehr. Ich werde fortfahren, in stetem Bemühen für
dieses Land zu sorgen, und der nächstjährige Etat wird bereits
neue Beweise Meiner landesväterlichen Fürsorge bringen.

Meine Herren! Sehen wir doch den Druck, der auf uns lastet,
und die Zeiten, durch die wir schreiten müssen, von dem christlichen Standpunkte an, in dem wir erzogen und aufgewachsen
sind, als eine uns von Gott auferlegte Prüfung! Halten wir still,
ertragen wir sie in christlicher Duldung, in fester Entschlossen-
heit und in der Hoffnung auf bessere Zeiten nach unserm alten
Grundsatze: Noblesse oblige!

Eine erhebende Feier hat sich vorgestern vor unseren Augen
abgespielt*; vor uns steht die Statue Kaiser Wilhelms I., das
Reichsschwert erhoben in der Rechten, ein Symbol von Recht
und Ordnung. Es mahnt uns alle an andere Pflichten, an den
ernsten Kampf wider die Bestrebungen, die sich gegen die
Grundlage unseres staatlichen und gesellschaftlichen Lebens
richten. Nun, meine Herren, an Sie ergeht jetzt Mein Ruf: *Auf*

* Enthüllung des Denkmals Kaiser Wilhelms I. in Königsberg.

zum Kampfe für Religion, für Sitte und Ordnung, gegen die Parteien des Umsturzes!

Wie der Efeu sich um den knorrigen Eichenstamm legt, ihn schmückt mit seinem Laub und ihn schützt, wenn Stürme seine Krone durchbrausen, so schließt sich der preußische Adel um Mein Haus. Möge er und mit ihm der gesamte Adel deutscher Nation ein leuchtendes Vorbild für die noch zögernden Teile des Volkes werden. Wohlan denn, lassen Sie uns zusammen in diesen Kampf hineingehen! Vorwärts mit Gott, und ehrlos, wer seinen König im Stiche läßt!

In der Hoffnung, daß Ostpreußen als die erste Provinz in der Linie dieses Gefechtes gehen wird, erhebe Ich Mein Glas und trinke es auf das Gedeihen Ostpreußens und seiner Bewohner. Die Provinz lebe hoch! hoch!! hoch!!!

[14] Empfang in Thorn (22. September 1894)

Der Kaiser erwiderte am 22. September 1894 auf die Begrüßungsansprache des Thorner Ersten Bürgermeisters, Dr. Kohli:

Die Worte, die Sie soeben als Ausdruck der Treue der Bewohner dieser Stadt gesprochen haben, sind Mir zu Herzen gegangen. Die Geschichte der Stadt Thorn ist eine der bewegtesten und interessantesten unter allen Städten Meiner Monarchie. Sie hat aber in allen wechselnden Schicksalen das eine nicht aus dem Auge gelassen, daß sie gerade so wie Marienburg seit ihrer Gründung eine deutsche Stadt ist. Ich habe Mich gefreut, wahrzunehmen, daß Thorn das Deutschtum zu bewahren bestrebt ist, und hoffe, daß Meine soeben gesprochenen Worte auch in Thorn das rechte Verständnis finden werden.

Es ist zu Meiner Kenntnis gekommen, daß leider *die polnischen Mitbürger* hierselbst sich nicht so verhalten, wie man es erwarten und wünschen sollte. *Sie mögen es sich gesagt sein lassen, daß sie nur dann auf Meine Gnade und Teilnahme in demselben Maße wie die Deutschen rechnen dürfen, wenn sie sich unbedingt als preußische Unterthanen fühlen.* Ich hoffe, daß die Thorner polnischen Mitbürger sich entsprechend dem, was Ich in Königsberg [13] gesagt, verhalten werden; denn nur dann, wenn wir alle Mann an Mann geschlossen wie eine Phalanx zusammenstehen, ist es möglich, den Kampf mit dem Umsturz siegreich zu Ende zu führen. Daß die

Thorner in dieser Beziehung mit gutem Beispiel vorangehen, wünsche Ich von Herzen.

Bei der Verabschiedung auf dem Bahnhofe wiederholte der Kaiser gegen den Bürgermeister seinen Dank für den ihm gewordenen Empfang und fügte die Worte hinzu:

Ich wünsche, daß das, was Ich heute Vormittag gesagt habe, allgemein bekannt werde; Ich habe es nicht bloß in den Wind gesprochen. *Ich kann auch sehr unangenehm sein und werde es, wenn erforderlich, auch werden.*

[15] Nagelung von neuen Fahnen (18. Oktober 1894)

Den neu errichteten Truppenteilen wurden neue Fahnen verliehen, im ganzen 132. Nach der Nagelung fand am 18. Oktober 1894 vor dem Palais Kaiser Wilhelms I. am Denkmal Friedrichs des Großen die Weihe der Fahnen durch den Militäroberpfarrer Hofprediger D. Emil Frommel statt. Nach ihm sprach der Kaiser:

Nachdem nunmehr für die Feldzeichen, die Ich den vierten Bataillonen Meiner Regimenter verliehen habe, der Segen des Himmels verlangt worden, damit sie als Symbol des Ruhmes den Truppen voranleuchten sollen, übergebe Ich dieselben nunmehr den Regimentskommandeuren, den Regimentern.

Es ist dies ein dankbar erhebender Tag, weltbewegend in seinen Erinnerungen, gestaltend für unsere Deutsche Geschichte. Einen ernsten Gruß bringe Ich hinüber nach dem Mausoleum desjenigen, dessen heutiger Geburtstag dereinst unser ganzes deutsches Vaterland in hellem Jubel entflammte*; desjenigen, dem es vergönnt war, unter den Augen des großen Heldenkaisers, Seines Vaters, herrliche Siege zu erfechten und die im Jahre 1861 geweihten Fahnen mit Ruhm zu bedecken. Genagelt in den Räumen, in denen die brandenburgisch-preußische Geschichte in Bildern verewigt ist**, in denen die Standbilder der Regenten und der Generale auf sie herabgeblickt haben, die einstigen Schöpfer des preußischen Ruhmes, sind die Fahnen hierhergeführt vor das Standbild des Preußenkönigs***, der in jahrelangem heißen Ringen die Augen der Welt an sie fesselte, des-

* Geburtstag Kaiser Friedrichs III.
** Ruhmeshalle des Zeughauses.
*** Friedrichs des Großen.

jenigen, dessen letzter Atemzug noch ein Segenswunsch für sein Heer war. So wie damals, im Jahre 1861, als Mein Großvater die Reorganisation Seiner Waffen vornahm – mißverstanden von vielen, angefochten von noch mehreren, wurde er in Zukunft glänzend gerechtfertigt –, wie damals, so auch jetzt herrschte Zwietracht und Mißtrauen im Volke. *Die einzige Säule, auf der unser Reich besteht, war das Heer. So auch heute!* Die Fahnen, die hier versammelt sind, sind bestimmt für ganze Truppenteile, und hoffe Ich, daß die Halbbataillone, zu denen sie heute zurückgesandt werden, bald als ganze Bataillone im Heere des Vaterlandes dann stehen werden.

Sie aber, Meine Herren, übernehmen jetzt diese Feldzeichen und mit ihnen die Verpflichtung, die Tradition der Hingabe, der Disciplin bis zum Tode fortzupflanzen, des unbedingten Gehorsams dem Kriegsherrn gegenüber gegen äußere und innere Feinde. Möge der Segen des Allerhöchsten wie bisher unser Heer bewahren und die Augen und die Blicke der Ahnen schützend über Preußens Heer und seine Fahnen wachen. Mit Gott für König und Vaterland!

[16] Besuch bei Bismarck in Friedrichsruh (26. März 1895)

Der Kaiser kam mit dem Kronprinzen zur Vorfeier von Bismarcks 80. Geburtstage nach Friedrichsruh und führte ihm dort die zur Parade kommandierten Truppen aller Waffen vor. Er richtete am 26. März 1895 folgende Ansprache an den Fürsten:

Euer Durchlaucht! Unser ganzes Vaterland rüstet sich zur Feier Ihres Geburtstages. Der heutige Tag gehört der Armee. Dieselbe ist zuerst berufen, ihren Kameraden, den alten Offizier zu feiern, dessen Wirksamkeit es vorbehalten war, ihr die Möglichkeit zu gewähren, die gewaltigen Thaten auszuführen, die in der Krönung des wiedererstandenen Vaterlandes ihren Lohn fanden.

Die Kriegerschar, die hier versammelt steht, ist ein Symbol des ganzen Heeres, vor allem jenes Regiment, das die Ehre hat, Euer Durchlaucht als seinen Chef zu nennen*: jenes Feldzeichen, ein Denkmal des brandenburgischen, des preußischen Ruhmes, aus der Zeit des Großen Kurfürsten herstammend, geweiht durch das Blut von Mars-la-Tour. Euer Durchlaucht wol-

* Kürassier-Regiment von Seydlitz (Magdeburgisches) Nr. 7 aus Halberstadt.

len im Geiste hinter dieser Schar den gesamten kampfgerüsteten Heerbann aller germanischen Stämme sehen, die den heutigen Tag mitfeiern.

Im Anblick dieser Schar komme Ich nun, Meine Gabe Euer Durchlaucht zu überreichen. Ich konnte kein besseres Geschenk finden als ein Schwert, diese vornehmste Waffe des Germanen, ein Symbol jenes Instruments, das Euer Durchlaucht mit Meinem hochseligen Herrn Großvater haben schmieden, schärfen und auch führen helfen, das Symbol jener großen, gewaltigen Bauzeit, deren Kitt *Blut und Eisen war, dasjenige Mittel, das nie versagt und in der Hand von Königen und Fürsten, wenn es not thut, auch nach innen, dem Vaterlande den Zusammenhalt bewahren wird*, der es einst nach außen hin zur Einigkeit geführt hat. Wollen Euer Durchlaucht in dem hier eingravierten Zeichen des Wappens von Elsaß-Lothringen und des eignen erkennen und fühlen die ganze Geschichte, die vor 25 Jahren ihren Abschluß fand.

Wir aber, Kameraden, rufen: Seine Durchlaucht, der Fürst von Bismarck, Herzog von Lauenburg! Hurra! Hurra!! Hurra!!!

[17] Parade zum Sedanfest (2. September 1895)

Zur Feier der 25. Wiederkehr der Schlacht von Sedan brachte der Kaiser am 2. September 1895 in Berlin folgenden Trinkspruch aus:

Wenn Ich am heutigen Tage einen Trinkspruch auf Meine Garden ausbringe, so geschieht es froh bewegten Herzens; denn ungewöhnlich feierlich und schön ist der heutige Tag. Den Rahmen für die heutige Parade gab ein in Begeisterung aufflammendes ganzes Volk, und das Motiv für die Begeisterung war die Erinnerung an die Gestalt, an die Persönlichkeit des großen verewigten Kaisers. Wer heute und gestern auf die mit Eichenlaub geschmückten Fahnen blickte, der kann es nicht getan haben ohne wehmütige Rührung im Herzen; denn der Geist und die Sprache, die aus dem Rauschen dieser zum Teil zerfetzten Feldzeichen zu uns redeten, erzählten von den Dingen, die vor 25 Jahren geschahen, von der großen Stunde, von dem großen Tage, da das Deutsche Reich wieder auferstand. Groß war die Schlacht und heiß war der Drang und gewaltig die Kräfte, die aufeinander stießen. Tapfer kämpfte der Feind für seine Lorbeeren; für seine Vergangenheit, für seinen Kaiser kämpfte mit dem Mut der Verzweiflung die tapfere französische Armee. Für ihre Güter, ihren Herd und ihre zukünftige Einigung kämpften die Deutschen; darum berührt es uns auch so warm, daß ein jeder, der des Kaisers Rock getragen hat oder ihn noch trägt, in diesen Tagen von der Bevölkerung besonders geehrt wird – ein einziger aufflammender Dank gegen Kaiser Wilhelm I.! Und für uns, besonders für die Jüngeren, die Aufgabe, das, was der Kaiser gegründet, zu erhalten!

Doch in die hohe, große Festesfreude schlägt ein Ton hinein, der wahrlich nicht dazu gehört; *eine Rotte von Menschen, nicht wert, den Namen Deutscher zu tragen, wagt es, das deutsche Volk zu schmähen, wagt es, die uns geheiligte Person des allverehrten verewigten Kaisers in den Staub zu ziehen.* Möge das gesamte Volk in sich die Kraft finden, diese unerhörten Angriffe zurückzuweisen! Geschieht es nicht, *nun, dann rufe Ich Sie, um der hochverräterischen Schar zu wehren, um einen Kampf zu führen, der uns befreit von solchen Elementen.*

Doch kann Ich Mein Glas auf das Wohl Meiner Garden nicht leeren, ohne dessen zu gedenken, unter dem sie heute vor 25 Jahren gefochten haben. Der einstige Führer der Maas-Armee* steht vor Ihnen! Seit 25 Jahren haben Se. Majestät der König von Sachsen alles Leid und alle Freude, die Unser Haus und Land betroffen, treulich mit Uns geteilt. Desgleichen auch Württembergs König, dessen höchste Freude es ist, in den Reihen des Garde-Husaren-Regiments gestanden und Kaiser Wilhelm gedient zu haben, und der herbeigeeilt ist, um mit Uns in Kameradschaft den Tag zu feiern. Wir können, wie gesagt, nur geloben, das zu erhalten, was die Herren für uns erstritten haben. Und so schließe Ich denn in das Wohl des Gardecorps ein das Wohl der beiden hohen Herren, vor allem des Führers der Maas-Armee: Se. Majestät der König von Sachsen, Er lebe hoch! – und nochmals hoch!! – und zum drittenmal hoch!!!

Nach diesem Trinkspruch erhob sich der König von Sachsen und erwiderte:

Indem Ich Eurer Majestät in Meinem Namen und in dem Namen des Königs von Württemberg für die gnädigen Worte danke, erlaube Ich Mir heute noch einmal die Führung des Gardecorps zu übernehmen und in dessen Namen das Glas zu leeren auf den erhabenen Chef: Seine Majestät der Kaiser, Er lebe hoch! hoch!! hoch!!!

* Im Feldzuge 1870/71 gehörte das Gardecorps zu der unter dem Kommando des damaligen Kronprinzen Albert stehenden Maas-Armee.

Der Oberpräsident der Provinz Brandenburg, Staatsminister Dr. von Achenbach, gab am 26. Februar 1897 ein Festmahl zu Ehren des Provinziallandtages. Es nahmen 140 Personen daran teil, unter ihnen, wie alljährlich, der Kaiser. Nach dem Trinkspruch des Oberpräsidenten hielt Wilhelm II. die folgende Ansprache:

In herrlichem, bilderreichem Schwung hat soeben der Herr Oberpräsident in Ihrem Namen Ihre Huldigung Mir entgegengebracht, und kann Ich nur von ganzem Herzen und tiefgerührt dafür danken. Ich komme eben aus der alten märkischen Heide, wo ich umrauscht war von alten märkischen Kiefern und Eichen, zu ihrem lebendigen Ebenbild, zu den märkischen Männern, und Ich freue Mich, wieder ein paar Stunden unter Ihnen zubringen zu können, denn der Verkehr mit den Söhnen der Mark ist für Mich stets wie ein neu belebender Trank. Was die märkischen Eichen und Kiefern Mir vorgerauscht haben, das hat in sinniger Weise soeben der Herr Oberpräsident erwähnt.

Mit hohem Rechte haben Sie speziell meines hochseligen Herrn Großvaters erwähnt, Mein lieber Achenbach. Unser heutiges Fest, wie auch die ganze Zeit, stehen sie doch schon unter dem aufgehenden Frührot des anbrechenden Morgens, des hundertjährigen Geburtstages dieses hohen Herrn. Da wird der Blick eines jeden von Ihnen zurückschweifen in die Vergangenheit. Denken wir zurück in der Geschichte: Was ist das alte Deutsche Reich gewesen! Wie haben so oft einzelne Teile desselben gestrebt und gearbeitet, zusammenzukommen zu einem einigen Ganzen, um teils für das große Ganze ersprießlich zu wirken, teils um den Schutz des gesamten Staates gegen äußere Eingriffe zu ermöglichen. Es ist nicht gegangen: das alte Deutsche Reich wurde verfolgt von außen, von seinen Nachbarn und von innen, durch seine Parteiungen.

Der einzige, dem es gelang, gewissermaßen das Land einmal zusammenzufassen, das war der Kaiser Friedrich Barbarossa. Ihm dankt das deutsche Volk noch heute dafür. Seit der Zeit verfiel unser Vaterland, und es schien, als ob niemals der Mann kommen sollte, der imstande wäre, dasselbe wieder zusammenzufügen. Die Vorsehung schuf sich dieses Instrument und suchte sich aus den Herrn, den wir als den ersten großen Kaiser des neuen Deutschen Reiches begrüßen konnten.

Wir können ihn verfolgen, wie er langsam heranreifte von der schweren Zeit der Prüfung bis zu dem Zeitpunkt, wo er als fertiger Mann, dem Greisenalter nahe, zur Arbeit berufen wurde, sich jahrelang auf seinen Beruf vorbereitend, *die großen Gedanken bereits in seinem Haupte fertig*, die es ihm ermöglichen sollten, das Reich wieder erstehen zu lassen. Wir sehen, wie er zuerst sein Heer stellt aus den dinghaften Bauernsöhnen seiner Provinzen, sie zusammenreiht zu einer kräftigen, waffenglänzenden Schar; wir sehen, wie es ihm gelingt, mit dem Heer allmählich eine Vormacht in Deutschland zu werden und Brandenburg-Preußen an die führende Stelle zu setzen. Und als dies erreicht war, kam der Moment, wo er das gesamte Vaterland aufrief und auf dem Schlachtfeld der Gegner Einigung herbeiführte.

Meine Herren, wenn der hohe Herr im Mittelalter gelebt hätte, er wäre heilig gesprochen, und Pilgerzüge aus allen Ländern wären hingezogen, um an seinen Gebeinen Gebete zu verrichten. Gott sei Dank, das ist auch heute noch so! Seines Grabes Tür steht offen, alltäglich wandern die treuen Untertanen dahin und führen ihre Kinder hin, Fremde gehen hin, um sich des Anblickes dieses herrlichen Greises und seiner Standbilder zu erfreuen.

Wir aber, meine Herren, werden besonders stolz sein auf diesen gewaltigen Mann, diesen großen Herrn, da er ein Sohn der Mark war. Daß Gott sich einen Märker ausgesucht hat, das muß etwas Besonderes bedeuten, und Ich hoffe, daß es der Mark vorbehalten sein wird, auch fernerhin für des Reiches Wohl zu sorgen.

Zusammengeführt wie eins ist das Hohenzollernsche Haus und die Mark, und aus der Mark stammen und in der Mark wurzeln die Fäden unserer Kraft und unseres Wirkens. Solange der märkische Bauer noch zu uns steht und wir dessen gewiß sein können, daß die Mark unserer Arbeit entgegenkommt und uns hilft, wird kein Hohenzoller an seiner Aufgabe verzweifeln.

Schwer genug ist sie, und schwer wird sie ihm gemacht, Ich meine seine Aufgabe. Für uns alle, mögen wir sein, wer und wo wir wollen, *zu dieser Aufgabe ruft uns das Andenken an Kaiser Wilhelm, den Großen*, und in dieser wollen wir uns um ihn, um sein Andenken scharen wie die Spanier einst um den alten Cid. Diese Aufgabe, die uns allen aufgebürdet wird, die wir ihm gegenüber verpflichtet sind zu übernehmen, ist der Kampf gegen Umsturz mit allen Mitteln, die uns zu Gebote stehen.

Diejenige Partei, die es wagte, die staatlichen Grundlagen anzugreifen, die gegen die Religion sich erhebt und selbst nicht vor der Person des allerhöchsten Herrn haltmacht, muß überwunden werden*. Ich werde Mich freuen, jedes Mannes Hand in der Meinen zu wissen, sei er Arbeiter, Fürst oder Herr – wenn Mir nur geholfen wird in diesem Gefechte! Und das Gefecht können wir nur siegreich durchführen, *wenn wir uns immerdar des Mannes erinnern, dem wir unser Vaterland, das Deutsche Reich verdanken, in dessen Nähe durch Gottes Fügung so mancher brave, tüchtige Ratgeber war, der die Ehre hatte, seine Gedanken ausführen zu dürfen, die aber alle Handlanger seines erhabenen Wollens waren, erfüllt von dem Geiste dieses erhabenen Kaisers.*

Dann werden wir richtig wirken und im Kampfe nicht nachlassen, um unser Land von dieser Krankheit zu befreien, die nicht nur unser Volk durchseucht, sondern auch das Familienleben, vor allen Dingen aber das Heiligste, was wir Deutsche kennen, die Stellung der Frau, zu erschüttern trachtet. So hoffe Ich, Meine Märker um Mich zu sehen, wenn sich die Flammenzeichen enthüllen, und in diesem Sinne rufe Ich: Die Mark, die Märker Hurra! – Hurra! – Hurra!

[19] Tischrede in Köln (18. Juni 1897)

Das Kaiserpaar war zur Enthüllung des für Kaiser Wilhelm I. errichteten Denkmals nach Köln gekommen. Die nachfolgende Rede hat der Kaiser am 18. Juni 1897 im Gürzenichsaal als Antwort auf die Huldigungsansprache des Oberbürgermeisters Dr. Becker gehalten:

Verehrter Herr Oberbürgermeister!

Der heutige Tag ist ein Tag der Erinnerung weihevollen Gedenkens. Wiederum hat eine preußische Stadt dem großen Kaiser ein Denkmal gesetzt. Seitdem er uns durch Gottes Ratschluß entführt wurde, erhebt sich allerorten im Vaterlande in kleinen und großen Städten das Standbild des verewigten Herrn. Jüngst noch in der Ostmark war Ich Zeuge des Patriotismus der Liegnitzer, als der Grundstein zu einem Denkmale des allerhöchsten Herrn gelegt wurde im Glorienscheine der hundertjährigen

---

* Nach der unwidersprochenen Meldung der ›Berliner Zeitung‹ haben die Angriffe auf die Sozialdemokraten wesentlich schärfer gelautet. Statt »überwunden werden« hat der Kaiser gesagt: »ausgerottet werden, bis auf den letzten Stumpf«; statt »von dieser Krankheit« hat er »von dieser Pest« gesprochen.

Feier Meines geliebten Königs-Grenadier-Regiments, und heute fällt im alten Köln die Hülle von den wohlbekannten Zügen, die in ernster Mahnung zu uns reden.

Wohl entsinne Ich Mich des herrlichen Tages*, an dem Mein höchstseliger Großvater und die herrliche Gestalt Meines Vaters in Köln unter Ihnen wandelten und an diesem Orte empfangen wurden vom Jubel der Bürgerschaft über die Befreiung der Stadt von lästigen Banden, die sich nun ungehindert ausbreiten konnte, und sehe heute die Folgen dessen, was Mein Großvater für Köln getan hat. Nach menschlicher Berechnung hätte an dem heutigen Tage Mein seliger Vater hier stehen können und Ihnen in noch viel beredterer Weise den Dank für das, was Sie getan, aussprechen. Die Vorsehung hat es anders gewollt, und so ist Mir das Amt überkommen.

Ich spreche Meinen herzlichsten und tiefgefühltesten Dank aus und den der Kaiserin für den wunderschönen, zu Herzen gehenden Empfang, den die alte Stadt mit ihrer treuen patriotischen Bürgerschaft Uns bereitet hat. Ich spreche Ihnen Meinen Glückwunsch aus, daß sich die Stadt in der Zeit, seitdem Ich sie zuletzt gesehen, in bewunderungswürdiger Weise entwickelt und entfaltet hat, ein Zeichen des Segens, des Friedens, den Mein Großvater Uns erhalten hat.

An dem Postament des Denkmals sah Ich die beiden Figuren: Köln mit dem Ölzweige in der Hand, das Bild des Friedens, in dem der Gewerbefleiß des Bürgers unter dem Schutze des Monarchen sich entwickelt. Auf der anderen Seite: der Meergott mit dem Dreizack in der Hand, ein Zeichen dafür, daß seitdem unser großer Kaiser unser Reich von neuem zusammengeschmiedet, wir auch andere Aufgaben auf der Welt haben: *Deutsche aller Orten, für die wir zu sorgen, deutsche Ehre, die wir auch im Auslande aufrechtzuerhalten haben. Der Dreizack gehört in unsere Faust,* und Ich denke, die Kölner Bürgerschaft ist eine von denen, die dies am besten verstehen.

So ist es Mein Wunsch, daß Gott es Mir verleihen möge, in den Bahnen Meines Großvaters zu wandeln, der Welt den Frieden zu erhalten, der ja erst existiert, seitdem das Deutsche Reich wieder da ist, desgleichen aber nach außen die Ehre des Reiches in jeder Weise hochhalten zu können, unserer vaterländischen Arbeit und der Industrie die produzierenden Stände, die Absatzgebiete zu sichern und zu erhalten, die wir brauchen.

* Der 9. September 1877.

In dieser Gesinnung erhebe Ich Mein Glas und trinke auf das Wohl, Gedeihen und Vorwärtskommen von Köln und seiner Bürgerschaft. Alaaf Köln!

[20] Festmahl der Rheinprovinz Koblenz (31. August 1897)

Wilhelm II. war am 30. August 1897 nach Koblenz gekommen und nahm anläßlich der Kaisermanöver des VIII. Armeekorps die große Parade ab. Am nächsten Tag sprach er beim Festmahl der Rheinprovinz:

Wenige Wochen sind es her, und kaum sind die Festklänge verrauscht, die die Enthüllung des Denkmals Meines hochseligen Herrn Großvaters in Köln begleiteten [vgl. 19], und noch bin Ich ein Schuldner in dem Dank an die Rheinprovinz für die unvergeßlich schönen Tage, die Uns in der Provinz beschieden gewesen sind, zunächst in der alten Stadt Köln und sodann auf Unserem Zuge durch das Land, nicht zu vergessen das stille Heim am Laacher See, wo die Söhne St. Benedikts ihr frommes Werk treiben und der Welt zeigen, daß seinem Gott dienen zu gleicher Zeit erlaubt, Königstreue und Vaterlandsliebe in der Bevölkerung großzuziehen und zu pflegen.

Der heutige Tag führte Uns wiederum zu einer Denkmalsfeier für den großen Kaiser. An den grünen Fluten des Rheins erhebt sich stolz das hehre Denkmal, das nunmehr die Stadt Koblenz berufen ist, zu hüten, und tiefbewegten Herzens spreche Ich als sein Enkel und als sein Nachfolger in der Krone und auch im Namen seiner Tochter, Meiner hochverehrten Tante, Unseren innigsten Dank aus für das herrliche Denkmal und für die herrliche Feier. Von Erz und Stein erhebt sich das Bild in gewaltiger, ergreifender Größe, sich spiegelnd in dem ewigen, sagenumflossenen Strom. Aber weit schöner noch wie Erz und Stein spricht zum Herzen der Jubel der Bevölkerung, der Dank eines Volkes für seinen heimgegangenen Herrscher, dessen großer Tugenden und Leistungen in so schöner und eingehender Weise Mein Vetter, der Fürst zu Wied, gedacht hat.

Das Schönste aber an dem Denkmal war der Kranz alter ergrauter Krieger und Kämpfer, welche unter dem großen Kaiser Unser Reich mit haben schmieden und gründen helfen. Und wahrlich, recht hat das Volk, ihm Denkmäler zu setzen und ihm seinen Dank zu beweisen. Und gerade in Koblenz insbesondere geht ein jeder solcher Festeston tief zu Herzen. Wie der große Kaiser in der Zeit, da er in Koblenz residierte, vorbereitend und vorschauend für seine Armee die Reorganisation ausarbeitete, ebenso hat er auch auf dem Gebiete des Staatslebens und der Staatskunst Arbeiten geleistet, die ihren Erfolg gezeitigt haben, als er im hohen Greisenalter den Thron besteigen durfte.

Er trat aus Koblenz, wie er auf den Thron stieg, hervor als ein ausgewähltes Rüstzeug des Herrn, als welches er sich betrachtete. *Uns allen, und vor allen Dingen uns Fürsten, hat er ein Kleinod wieder emporgehoben und zu hellerem Strahlen verholfen, welches Wir hoch und heilighalten mögen: das ist das Königtum von Gottes Gnaden, das Königtum mit seinen schweren Pflichten, seinen niemals endenden, stets andauernden Mühen und Arbeiten, mit seiner furchtbaren Verantwortung vor dem Schöpfer allein, von der kein Mensch, kein Minister, kein Abgeordnetenhaus, kein Volk den Fürsten entbinden kann.*

Dieser Verantwortung bewußt und sich als Rüstzeug des Herrn betrachtend, hat in tiefster Demut dieser große Kaiser seinen Weg gewandelt. Er hat uns die Einigkeit und das Deutsche Reich wiedergegeben, und hier in dieser schönen Provinz sind seine hohen Gedanken entstanden und gereift; an dieser Provinz hat sein Herz gehangen, diese Stadt hat er geliebt, hat sein geweihter Fuß betreten, und mit dieser Provinz hat er geliebt und gelitten. Deshalb will Mir das Herz übergehen, wenn Ich an dem heutigen Tage an dieser Stelle zu Ihnen, den Rheinländern, spreche und von Herzen Ihnen Meinen Dank ausspreche für das, was Sie für Meinen Herrn Großvater und sein Andenken getan haben.

Für Mich soll es hohe Pflicht sein, in den Wegen zu wandeln, die der große Herrscher uns gewiesen, in der Fürsorge für Mein Land Meine Hand über dieses herrliche Kleinod zu halten und in der überkommenen Tradition, die fester steht wie Eisen und selbst wie die Mauern von Ehrenbreitstein, diese Provinz an Mein fürsorgliches, landesväterliches Herz zu legen. Ich sehe in ihr einen Diamant, von zwei Smaragden gefaßt, und hoffe und wünsche von ganzem Herzen, daß Ihre Bevölkerung unter dem Schutz eines lange andauernden Friedens sich entwickeln möge, daß die Winzerlieder ungestört auf den Bergen hallen, daß der Hammer ungestört in der Schmiede widertöne, damit wir in der Friedensarbeit zeigen können, was wir im Deutschen Reiche und speziell in der Rheinprovinz leisten können.

Von diesen Empfindungen getragen und im Geiste Meines hochseligen Herrn Großvaters erhebe Ich Mein Glas und trinke von ganzem Herzen auf Mein Rheinland, die Rheinprovinz und das schöne Weinland. Die Rheinprovinz lebe hoch! – Nochmals! – Zum drittenmal hoch!

[21] Abschiedsrede an den Prinzen Heinrich (15. Dezember 1897)

Der Bruder des Kaisers, Prinz Heinrich, ging am 16. Dezember 1897 an Bord der »Deutschland«, um nach Ostasien zu fahren. Während des am Vorabend stattfindenden Abschiedsmahls in Kiel richtete der Kaiser die folgende Ansprache an den Prinzen:

Mein lieber Heinrich!

Da Ich heute nach Kiel hineinfuhr, überdachte Ich, wie Ich schon so oft mit Freuden diese Stadt betreten habe, sei es, um dem Sport obzuliegen, sei es um irgendeiner militärischen Unternehmung an deiner Seite und auf Meinen Schiffen beizuwohnen. Bei dem heutigen Eintritt in die Stadt hat Mich ein ernstes Gefühl bewegt, denn Ich bin Mir vollkommen bewußt der Aufgabe, die Ich dir gestellt habe, und der Verantwortung, die Ich trage. Ich bin Mir aber zugleich bewußt, daß Ich die Verpflichtung habe, das auszubauen und weiterzuführen, was Meine Vorgänger Mir hinterlassen haben.

Die Fahrt, die du antreten wirst, und die Aufgabe, die du zu erfüllen hast, bedingen an sich nichts Neues; sie sind die logischen Konsequenzen dessen, was Mein hochseliger Herr Großvater und Sein großer Kanzler politisch gestiftet und was Unser herrlicher Vater mit dem Schwerte auf dem Schlachtfelde errungen hat; es ist weiter nichts, wie die erste Betätigung des neugeeinten und neuerstandenen Deutschen Reiches in seinen überseeischen Aufgaben. Dasselbe hat in der staunenswerten Entwicklung seiner Handelsinteressen einen solchen Umfang gewonnen, daß es Meine Pflicht ist, der neuen deutschen Hansa zu folgen und ihr den Schutz angedeihen zu lassen, den sie vom Reich und vom Kaiser verlangen kann.

Die deutschen Brüder kirchlichen Berufs, die hinausgezogen sind zu stillem Wirken und die nicht gescheut haben, ihr Leben einzusetzen, um unsere Religion auf fremdem Boden, bei fremdem Volke heimisch zu machen, haben sich unter Meinen Schutz gestellt, und es gilt, diesen mehrfach gekränkten und auch oft bedrängten Brüdern für immer Halt und Schutz zu verschaffen.

Deswegen ist die Unternehmung, die Ich dir übertragen habe und die du in Gemeinschaft mit den Kameraden und den Schiffen, die bereits draußen sind, zu erfüllen haben wirst, wesentlich die eines Schutzes und nicht des Trutzes. *Es soll unter dem schützenden Panier unserer deutschen Kriegsflagge unserem Handel, dem deutschen Kaufmann, den deutschen Schiffen das Recht zuteil werden, was wir beanspruchen dürfen,* das gleiche Recht, was von Fremden allen anderen Nationen gegenüber zugestanden wird.

Neu ist auch unser Handel nicht; war doch die Hansa in alten Zeiten eine der gewaltigsten Unternehmungen, welche je die Welt gesehen, und es vermochten einst die deutschen Städte Flotten aufzustellen, wie sie bis dahin der breite Meeresrücken wohl kaum getragen hatte. Sie verfiel aber und mußte verfallen, weil die eine Bedingung fehlte, nämlich die des Kaiserlichen Schutzes. Jetzt ist es anders geworden, die erste Vorbedingung: das Deutsche Reich, ist geschaffen; die zweite Vorbedingung: der deutsche Handel, blüht und entwickelt sich, und er kann sich nur gedeihlich und sicher entwickeln, wenn er unter der Reichsgewalt sich sicher fühlt. *Reichsgewalt bedeutet Seegewalt, und Seegewalt und Reichsgewalt bedingen sich gegenseitig so, daß die eine ohne die andere nicht bestehen kann.*

Als ein Zeichen der Reichs- und Seegewalt wird nun das durch deine Division verstärkte Geschwader aufzutreten haben, mit allen Kameraden der fremden Flotten draußen im innigen Verkehr und guter Freundschaft, zu festem Schutz der heimischen Interessen gegen jeden, der den Deutschen zu nahe treten will. Das ist dein Beruf und deine Aufgabe.

Möge einem jeden Europäer draußen, dem deutschen Kaufmann draußen, und vor allen Dingen dem *Fremden draußen, auf dessen Boden wir sind oder mit dem wir zu tun haben werden, klar sein, daß der deutsche Michel seinen mit dem Reichsadler geschmückten Schild fest auf den Boden gestellt hat, um dem, der ihn um Schutz angeht, ein für allemal diesen Schutz zu gewähren;* und mögen unsere Landsleute draußen die feste Überzeugung haben, seien sie Priester oder seien sie Kaufleute, oder welchem Gewerbe sie obliegen, daß der Schutz des Deutschen Reiches, bedingt durch die Kaiserlichen Schiffe, ihnen nachhaltig gewährt werden wird. *Sollte es aber je irgendeiner unternehmen, uns an unserem guten Recht zu kränken oder schädigen zu wollen, dann fahre darein mit gepanzerter Faust! und, so Gott will, flicht dir den Lorbeer um deine junge Stirn, den niemand im ganzen Deutschen Reiche dir neiden wird!*

In der festen Überzeugung, daß du, nach guten Vorbildern

handelnd – Vorbilder sind Gott sei Dank in Unserem Hause genügend vorhanden –, Meinen Gedanken und Wünschen entsprechen wirst, erhebe Ich Mein Glas und trinke es auf dein
Wohl, mit dem Wunsche für eine gute Fahrt, für eine gute Aus-
richtung deiner Aufgabe und für eine fröhliche Heimkehr:
Seine Königliche Hoheit, der Prinz Heinrich lebe! Hurra! –
Hurra! – Hurra!

[22] Antwort des Prinzen Heinrich (15. Dezember 1897)

Die Erwiderung des Prinzen Heinrich auf die Abschiedsrede des Kaisers soll nach
Aussagen gutunterrichteter Zeitgenossen von Wilhelm II. selbst verfaßt worden sein:

Durchlauchtigster Kaiser! Großmächtigster König und Herr!
Erlauchter Bruder!

Als Kinder wuchsen wir zusammen auf, später war es uns als
Männern vergönnt, einander in die Augen zu schauen und einander treu zur Seite zu stehen. Eurer Majestät erblühte die
Kaiserkrone mit Dornen. Ich habe versucht, in meinem engen
Kreise und mit meinen schwachen Kräften als Mensch, als Soldat und als Staatsbürger Eurer Majestät zu helfen. Es kam eine
größere Epoche, eine für die Nation bedeutende Epoche, eine
für Eurer Majestät Marine bedeutende Epoche. Eure Majestät
haben die große Gnade und Entsagung gehabt, mir dieses Kommando anzuvertrauen. Ich danke dies Eurer Majestät aus treue-
stem, brüderlichem und untertänigstem Herzen. Ich kenne
sehr wohl die Gedanken Eurer Majestät, ich weiß, wie schwer
das Opfer ist, indem Eure Majestät mir ein so schönes Kommando anvertraut haben, und das ist es, Eure Majestät, was mich
am tiefsten bewegt und weshalb ich Eurer Majestät aufrichtigst
danke.

In zweiter Reihe bin ich Eurer Majestät tief verbunden für das
Vertrauen, was Eure Majestät in meine schwache Person setzen.
Das eine versichere ich Eurer Majestät: *mich lockt nicht Ruhm,
mich lockt nicht Lorbeer, mich zieht nur eines: das Evangelium Eurer
Majestät geheiligter Person im Auslande zu künden, zu predigen jedem,
der es hören will, und auch denen, die es nicht hören wollen.* Dies will ich
auf meine Fahne geschrieben haben und will es schreiben, wohin
ich immer ziehe. Dieselben Gesinnungen, mit denen ich hinaus-
ziehe, teilen auch meine Kameraden.

Ich erhebe dieses Glas und fordere jene auf, die mit mir in der glücklichen Lage sind, hinausziehen zu dürfen, dieses Tages zu gedenken, sich die Person unsers Kaisers einzuprägen und den Ruf erschallen zu lassen weit in die Welt hinaus: *Unser Durchlauchtigster, Großmächtigster, Geliebter Kaiser und König und Herr, immer und ewig,* Hurra! – Hurra! – Hurra!

[23] Vereidigung von Marine-Rekruten in Wilhelmshaven (1. März 1898)

Nachdem am Mittag des 1. März 1898 eine kirchliche Feier in Wilhelmshaven stattgefunden hatte, richtete der Kaiser am Abend folgende Worte an die etwa tausend Rekruten der Marine:

Ihr habt den Eid als Seeleute auf die Kriegsflagge geschworen, welche die Farben schwarz-weiß-rot trägt. So bedeutet Schwarz die Arbeit und die Trauer, Weiß Feiertag und Ruhe und Rot das Blut, welches viele Vorfahren für das Vaterland vergossen haben. Ich erinnere daran, daß brave Seeleute mit dem letzten Gedanken an das teure Vaterland und an die Flagge, zu welcher sie den Eid der Treue geschworen hatten, den Tod in den Wellen gefunden haben. Viele von euern Kameraden sind hinausgezogen, um die Interessen des Vaterlandes zu schützen. *Denn wo der deutsche Aar Besitz ergriffen und die Krallen in ein Land hineingesetzt hat, das ist deutsch und wird deutsch bleiben.*

Geht hin und tut eure Schuldigkeit, wie ihr eben vor Gottes Angesicht geschworen!

[24] Ansprache an das Kunstpersonal der Königlichen Schauspiele (16. Juni 1898)

Am Tage seines zehnjährigen Regierungsjubiläums, dem 16. Juni 1898, versammelte der Kaiser auch die Mitglieder der Königlichen Schauspiele um sich und richtete eine Ansprache an sie:

Ich habe Sie gebeten, sich hier einzufinden, weil Ich wünschte, daß Sie an dem heutigen Feste teilnehmen sollten, wie alle andern, die heute zu Mir gekommen sind und mit Mir feiern.

Als Ich vor zehn Jahren zur Regierung kam, da trat Ich aus der Schule des Idealismus, in dem Mich Mein Vater erzogen hatte. Ich war der Ansicht, daß das Königliche Theater vor allen Dingen dazu berufen sei, den Idealismus in unserm Volke zu pflegen, an dem es, Gott sei Dank, noch so reich ist und dessen warme Wellen noch in seinem Herzen reichlich quellen. Ich war der Überzeugung und hatte Mir fest vorgenommen, daß das Königliche Theater ein Werkzeug des Monarchen sein sollte, gleich der Schule und der Universität, die die Aufgabe haben, das heranwachsende Geschlecht heranzubilden und vorzubereiten zur Arbeit für die Erhaltung der höchsten geistigen Güter unseres herrlichen deutschen Vaterlandes. Ebenso soll das Theater beitragen zur Bildung des Geistes und des Charakters und zur Veredlung der sittlichen Anschauungen. *Das Theater ist auch eine Meiner Waffen.*

Es liegt Mir am Herzen, Ihnen allen Meinen innigsten, herzlichsten, tiefgefühltesten königlichen Dank für die Bereitwilligkeit, mit der Sie sich dieser Aufgabe unterzogen haben, auszusprechen. Den hohen Erwartungen, die Ich von dem Personal Meiner Oper und Meines Schauspiels gehegt habe, haben Sie vollständig entsprochen.

Es ist die Pflicht eines Monarchen, sich um das Theater zu kümmern, wie Ich es an den Beispielen Meines hochseligen Vaters und Großvaters gesehen habe, eben weil es eine ungeheure Macht in seiner Hand sein kann, und Ich danke Ihnen, daß Sie unsere herrliche, schöne Sprache, daß Sie die Schöpfungen unserer Geistesheroen und derjenigen anderer Nationen in so hervorragender Weise zu pflegen und zu interpretieren verstanden haben.

Ich danke Ihnen ferner, daß Sie auf alle Meine Anregungen und Wünsche eingegangen sind. Ich kann es mit Freude sagen, daß alle Länder mit Aufmerksamkeit die Königlichen Theater in ihrer Tätigkeit verfolgen und mit Bewunderung auf Ihre Leistungen blicken. Ich habe die feste Überzeugung, daß die Mühe und Arbeit, die Sie auf Ihre Darstellung verwendet, nicht vergeblich gewesen sind.

Ich bitte Sie nun, daß Sie mir fernerhin beistehen, jeder in seiner Weise und an seiner Stelle, im festen Gottvertrauen *dem Geiste des Idealismus zu dienen und den Kampf gegen den Materialismus und das undeutsche Wesen fortzuführen, dem schon leider manche deutsche Bühne verfallen ist.* Und so wollen Sie in diesem Kampfe fest bestehen und in treuem Streben ausharren. Halten Sie sich versichert, daß Ich jederzeit Ihre Leistungen im Auge behalten werde und daß Sie Meines Dankes, Meiner Fürsorge und Meiner Anerkennung gewiß sein können.

[25] Galatafel in Oeynhausen (6. September 1898)

Der Kaiser hatte am 6. September 1898 die Spitzen der Behörden der Provinz Westfalen zu einer Galatafel geladen. Dabei hielt er die folgende Rede:

Umgeben von Erinnerungen Meiner Jugend, noch unter dem Eindrucke des Jubels des schönen Festes an der Porta*, freue Ich Mich, Meine treuen Westfalen am heutigen Tage an Meiner Tafel zu begrüßen. Bei den nahen Beziehungen der Provinz zu Meinem Hause ist es stets für Mich eine Freude, wenn Ich mit den Westfalen zusammenkommen kann, und doppelt freudig begrüße Ich Sie am heutigen Tage, der in das 250. Jahr fällt, da dieses schöne Land an das Haus Brandenburg und Hohenzollern fiel.

Die Geschichte hat gezeigt, daß eine hervorragende Tugend der Westfalen die eiserne, unentwegt festhaltende Treue ist, die sie bewiesen haben und ihre Regimenter auf dem Schlachtfelde, die sie bewiesen haben in guten und in bösen Tagen für Mein Haus. Ich begrüße Sie daher von ganzem Herzen.

Von den Arbeiten, denen Ich als König und Landesherr in Meinem schweren Berufe obliegen muß, ist derjenige Teil, der die Provinz Westfalen betrifft, immer für Mich eine Freude, denn in ihren Grenzen sind in gleicher Weise gleich mächtig, gleichwertig und gleich arbeitsam vertreten eine blühende Landwirtschaft und eine aufwärtsstrebende Industrie; und, wie Ich eben schon dankerfüllt die Vertreter Ihrer Bauern habe empfangen können und von neuem Grüße und Versprechungen und Treue um Treue habe austauschen können, so begrüße Ich auch die Gelegenheit von neuem, der westfälischen Industrie Meine volle Teilnahme und Anerkennung aussprechen zu können.

Wie alle, die den industriellen Betrieben obliegen, so haben auch Sie ein wachsames Auge auf die Entwicklung unserer sozialen Verhältnisse, und Ich habe Schritte getan, soweit es in Meiner Macht steht, Ihnen zu helfen, um Sie vor wirtschaftlich schweren Stunden zu bewahren.

* Einweihung des Kaiser-Wilhelm-Denkmals an der Porta Westfalica im Jahre 1896.

Der Schutz der deutschen Arbeit, der Schutz desjenigen, der arbeiten will, ist von Mir im vorigen Jahre in der Stadt Bielefeld feierlich versprochen worden. Das Gesetz naht sich seiner Vollendung und wird den Volksvertretern noch in diesem Jahre zugehen, worin *jeder* – er möge sein, wer er will, und heißen, wie er will –, *der einen deutschen Arbeiter, der willig ist, seine Arbeit zu vollführen, daran zu hindern versucht, oder gar zu einem Streik anreizt, mit Zuchthaus bestraft werden soll.* Die Strafe habe Ich damals versprochen, und Ich hoffe, daß das Volk in seinen Vertretern zu Mir stehen wird, um unsere nationale Arbeit in dieser Weise, soweit es möglich ist, zu schützen.

Recht und Gesetz müssen und sollen geschützt werden, und soweit werde Ich dafür sorgen, daß sie aufrechterhalten werden.

Sie aber, meine Herren, fordere ich auf, mit Mir auf das Wohl dieser blühenden und herrlichen Provinz zu trinken, die ausgebreitet liegt in ihrer landschaftlichen Schönheit, mit ihrem treuen Volke unter der segnenden Hand des großen Kaisers. Ich wünsche Ihnen von Herzen, daß Sie Ihre hohen Eigenschaften bewahren mögen. Vor allen Dingen wünsche ich dem westfälischen Bauer, daß er sich seine Arbeitsamkeit, seine alte Tracht und seinen alten westfälischen Bauernstolz bewahren möge. Die Provinz Westfalen Hurra! – Hurra! – Hurra!

[26] Eröffnung des neuen Hafens in Stettin (23. September 1898)

Zur Eröffnung des neuen Stettiner Hafens traf das Kaiserpaar am Mittag des 23. September 1898 in Stettin ein. Die Festrede Wilhelms II. war eine Erwiderung auf die Rede des Oberbürgermeisters Hagen. Sie lautete:

Ich spreche Ihnen von ganzem Herzen Meinen Glückwunsch zu dem vollendeten Werke aus. Sie haben im frischen Wagemut angefangen. Sie konnten es anfangs dank der Fürsorge Meines Hochseligen Herrn Großvaters, des großen Kaisers, der den eisernen Gürtel um die Stadt fallen ließ. Mit dem Moment, wo der eiserne Mantel fiel, konnten Sie auch einen größeren und weiteren Gesichtspunkt ins Auge fassen. Sie haben nicht gezögert, es zu tun in echt pommerscher Rücksichtslosigkeit und Starrköpfigkeit. Es ist ihnen gelungen, und es freut Mich, daß der alte pommersche Geist in Ihnen lebendig geworden ist und Sie von dem Land aufs Wasser getrieben hat.

Unsere Zukunft liegt auf dem Wasser, und Ich bin fest überzeugt, daß dieses Werk, das Sie, Herr Oberbürgermeister, mit weitschauendem Blicke und regsamem Fleiß und Mühen gefördert haben, mit Ihrem Namen noch nach Jahrhunderten von den dankbaren Bürgern der Stadt Stettin in Verbindung gebracht und anerkannt werden wird.

Ich aber als Landesherr und König spreche Ihnen Meinen Dank aus, daß Sie die Stadt Stettin zu dieser Blüte gebracht haben. Ich hoffe und erwarte, ja Ich möchte sagen, Ich verlange es, daß sie in diesem Tempo sich weiterentwickeln möge, nicht veruneinigt durch Parteiungen, und den Blick aufs ganze Große gerichtet, daß sie zu einer solchen Blüte gelangen möge, wie sie nie erreicht wurde. Das ist Mein Wunsch!

[27] Tischrede in Damaskus (8. November 1898)

Am 7. November 1898 war das Kaiserpaar mit Gefolge von Beirut aus nach Damaskus gekommen. Zu Ehren ihrer hohen Gäste veranstaltete die Stadt am nächsten Abend ein Festmahl. Der Ulema der Stadt, Scheich Abdullah Effendi, hielt eine Rede auf den Kaiser und das Deutsche Reich. Darauf antwortete Wilhelm II.:

Angesichts der Huldigungen, die Uns hier zuteil geworden sind, ist es Mir ein Bedürfnis, im Namen der Kaiserin und in Meinem Namen für den Empfang zu danken, für alles, was in allen Städten dieses Landes Uns entgegengetreten ist, vor allem zu danken für den herrlichen Empfang in der Stadt Damaskus.

Tief ergriffen von diesem überwältigenden Schauspiele, zu gleicher Zeit bewegt von dem Gedanken, an der Stelle zu stehen, wo einer der ritterlichsten Herrscher aller Zeiten, der große Sultan Saladin, geweilt hat, ein Ritter ohne Furcht und Tadel, der oft seine Gegner die rechte Art des Rittertums lehren mußte, ergreife Ich mit Freude die Gelegenheit vor allen Dingen dem Sultan Abdul Hamid zu danken für seine Gastfreundschaft.

Möge der Sultan und mögen die 300 Millionen Mohammedaner, die, auf der Erde zerstreut lebend, in ihm ihren Kalifen verehren, dessen versichert sein, daß zu allen Zeiten der deutsche Kaiser ihr Freund sein wird!

Ich trinke auf das Wohl Seiner Majestät des Sultans Abdul Hamid!

[28] Arbeiterwohnungen (Juni 1899)

Nach einem Bericht der ›Elbinger Zeitung‹ hat sich der Kaiser Anfang Juni 1899 über die Arbeiterwohnungen auf seiner in der Nähe von Elbing gelegenen Besitzung Kadinen wie folgt geäußert:

In Kadinen muß noch manches anders werden. Ich meine besonders die Arbeiterwohnungen. Dies scheint überhaupt noch ein Übel hier im Osten zu sein. Der schöne Viehstall in Kadinen ist ja ein wahrer Palast den Arbeiterwohnungen gegenüber. Es muß dafür gesorgt werden, daß nicht etwa die Schweineställe besser sind als die Arbeiterwohnungen.

[29] Im Rathaus der Freien Stadt Hamburg (18. Oktober 1899)

Der Kaiser war zum Stapellauf des Linienschiffes »Kaiser Karl der Große« nach Hamburg gekommen und folgte am Abend des 18. Oktober 1899 einer Einladung des Senats zu einem Festmahl im Rathaus. Bei der Tafel brachte Bürgermeister Dr. Mönckeberg einen Trinkspruch auf den Kaiser aus. Wilhelm II. antwortete:

Es gereicht Mir zur besonderen Freude, an dem heutigen historischen Gedenktage wieder in Ihrer Mitte weilen zu können. Ich fühle Mich gleichsam erfrischt und neu gestärkt, sooft Ich von den Wogen des frischsprudelnden Lebens einer Hansastadt umspült werde.

Es ist ein feierlicher Akt, dem wir soeben beigewohnt, als wir ein neues Stück schwimmender Wehrkraft des Vaterlandes seinem Element übergeben konnten. Ein jeder, der ihn mitgemacht, wird wohl von dem Gedanken durchdrungen gewesen sein, daß das stolze Schiff bald seinem Berufe übergeben werden könne; wir bedürfen seiner dringend, und *bitter not ist uns eine starke deutsche Flotte.*

Sein Name erinnert uns an die erste glanzvolle Zeit des alten Reiches und seiner mächtigen Schirmherrn. Und auch in jene Zeit fällt der allererste Anfang Hamburgs, wenn auch nur als Ausgangspunkt für die Missionstätigkeit im Dienste des gewaltigen Kaisers. Jetzt ist unser Vaterland durch Kaiser Wilhelm den Großen neu geeint und im Begriff, sich nach außen hin herrlich zu entfalten. Und gerade hier inmitten dieses mächtigen Handelsemporiums* empfindet man die Fülle und Spannkraft,

* Stapel-, Haupthandelsplatz.

welche das deutsche Volk durch seine Geschlossenheit seinen Unternehmungen zu verleihen imstande ist. Aber auch hier weiß man es am höchsten zu schätzen, wie notwendig ein kräftiger Schutz und die unentbehrliche Stärkung unserer Seestreitkräfte für unsere auswärtigen Interessen sind.

Doch langsam nur greift das Gefühl hierfür im deutschen Vaterlande Platz, das leider noch zu sehr seine Kräfte in fruchtlosen Parteiungen verzehrt. Mit tiefer Besorgnis habe Ich beobachten müssen, wie langsame Fortschritte das Interesse und politische Verständnis für große, weltbewegende Fragen unter den Deutschen gemacht hat.

Blicken wir um uns her, wie hat seit einigen Jahren die Welt ihr Antlitz verändert. Alte Weltreiche vergehen, und neue sind im Entstehen begriffen. Nationen sind plötzlich im Gesichtskreis der Völker erschienen und treten in ihren Wettbewerb mit ein, von denen kurz zuvor der Laie noch wenig gemerkt hatte. Erzeugnisse, welche umwälzend wirken auf dem Gebiete internationaler Beziehungen sowohl wie auf dem Gebiete des national-ökonomischen Lebens der Völker und die in alten Zeiten Jahrhunderte zum Reifen brauchten, vollziehen sich in wenigen Monden.

Dadurch sind die Aufgaben für unser Deutsches Reich und Volk in mächtigem Umfange gewachsen und erheischen für Mich und Meine Regierung ungewöhnliche und schwere Anstrengungen, die nur dann von Erfolg gekrönt sein können, wenn einheitlich und fest, den Parteiungen entsagend, die Deutschen hinter uns stehen. *Es muß dazu aber unser Volk sich entschließen, Opfer zu bringen.* Vor allem muß es ablegen seine Sucht, das Höchste in immer schärfer sich ausprägenden Parteirichtungen zu suchen. Es muß aufhören, die Partei über das Wohl des Ganzen zu stellen. *Es muß seine alten Erbfehler eindämmen, alles zum Gegenstand ungezügelter Kritik zu machen*, und es muß vor den Grenzen Halt machen, die ihm seine eigensten vitalsten Interessen ziehen. Denn gerade diese alten politischen Sünden rächen sich jetzt schwer an unseren Seeinteressen und unserer Flotte. Wäre ihre Verstärkung Mir in den ersten acht Jahren Meiner Regierung trotz inständigen Bittens und Warnens nicht beharrlich verweigert worden, wobei sogar Hohn und Spott Mir nicht erspart geblieben sind, wie anders würden wir dann unseren blühenden Handel und unsere überseeischen Interessen fördern können!

Doch Meine Hoffnungen, daß der Deutsche sich ermannen

werde, sind noch nicht geschwunden. Denn groß und mächtig schlägt die Liebe in ihm zu seinem Vaterlande. Davon zeugen die Oktoberfeuer, die er heute noch auf Bergeshöhen anzündet und mit denen er auch das Andenken an die herrliche Gestalt des heut' geborenen Kaisers in der Erinnerung mitfeiert*.

Und in der Tat, einen wundervollen Bau hat Kaiser Friedrich mit Seinem großen Vater und dessen großen Paladinen errichten helfen und uns als Deutsches Reich hinterlassen. In herrlicher Pracht steht es da, ersehnt von unseren Vätern und besungen von unseren Dichtern!

Nun wohlan, statt wie bisher in ödem Zank sich darüber zu streiten, wie die einzelnen Kammern, Säle, Abteilungen dieses Gebäudes aussehen oder eingerichtet werden sollen, möge unser Volk, in idealer Begeisterung wie die Oktoberfeuer auflodernd, seinem idealen zweiten Kaiser nachstreben und vor allem an dem schönen Bau sich freuen und ihn schützen helfen. Stolz auf seine Größe; bewußt seines inneren Wertes; einen jeden fremden Staat in seiner Entwicklung achtend; die Opfer, die seine Weltmachtstellung verlangt, mit Freuden bringend; dem Parteigeist entsagend, einheitlich und geschlossen hinter seinen Fürsten und seinem Kaiser stehend – so wird unser deutsches Volk auch den Hansastädten ihr großes Werk zum Wohle unseres Vaterlandes fördern helfen.

Das ist Mein Wunsch zum heutigen Tage, mit dem Ich Mein Glas erhebe auf das Wohl Hamburgs!

[30] An die Vertreter der Technischen Hochschulen (9. Januar 1900)

Am 9. Januar 1900 wurde die Ansprache veröffentlicht, die der Kaiser an die Vertreter der Technischen Hochschulen Preußens richtete, nachdem sie sich für das ihnen am 19. Oktober 1899 verliehene Promotionsrecht bedankt hatten.

Es hat Mich gefreut, die Technischen Hochschulen auszeichnen zu können. Sie wissen, daß sehr große Widerstände zu überwinden waren; die sind jetzt beseitigt. Ich wollte die Technischen Hochschulen in den Vordergrund bringen; denn sie haben große Aufgaben zu lösen, nicht bloß technische, sondern

---

* Kaiser Friedrich III.

auch große soziale Aufgaben. Die sind bisher nicht so gelöst worden, als Ich wollte.

Sie können auf die sozialen Verhältnisse vielfach großen Einfluß ausüben, da Ihre vielen Beziehungen zu der Arbeit und zu den Arbeitern und zur Industrie überhaupt eine Fülle von Anregungen und Einwirkungen ermöglichen. Sie sind deshalb auch in der kommenden Zeit zu großen Aufgaben berufen; die bisherigen Richtungen haben ja leider in sozialer Beziehung vollständig versagt. Ich rechne auf die Technischen Hochschulen! *Die Sozialdemokratie betrachte Ich als eine vorübergehende Erscheinung; sie wird sich austoben.* Sie müssen aber Ihren Schülern die sozialen Pflichten gegen die Arbeiter klarmachen und die großen allgemeinen Aufgaben nicht außer acht lassen. Also, Ich rechne auf Sie. An Arbeit und Anerkennung wird es nicht fehlen.

Unsere technische Bildung hat schon große Erfolge errungen. Wir brauchen sehr viele technische Intelligenz im ganzen Lande; was brauchen schon die Kabellegungen und die Kolonien an technisch Gebildeten! Das Ansehen der deutschen Technik ist schon jetzt sehr groß. Die besten Familien, die sich sonst anscheinend ferngehalten haben, wenden ihre Söhne der Technik zu, und Ich hoffe, daß das zunehmen wird.

Auch im Auslande ist Ihr Ansehen sehr groß. Die Ausländer sprechen mit größter Begeisterung von der Bildung, die sie an Ihrer Hochschule erhalten haben. Es ist gut, daß Sie auch Ausländer heranziehen; das schafft Achtung vor unserer Arbeit. Auch in England habe Ich überall die größte Hochachtung vor der deutschen Technik gefunden. Das habe Ich jetzt selbst wieder erfahren, wie man dort die deutsche technische Bildung und die Leistungen der deutschen Technik schätzt. Wenden Sie sich daher auch mit aller Kraft den großen wirtschaftlichen und sozialen Aufgaben zu.

[31] Enthüllung des Marinedenkmals in Kiel (20. Juni 1900)

Der Kaiser hatte als »einheitliches Erinnerungszeichen für die gesamte Marine« eine Christusfigur gestiftet und vor der Garnisonkirche in Kiel aufstellen lassen. Bei der Enthüllung am 20. Juni 1900 hielt er folgende Ansprache:

Meine lieben Kameraden, Offiziere und Mannschaften! Eure Gattinen und Verwandten!

Als das alte Jahrhundert zur Neige ging und das neue empor-stieg, regte sich in Mir der Gedanke, für die gesamte Marine ein einheitliches Erinnerungszeichen zu schaffen, welches dieselbe in dieser Weise noch nicht besitzt und welches die Traditionen, die Überlieferungen festhalten soll. Sie leben zwar in Herz und Mund, in Wort und Sinn – all dies genügt nicht, und Ich erwog lange bei Mir den Gedanken, in welcher Form dieses Erin-nerungszeichen zu geben sei.

Jährlich durchwandere Ich die Schlachtfelder, doch alle jene Denkmäler und schlichten Tafeln dünkten Mich nicht geeignet, ihre Stelle hier zu finden. Es galt die ganz eigentümlich schwere Aufgabe, die in der Marine liegt und in den Offizieren und Mannschaften verkörpert ist, richtig darzustellen.

Und der Zufall, oder lieber gesagt *Gottes Fügung, hat es gewollt, daß Ich bei dem Besuch eines Künstlerateliers* diese packende und einen überraschenden Eindruck machende, *diese gewaltige Schöpfung sah, und wie ein zuckendes Feuer durchfuhr es Mein Herz, daß dies das Rich-tige sei.*

Jede Gefahr im Beruf führt die Gemüter mehr zu Gott. Wie viel mehr der Beruf in der Marine und die Aufgaben, die er stellt. Dieses Denkmal mit der zu Christus' Füßen liegenden Frau soll auch für Sie, meine verehrten Damen, eine Erleichterung be-deuten.

Der Kaiser wies dann auf den großen Unterschied zwischen dem Dienst an Land und dem zur See hinsichtlich der Berufsgefahren hin und schloß:

Und wenn das Denkmal für Sie ein solches Trost bringendes Erinnerungszeichen sein kann, dann ist Mein Wunsch erfüllt. Und so übergebe Ich das Denkmal der Marine mit der Hoffnung, daß es in Ehren gehalten werden möge.

So falle denn die Hülle!

[32] An das erste Expeditionskorps für China (2. Juli 1900)

Am 2. Juli 1900 bestätigte sich die Nachricht, daß der deutsche Gesandte in Peking ermordet worden war. Das Kaiserpaar traf noch an diesem Tage in Wilhelmshaven ein; es begab sich sofort auf den Torpedo-Exerzierplatz, wo das Expeditionskorps – schon in Khakianzügen – in Parade aufgestellt war. Wilhelm II. richtete folgende Ansprache an die Truppen:

Mitten in den tiefsten Frieden hinein, für Mich leider nicht unerwartet, ist die Brandfackel des Krieges geschleudert worden. Ein Verbrechen, unerhört in seiner Frechheit, schaudererregend durch seine Grausamkeit, hat Meinen bewährten Vertreter getroffen und dahingerafft. Die Gesandten anderer Mächte schweben in Lebensgefahr, mit ihnen die Kameraden, die zu ihrem Schutze entsandt waren. Vielleicht haben sie schon heute ihren letzten Kampf gekämpft. Die deutsche Fahne ist beleidigt und dem Deutschen Reiche Hohn gesprochen worden. Das verlangt exemplarische Bestrafung und Rache*.

Die Verhältnisse haben sich mit einer furchtbaren Geschwindigkeit zu tiefem Ernste gestaltet und, seitdem Ich euch unter die Waffen zur Mobilmachung berufen, noch ernster. Was Ich hoffen konnte, mit Hilfe der Marine-Infanterie wiederherzustellen, wird jetzt eine schwere Aufgabe, die nur durch geschlossene Truppenkörper aller zivilisierten Staaten gelöst werden kann. Schon heute hat der Chef des Kreuzergeschwaders Mich gebeten, die Entsendung einer Division in Erwägung zu nehmen.

Ihr werdet einem Feinde gegenüberstehen, der nicht minder todesmutig ist, wie ihr. Von europäischen Offizieren ausgebildet, haben die Chinesen die europäischen Waffen brauchen gelernt. Gott sei Dank haben eure Kameraden von der Marine-Infanterie und Meiner Marine, wo sie mit ihnen zusammengekommen sind, den alten deutschen Waffenruf bekräftigt und bewährt und mit Ruhm und Sieg sich verteidigt und ihre Aufgaben gelöst.

So sende Ich euch nun hinaus, um das Unrecht zu rächen, und Ich werde nicht eher ruhen, als bis die deutschen Fahnen vereint mit denen der anderen Mächte siegreich über den chinesischen wehen und, auf den Mauern Pekings aufgepflanzt, den Chinesen den Frieden diktieren.

Ihr habt gute Kameradschaft zu halten mit allen Truppen, mit denen ihr dort zusammenkommt. Russen, Engländer, Franzosen, wer es auch sei, sie fechten alle für die eine Sache, für die Zivilisation.

Wir denken auch noch an etwas Höheres, an unsere Religion und die Verteidigung und den Schutz unserer Brüder da draußen, welche zum Teil mit ihrem Leben für ihren Heiland eingetreten sind.

* Nach nicht-offizieller Version soll der Kaiser gesagt haben: »Ich hoffe . . . Rache zu nehmen, wie sie die Welt noch nicht gesehen hat.«

Denkt auch an unsere Waffenehre, denkt an diejenigen, die vor euch gefochten haben, und zieht hinaus mit dem alten brandenburgischen Fahnenspruch: »Vertrau auf Gott, dich tapfer wehr', daraus besteht dein' ganze Ehr'! Denn wer's auf Gott herzhaftig wagt, wird nimmer aus der Welt gejagt.«

Die Fahnen, die hier über euch wehen, gehen zum erstenmal ins Feuer; daß ihr Mir dieselben rein und fleckenlos und ohne Makel zurückbringt!

Mein Dank und Mein Interesse, Meine Gebete und Meine Fürsorge werden euch nicht verlassen, mit ihnen werde Ich euch begleiten.

[33] An den Prinzen Rupprecht von Bayern (3. Juli 1900)

In Gegenwart des Kaiserpaares taufte Prinz Rupprecht von Bayern am 3. Juli 1900 in Wilhelmshaven das neue Linienschiff »Wittelsbach«. Beim Festmahl brachte Prinz Rupprecht ein Hoch auf den Kaiser als den Chef der Marine aus. Wilhelm II. antwortete:

Eurer Königlichen Hoheit danke Ich für die freundlichen Worte, welche Sie an Mich zu richten die Güte hatten.

Eure Königliche Hoheit haben heute bei der Taufe des neuen Schiffs der Unterstützung erwähnt, welche die Wittelsbacher den deutschen Kaisern haben zu teil werden lassen. Ich möchte dabei noch an eine Episode aus der Vorgeschichte unserer Häuser erinnern.

Auf den Gefilden vor Rom war es einem Vorfahren Eurer Königlichen Hoheit im Verein mit einem der Meinigen beschieden, der seltenen Auszeichnung teilhaftig zu werden, hoch zu Roß, in Stahl gepanzert, angesichts der feindlichen Reitergeschwader durch Kaiser Heinrich VII. den Ritterschlag zu erhalten. Der Vorgang ist im Bilde auf Meiner Yacht »Hohenzollern« verewigt.

Die Nachkommen jener tapferen Fürsten haben sich gegenseitig bei Mühldorf geholfen, wo der Hohenzoller dem Kaiser Ludwig von Bayern die Schlacht gewann. Wie damals Wittelsbacher und Hohenzollern Seite an Seite für das Wohl des Reiches kämpften, so wird es auch jetzt und in Zukunft geschehen!

Eure Königliche Hoheit haben in diesen Tagen Gelegenheit gehabt, wichtigen Entschlüssen beizuwohnen und der Zeuge historischer Augenblicke zu sein, die einen Markstein in der Geschichte unseres Volkes bedeuten. Eure Königliche Hoheit haben sich dabei überzeugen können, wie mächtig der Wellenschlag des Ozeans an unseres Volkes Tore klopft und es zwingt, als ein großes Volk seinen Platz in der Welt zu behaupten, mit einem Wort: *zur Weltpolitik.*

Der Ozean ist unentbehrlich für Deutschlands Größe. Aber der Ozean beweist auch, daß auf ihm in der Ferne, jenseits von ihm, ohne Deutschland und ohne den Deutschen Kaiser keine große Entscheidung mehr fallen darf.

Ich bin nicht der Meinung, daß unser deutsches Volk vor dreißig Jahren unter der Führung seiner Fürsten gesiegt und geblutet hat, um sich bei großen auswärtigen Entscheidungen beiseite schieben zu lassen. Geschähe das, so wäre es ein für allemal mit der Weltmachtstellung des deutschen Volkes vorbei, und Ich bin nicht gewillt, es dazu kommen zu lassen. Hierfür die geeigneten und, wenn es sein muß, *auch die schärfsten Mittel rücksichtslos anzuwenden, ist Meine Pflicht nur, Mein schönstes Vorrecht.* Ich bin überzeugt, daß Ich hierbei Deutschlands Fürsten und das gesamte Volk festgeschlossen hinter Mir habe.

Daß Eure Königliche Hoheit die Ehrenstellung à la suite des Seebataillons anzunehmen geruhten, ist von hoher Bedeutung gerade in dem Augenblick, wo Bayern und Württemberger, Sachsen und Preußen nach dem Fernen Osten gehen, um die Ehre der deutschen Flagge wiederherzustellen. Wie das Haus der Wittelsbacher im Jahre 1870 zu den Waffen griff, um für Deutschlands Ehre, seine Einigung und die Kaiserwürde zu fechten, so möge allezeit das Reich dieses edlen Geschlechtes Unterstützung sicher sein.

Als Vertreter dieses Erlauchten Hauses begrüße Ich Eure Königliche Hoheit in unserer Mitte mit dem Wunsche, daß die enge Beziehung, in die Eure Königliche Hoheit durch die à-la-suite-Stellung zu Meiner Marine getreten sind, allezeit Eurer Königlichen Hoheit Interesse für dieselbe lebendig erhalten möge.

Ich trinke auf das Wohl Seiner Königlichen Hoheit des Prinzen Rupprecht von Bayern. Hurra! – Hurra! – Hurra!

[34] An Bord des »Kurfürst Friedrich Wilhelm« (6. Juli 1900)

Der Kaiser besuchte am 6. Juli 1900 in Kiel das Flaggschiff der ersten Division des ersten Geschwaders »Kurfürst Friedrich Wilhelm«. Er verabschiedete sich von Offizieren und Mannschaften mit folgenden Worten:

Ihr seid die erste Panzerdivision, die Ich in das Ausland entsende. Bedenkt, daß ihr mit hinterlistigen, aber mit modernen Waffen ausgerüsteten Gegnern kämpfen müßt, und rächt vergossenes deutsches Blut. Schont Weiber und Kinder.

Ich werde nicht ruhen, bis China niedergeworfen ist, und alle Bluttaten gerächt sind.

Ihr werdet mit den Mannschaften verschiedener Nationen zusammen kämpfen; haltet stets gute Kameradschaft.

[35] Truppenbesichtigung in Bremerhaven (27. Juli 1900)

Der Kaiser kam zur Besichtigung der nach Ostasien abgehenden Truppen nach Bremerhaven; er verabschiedete sich am 27. Juli 1900 von den Soldaten mit einer Ansprache, die vom ›Reichsanzeiger‹ (im nichtamtlichen Teil) folgendermaßen wiedergegeben wurde:

Große überseeische Aufgaben sind es, die dem neu entstandenen Deutschen Reiche zugefallen sind, Aufgaben weit größer, als viele Meiner Landsleute es erwartet haben. Das Deutsche Reich hat seinem Charakter nach die Verpflichtung, seinen Bürgern, wofern diese im Ausland bedrängt werden, beizustehen. Die Aufgaben, welche das alte Römische Reich Deutscher Nation nicht hat lösen können, ist das neue Deutsche Reich in der Lage zu lösen. Das Mittel, das ihm dies ermöglicht, ist unser Heer.

In dreißigjähriger treuer Friedensarbeit ist es herangebildet worden nach den Grundsätzen Meines verewigten Großvaters. Auch ihr habt eure Ausbildung nach diesen Grundsätzen erhalten und sollt nun vor dem Feinde die Probe ablegen, ob sie sich bei euch bewährt haben. Eure Kameraden von der Marine haben diese Probe bereits bestanden, sie haben euch gezeigt, daß die Grundsätze unserer Ausbildung gute sind, und Ich bin stolz auf das Lob auch aus dem Munde auswärtiger Führer, das eure Kameraden draußen sich erworben haben. An euch ist es, es ihnen gleichzutun.

Eine große Aufgabe harrt eurer; ihr sollt das schwere Unrecht, das geschehen ist, sühnen. Die Chinesen haben das Völkerrecht umgeworfen, sie haben in einer in der Weltgeschichte nicht erhörten Weise der Heiligkeit des Gesandten, den Pflichten des Gastrechts hohngesprochen. Es ist das um so empörender, als dies Verbrechen begangen worden ist von einer Nation, die auf ihre uralte Kultur stolz ist. Bewährt die alte preußische Tüchtigkeit, zeigt euch als Christen im freudigen Ertragen von Leiden, möge Ehre und Ruhm euren Fahnen und Waffen folgen, gebt an Manneszucht und Disziplin aller Welt ein Beispiel.

Ihr wißt es wohl, ihr sollt fechten gegen einen verschlagenen, tapferen, gut bewaffneten, grausamen Feind. Kommt ihr an ihn, so wißt: *Pardon wird* [euch] *nicht gegeben, Gefangene werden nicht gemacht. Führt eure Waffen so, daß auf tausend Jahre hinaus kein Chinese mehr es wagt, einen Deutschen scheel anzusehen.* Wahrt Manneszucht.

Der Segen Gottes sei mit euch, die Gebete eines ganzen Volkes, Meine Wünsche begleiten euch, jeden einzelnen. Öffnet der Kultur den Weg ein für allemal!

Nun könnt ihr reisen! Adieu Kameraden!

[36] Seepredigt (29. Juli 1900)

Der Kaiser hielt am 29. Juli 1900 eine Predigt an Bord der »Hohenzollern« auf der Höhe von Helgoland.

7. Sonntag nach Trinitatis. Die Gnade unsers Herrn Jesu Christi und die Liebe Gottes und die Gemeinschaft des heiligen Geistes sei mit uns allen. Amen.

Text: 2. Mose 17, V. 11: So lange Moses seine betenden Hände emporhielt, siegte Israel; wenn er aber seine Hände niederließ, siegte Amalek.

Ein ergreifendes Bild ist es, das unser heutiger Text uns vor die Seele malt. Da zieht Israel hin durch die Wüste, vom Roten Meere zum Berge Sinai. Aber plötzlich tritt ihnen das heidnische Amalekitervolk in den Weg, will ihnen den Durchgang wehren, und es kommt zur Schlacht. Josua führt die junge Mannschaft Israels in den Streit. Die Schwerter klirren aufeinander, und ein heißes, blutiges Ringen beginnt im Tale Raphidim. Aber siehe, während der Kampf hin und her wogt, steigen die frommen Gottesmänner Moses, Aron und Hur hinauf auf Bergeshöh, sie strecken ihre Hände empor zum Himmel: sie beten. Drunten im Tal die kämpfende Schar, droben auf dem Berge die betende Schar, das ist das Schlachtenbild unseres Textes.

Wer verstünde heute nicht, was es uns sagen will. Wiederum hat sich ja heidnischer Amalekitergeist geregt im fernen Asien; mit großer Macht und viel List, mit Sengen und Morden will man den Durchzug europäischen Handels und europäischen Geistes, will man den Siegeszug christlicher Sitte und christlichen Glaubens wehren. Und wiederum ist der Gottesbefehl ergangen: Erwähle die Männer, zeuch aus und streite wider Amalek! Ein heißes blutiges Ringen hat begonnen. Schon stehen viele unserer Brüder drüben im Feuer, viele fahren den feindlichen Küsten zu, und ihr habt sie gesehen, die Tausende, die auf den Ruf: Freiwillige vor! Wer will des Reiches Hüter sein? sich jetzt sammeln, um mit fliegenden Fahnen mit einzutreten in den Kampf.

Aber wir, die wir zurückbleiben müssen in der Heimat, die wir durch andere heilige Pflichten gebunden sind, sagt, hört ihr nicht den Ruf Gottes, der an euch ergeht und der es euch sagt: Steige hinauf auf den Berg! Hebe deine Hände empor zum Himmel! Das Gebet des Gerechten vermag viel, wenn es ernstlich ist!

Wohlan denn: *drüben in der Ferne die Scharen der Kämpfer, hier in der Heimat die Scharen der Beter, das sei das heilige Schlachtenbild auch unsrer Tage.* Mahne denn diese stille Morgenstunde, sie mahne uns an die heilige Pflicht der Fürbitte, sie erinnere uns an die heilige Macht der Fürbitte.

Die heilige Pflicht der Fürbitte.

Gewiß, ein begeisterter Augenblick, wenn ein Schiff mit der jungen Mannschaft an Bord die Anker lichtet! Habt ihr nicht die Augen der Krieger leuchten sehen? Habt ihr nicht ihr tausendstimmiges Hurra vernommen? Aber wenn dann die heimatliche Küste entschwindet, wenn es hineingeht in die Gluthitze des Roten Meeres oder in die Sturzwellen des Ozeans, wie leicht ermattet da Frische und Begeisterung!

Gewiß ein erhebender Anblick, wenn nach langer Fahrt sich in der Ferne zeigen die geraden Linien der deutschen Forts, wenn sichtbar werden die schwarz-weiß-roten Fahnen der deutschen Kolonie und die Waffenbrüder stehen zum jubelnden Empfang am Ufer. Aber wenn dann kommen die langen Märsche im Sonnenbrand, die langen Biwaknächte im Regen, wie leicht erlahmt da Fröhlichkeit und Kraft! Gewiß, ein lang ersehnter Augenblick, wenn endlich der Tambour anschlägt zum Sturm und die Trompeten blasen zum Streit, wenn das Kommando ertönt: Vorwärts auf den Feind! Aber wenn dann im Donner der Geschütze und beim Sprühen der Granaten die Kameraden fallen zur Rechten und Linken und die feindlichen Batterien wollen nicht weichen – wie leicht fängt da auch das tapfere Herz zu beben an!

Christen, damit unsere Brüder draußen fröhlich bleiben auch in der drückendsten Not, treu bleiben auch in der schwersten Pflicht, unverzagt bleiben auch in der größten Gefahr, dazu brauchen sie mehr als Munition und scharfe Waffen, auch mehr als jugendlichen Mut und flammende Begeisterung, dazu brauchen sie Segen von oben, sonst können sie nicht gewinnen und den Sieg behalten, und diese himmlische Welt, sie öffnet sich aus dem Gebet. Das Gebet ist der goldene Schlüssel zur Schatzkammer unsers Gottes. Aber wer ihn hat, der hat auch die Verheißung: Wer da bittet, der empfängt.

Oder wollen wir etwa die Hände müßig in den Schoß legen? Wehe uns, wenn wir träge und lässig wären, während sie das harte, blutige Handwerk treiben! Wehe uns, wenn wir hinter den Schranken dem großen Schauspiel nur neugierig zusähen, während sie ringen in heißem Todeskampf! Das wäre Kainsgeist mit der grausamen Sprache: soll ich meines Bruders Hüter sein? Das wäre Treulosigkeit gegen unsere braven Brüder, die ihr Leben einsetzen!

Nimmermehr! Wir wollen nicht nur Bataillone von Kriegern mobilmachen, nein, auch eine heilige Streitmacht von Betern.

Ja, wie viel gibt es doch für unsere ins Feld ziehenden Brüder zu erbitten und zu erflehen. Sie sollen der starke Arm sein, der die Meuchelmörder bestraft; sie sollen die gepanzerte Faust sein, die in das wüste Treiben hineinfährt; sie sollen mit dem Schwerte in der Hand eintreten für unsere heiligsten Güter.

So wollen wir sie mit unseren Gebeten geleiten hinaus aufs wogende Meer, hin auf ihre Märsche, hinein in den Donner der Schlacht und in die Stille der Lazarette, wollen Gott den Herrn bitten, daß sie männlich und stark stehen auf ihren Posten; daß sie tapfer und still ihre Wunden tragen; daß Gott denen, die im Feuer zusammenbrechen, ein seliges Ende beschere und ihnen den Lohn der Treue gebe; kurz, daß er die Krieger zu Helden mache und die Helden zu Siegern und sie dann mit Lorbeer um den Tropenhelm und mit den Ehrenzeichen auf der Brust heimbringe in das Land ihrer Väter.

Die heilige Macht der Fürbitte.

Oder glauben wir etwa nicht an die heilige Macht der Fürbitte? Nun denn, was sagt der Text? »Solange Moses seine Hände emporhielt, siegte Israel!« Die heißen Gebete eines Moses machten die Schwerter der Feinde stumpf, sie schoben sich wie ein Keil in die feindlichen Schlachtreihen, brachten sie ins Wanken und hefteten den Sieg an die flatternden Fahnen Israels. Und wenn das die Gebete eines Moses vollbracht, sollten nicht auch unsere Gebete solches vermögen? Gott hat keine Silbe von seinen Verheißungen zurückgenommen, *treue Gebete können noch heute die Drachenbanner in den Staub werfen und die Kreuzesbanner auf die Mauer pflanzen.*

Und Moses steht mit seiner Fürbitte nicht allein. Schau hin, dort auf der Höhe von Sodom steht Abraham fürbittend vor seinem Gott, und mit seinem Flehen bittet er Lot heraus aus der brennenden Stadt. Und sollte es da nicht unsern Gebeten auch gelingen, unsere kämpfenden Kameraden herauszubeten aus dem Feuer der Schlachten?

Blick hin, dort in Jerusalem liegt die junge Christengemeinde auf den Knien, ihr Führer, ihr Vater liegt gefangen im Kerker, und siehe, mit ihren Gebeten rufen sie den Engel Gottes ins Gefängnis, und er führt den Petrus unversehrt heraus. Und unsere Gebete sollten nicht die Kraft haben, noch heute die Türen der Bedrängten, Gefangenen, Verfolgten zu sprengen und ihnen die Engel zur Seite zu stellen?

> O der unerkannten Macht
> Von der Heil'gen Beten!
> Ohne das wird nichts vollbracht
> So in Freud' als Nöten.
> Schritt für Schritt
> Wirkt es mit
> So zum Sieg der Freunde
> Wie zum End' der Feinde.

Ja, der alte Gott lebt noch! Der große Alliierte regiert noch, der heilige Gott, der Sünde und Freveltaten nicht kann triumphieren lassen, sondern seine heilige Sache führen wird wider ein unheiliges Volk; der allmächtige Gott, der durch die stärksten Mauern greifen kann, als wären es Spinngewebe, und der die größten Massen zerstreuen kann wie Sandhaufen; der barmherzige getreue Gott, der das Wohl und Wehe seiner Kinder auf seinem Vaterherzen trägt, der jeden Seufzer hört und jede Not mitfühlt. Fromme Gebete öffnen seine Vaterhand, und sie ist ge- füllt mit Segen. Heiße Gebete öffnen sein Vaterherz, und es ist voll Liebe. Ja, treue, anhaltende Gebete, sie holen den lebendi- gen Gott vom Himmel herab und stellen ihn in unsere Mitte. Und ist Gott für uns, wer mag wider uns sein?

Wohlan denn! Droben in den Tauern hängen seltsame Glok- ken auf Bergeshöh'! Von keines Menschen Hand werden sie ge- läutet. Still und stumm hängen sie im Sonnenschein. Aber wenn der Sturmwind kommt, dann beginnen sie zu schwingen, heben an zu läuten, und ihre Glockenklänge hört man weit hinab ins Tal.

Gott der Herr hat in jedes Menschenherz die Gebetsglocke hineingehängt. Doch im Sonnenschein und Glück des Lebens, wie oft hängt sie still und stumm! Wenn aber der Sturmwind der Not hervorbricht, dann hebt sie an zu klingen. Wie mancher Kamerad, der das Beten verlernt, wird drüben im Kampf auf Leben und Tod doch wieder die Hände falten. Not lehrt beten! So soll es auch in der Heimat sein. Laßt die ernsten Tage, die angebrochen, laßt die Kriegeswetter, die über uns herauf- gezogen, die Gebetsglocken wieder in Schwingung setzen! Laßt uns beten für unsere kämpfenden Brüder! Nicht nur dann und wann in festlicher Stunde, nein, nein, laßt uns treu sein im Ge- bet! Wie unsere Väter einst in Kriegszeiten an jedem Abend die Glocken läuteten und bei ihren Klängen die Häupter entblößten und beteten: »Ach bleib bei uns, Herr Jesu Christ, weil es nun Abend worden ist«, so laßt auch uns an keinem Tage die Für- bitte vergessen. Moses hielt seine Hände hoch, bis daß die Sonne unterging: da hatte Josua den Amalek geschlagen mit Schwer- tes Schärfe! Unser Kampf ist nicht zu Ende gebracht an einem Tage. Aber laßt die Hände nicht müde werden, nicht sinken, bis daß der Sieg errungen. Laßt unsere Gebete eine feurige Mauer sein um das Lager unserer Brüder!

Wie wird es uns stärken, begeistern, entflammen, der Gedanke: Tausende, nein Millionen daheim tragen uns auf betendem Herzen. Der König aller Könige ruft: Freiwillige vor! Wer will des Reiches Beter sein? Oh, wenn es auch hier hieße: Der König rief, und alle, alle kamen! Fehle kein einziger unter uns! Der ist ein Mann, der beten kann.

Die Weltgeschichte wird einst die Kämpfe dieser Tage be- schreiben. Aber der Mensch siehet nur, was vor Augen ist, er kann nur sagen, was die Weisheit der Führer, der Mut der Truppen, die Schärfe der Waffen getan. Aber die Ewigkeit wird einst noch mehr offenbaren, sie wird es zeigen, wie die verborgenen Gebete der Gläubigen eine Großmacht gewesen in diesen Kämpfen, wie sich wiederum erfüllt die alte Verheißung: Rufe mich an in der Not, so will ich dich erretten.

Und darum haltet an am Gebet. Amen.

Gebet: Allmächtiger Gott! Lieber himmlischer Vater! Du Herr der Heerscharen und Lenker der Schlachten! Wir heben betend unsere Hände zu dir empor. Auf dein Herz legen wir die Tausende der Waffenbrüder, die du selbst gerufen hast in den Kampf. Schirme mit deinem allmächtigen Schutze unserer Söhne Brust. Führe du unsere Mannschaften zu kräftigem Siege! Auf dein Herz legen wir die Verwundeten und Kranken. Sei du ihr Trost und ihre Kraft und heile ihre Wunden, die sie empfangen haben für König und Vaterland. Auf dein Herz legen wir alle, denen du bestimmt, auf fernem Schlachtfelde zu sterben. Stehe du ihnen bei im letzten Kampfe und gib ihnen den ewigen Frieden! Auf dein Herz legen wir unser Volk. Wahre, heilige, mehre die Begeisterung, die uns jetzt alle durchglüht. Herr unser Gott! Wir wagen es auf dich. Führe du uns im Kampf! Wir rühmen, Herr, daß du uns hilfst, und in deinem Namen werfen wir Panier auf. Herr, wir lassen dich nicht, du segnest uns denn! Amen. (Der Kaiser schloß mit dem Vorbeten des ›Vaterunser‹.)

[37] Kaserneneinweihung in Berlin (28. März 1901)

Bei der Einweihung der mit Schießscharten versehenen Kaserne des Kaiser-Alexander-Garde-Grenadier-Regiments hielt der Kaiser am 28. März 1901 eine Ansprache:

Alexandriner! Für das Kaiser-Alexander-Regiment beginnt heute ein neuer Abschnitt seiner Geschichte. Was ihr heute an Erinnerungen beim Verlassen der alten Kaserne dort zurückgelassen habt, das möge auch im alten Geiste in der neuen Kaserne fortleben: Erinnerungen an die schönsten Tage des Friedens, wie an die heißen Tage des Kampfes. Wie eine feste Burg ragt eure neue Kaserne in der nächsten Nähe des Schlosses auf, das ihr in erster Linie zu schützen stets bereit sein werdet. Das Kaiser-Alexander-Regiment ist berufen, gewissermaßen als Leibwache, Tag und Nacht bereit zu sein, um für den König und sein Haus, wenn's gilt, Leben und Blut in die Schanze zu schlagen. Und wenn jemals wieder (so etwa erinnerte Se. Majestät an das opfermutige und pflichttreue Verhalten des Regiments Alexander von 1848) in dieser Stadt eine Zeit wie damals kommen sollte, eine Zeit der Auflehnung gegen den König, dann, davon bin ich überzeugt, wird das Regiment Alexander alle Unbotmäßigkeit und Ungehörigkeit wider seinen Königlichen Herrn nachdrücklich in die Schranken zurückweisen.

Nach dem zusammenfassenden Bericht des ›Berliner Tageblatts‹ sagte der Kaiser:

. . . daß die neue Kaserne in der Nähe des Königlichen Schlosses stehe und daß das Regiment dazu berufen sei, seinem Könige als Leibwache zu dienen. Die burg- und festungsartig gebaute Kaserne stehe inmitten der Stadt auch zu ihrem Schutz. Wenn es aber der Stadt einfallen sollte, sich jemals wieder gegen ihren Herrscher *in frecher Unbotmäßigkeit* zu erheben, dann werde das Regiment mit dem Bajonette die Ungehörigkeit des Volks gegen seinen König zurückweisen.

Nach dem ›Vorwärts‹ sagte der Kaiser:

Wenn die Stadt Berlin noch einmal wie im Jahre 1848 sich mit Frechheit und Unbotmäßigkeit gegen den König erheben wird, dann seid ihr, meine Grenadiere, dazu berufen, mit der Spitze eurer Bajonette die Frechen und Unbotmäßigen zu Paaren zu treiben.

[38] An das Präsidium des Preußischen Herrenhauses (31. März 1901)

Am Abend des 6. März 1901, als sich der Kaiser in Bremen aufhielt, warf ein unzurechnungsfähiger junger Mann namens Weiland ein Eisenstück nach ihm. Wilhelm II. erlitt eine vier Zentimeter lange Rißwunde im Gesicht. Nach vierzehn Tagen war er wiederhergestellt. Zur Genesung beglückwünschten ihn die drei in Berlin tagenden parlamentarischen Körperschaften: am 22. März das Präsidium des Abgeordnetenhauses und das des Reichstages, am 31. das des Herrenhauses. Hier die Entgegnung, die Wilhelm II. am 31. März 1901 an das Präsidium des Herrenhauses richtete:

Ich danke Ihnen herzlichst für Ihre Glückwünsche, welche Ich gerne annehme. Ich kann Ihnen nur sagen, daß alle Kombinationen, welche in der Presse über Meine Stimmung verlautbart werden, auf vollständiger Unkenntnis beruhen und jeder Grundlage entbehren. Ich habe alles gelesen, was die Zeitungen über Meine angebliche seelische Stimmung anläßlich des Bremer

Vorfalles geschrieben haben, aber nichts ist falscher, als annehmen zu wollen, daß Meine Gemütsverfassung irgendwie darunter gelitten hat. Ich bin genau derselbe, der Ich vorher war; Ich bin weder elegisch noch melancholisch geworden. (Der Kaiser deutete hierauf auf das auf dem Tische liegende Eisenstück, die Lasche, welche Weiland als Wurfgeschoß benutzt hatte, und fuhr fort:) *Ich stehe in Gottes Hand und werde Mich durch solche Vorfälle persönlich niemals in dem Wege beirren lassen, den zu beschreiten Ich als Meine Pflicht anerkannt habe.* Ich komme auf Meinen Reisen mit allen Kreisen der Bevölkerung zusammen und weiß daher sehr gut, was man im Volke über Mich spricht und denkt. Aber wer da etwa glaubt, daß Ich Mich durch solche Vorfälle einschüchtern lassen werde in Meinen übrigen Maßnahmen, der wird sich sehr irren, *es bleibt alles beim alten.*

[39] In Wystyten (23. September 1901)

Das etwa 2300 Einwohner zählende russische Städtchen Wystyten, nahe der preußischen Grenze, war am 26. August 1901 von einer Feuersbrunst heimgesucht worden. Am 23. September begab sich der Kaiser von Rominten aus in russischer Generaluniform zu Pferde nach Wystyten und hielt auf dem Marktplatze folgende Ansprache:

Seine Majestät der Kaiser Nikolaus, euer erhabener Landesherr, Mein geliebter Freund, hat von euerem schweren Unglück gehört. Er läßt euch durch Meinen Mund mitteilen, wie sehr ihn die Nachricht betrübt hat, und läßt euch sein herzliches Mitgefühl aussprechen. Aber noch mehr, er sendet euch durch Mich als Zeichen seiner landesväterlichen Fürsorge eine Spende von 5000 Rubel, die Ich Meinem bevollmächtigten Forstmeister von Saint Paul übergebe zur Verteilung in Gemeinschaft mit dem Landrat von Luck und dem Komitee. Ihr erseht hieraus, wie das Auge eures erhabenen Landesvaters überall bis an die Grenzstädte seines großen Reiches reicht und wie sein gütiges, warmes Herz für seine, wenn auch noch so entfernten Untertanen schlägt. Eurer Dankbarkeit und Liebe für euern Kaiser und Vater werdet ihr jetzt Ausdruck geben, indem ihr mit Mir ruft: »*Na sdorowje jewo welitschestwo gossudarje Imperatora Nikolai!* Hurrah!« (Deutsch: »Es lebe unser gnädiger Herrscher Kaiser Nikolaus!«)

[40] Die wahre Kunst (18. Dezember 1901)

In der Siegesallee des Berliner Tiergartens wurde am 18. Dezember 1901 die letzte Gruppe unter den Denkmälern der brandenburgisch-preußischen Herrscher enthüllt, darunter die Statue des Kurfürsten Johann Georg. Anschließend fand im königlichen Schlosse ein Festmahl statt, zu dem die Künstler, die an der Schaffung der Denkmäler beteiligt gewesen waren, als Gäste des Kaisers erschienen. An sie richtete Wilhelm II. eine Ansprache:*

Der heutige 18. Dezember ist in der Geschichte unserer heimischen Berliner Kunst insofern von Bedeutung, als der hochselige Protektor der Museen, Mein verstorbener Herr Vater, und seine künstlerisch hochbegabte Gattin, Meine verehrte Mutter, heute vor 15 Jahren das Museum für Völkerkunde einweihten. Es war dies gewissermaßen die letzte große abschließende Tat, die Mein Vater nach dieser Richtung hin ausgeführt hat, und Ich betrachte es als ein besonderes Glück, daß gerade an diesem Jahrestage der Abschluß für die Arbeiten der Siegesallee hat gefunden werden können.

Ich ergreife die Gelegenheit mit Freuden, um Ihnen allen erstens Meinen Glückwunsch, zweitens Meinen Dank auszusprechen für die Art und Weise, in der Sie Mir geholfen haben, Meinen ursprünglichen Plan zu verwirklichen. Die Aufstellung des Programms für die Siegesallee hat eine Reihe von Jahren in Anspruch genommen, und der bewährte Historiograph Meines Hauses, Prof. Dr. Koser, ist derjenige gewesen, der Mich in Stand setzte, überhaupt den Herren greifbare Aufgaben zu stellen.

War somit die historische Basis gefunden, so konnte nun weiter vorgeschritten werden, und nachdem die Persönlichkeiten der Fürsten festgestellt waren, konnten dann auch, auf historischer Forschung beruhend, die wichtigsten Helfer der Herren an ihrem Werke festgestellt werden. Auf diese Weise entstanden die Gruppen und, gewissermaßen durch die Historie bedingt, fand sich die Form der Gruppen.

Nachdem dieser Teil des Programms fertig war, kam natürlich das Schwierigste, das war die Frage: Wird es möglich sein, wie Ich hoffte, in Berlin so viele Künstler zu finden, die imstande sind, einheitlich zu arbeiten, um dieses Programm zu verwirklichen?

Ich hatte, als Ich an die Lösung dieser Frage herantrat, im Auge, wenn es Mir gelingen sollte, der Welt zu zeigen, daß das

* Die Hervorhebungen in der Rede ›Die wahre Kunst‹ finden sich bereits in der Druckvorlage.

Günstigste für die Lösung einer künstlerischen Aufgabe nicht in der Berufung von Kommissionen, nicht in einer Ausschreibung von allen möglichen Preisgerichten und Konkurrenzen besteht, sondern daß nach altbewährter Art, wie es in der klassischen Zeit und so auch später im Mittelalter gewesen, der direkte Verkehr des Auftraggebers mit dem Künstler die Gewähr bietet für eine günstige Gestaltung des Werkes und für ein gutes Gelingen der Aufgabe.

Ich bin deshalb dem Professor Reinhold Begas besonders zu Dank verpflichtet, daß, als Ich mit diesem Gedanken an ihn herantrat, er Mir ohne weiteres erklärte, es sei absolut kein Zweifel, daß in Berlin sich allemal Künstler genug finden würden, um eine solche Idee ohne Schwierigkeiten zum Austrag zu bringen, und mit seiner Hilfe und auf Grund der Bekanntschaften, die Ich in hiesigen Bildhauerkreisen durch Besuche von Ausstellungen und Ateliers gewonnen hatte, ist es Mir in der Tat gelungen, den Stab zusammenzufinden, von dem Ich den größten Teil heute um Mich versammelt sehe, um mit ihm an diese Aufgabe heranzugehen.

Ich glaube, Sie werden Mir das Zeugnis nicht versagen können, daß Ich im Hinblick auf das von Mir entwickelte Programm Ihnen die Behandlung desselben so leicht wie möglich gemacht habe, daß Ich Ihnen die Aufgabe im allgemeinen gestellt und begrenzt, im übrigen aber Ihnen die absolute Freiheit gegeben habe, nicht nur die Freiheit in der Kombination und Komposition, sondern gerade die Freiheit, das von sich hineinzulegen, was jeder Künstler tun muß, um erst dem Kunstwerk sein eigenes Gepräge zu verleihen; denn ein jedes Kunstwerk birgt immer ein Körnchen vom eigenen Charakter des Künstlers in sich. Ich glaube, daß, wenn Ich es so nennen darf, dieses Experiment nun, wo die Siegesallee vollendet ist, als gelungen betrachtet werden darf.

Es hat nur des Verkehrs benötigt zwischen dem Auftraggeber und den ausführenden Künstlern, um jeden Zweifel zu beseitigen und jede Frage zu beantworten, und es haben sich Schwierigkeiten größerer Art nicht gezeigt. Ich glaube daher, daß wir auf die Siegesallee von diesem Standpunkte aus mit Befriedigung allerseits zurückblicken können. Sie haben, ein jeder in seiner Art, Ihre Aufgabe so gelöst, wie Sie es konnten, und Ich habe das Gefühl, daß Ich Ihnen dazu das vollste Maß der Freiheit und Muße überlassen habe, wie Ich es für den Künstler für notwendig halte. Ich bin nie in Details hineingegangen, sondern habe Mich begnügt, einfach die Direktive, den Anstoß zu geben.

Aber mit Stolz und Freude erfüllt Mich am heutigen Tage der Gedanke, daß Berlin vor der ganzen Welt dasteht mit einer Künstlerschaft, die so Großartiges auszuführen vermag. *Es zeigt das, daß die Berliner Bildhauerschule auf einer Höhe steht, wie sie wohl kaum je in der Renaissancezeit schöner hätte sein können.* Und Ich denke, jeder von Ihnen wird neidlos zugestehen, daß das werktätige Beispiel von Reinhold Begas und seine Auffassung, beruhend auf der Kenntnis der Antike, vielen von Ihnen ein Führer in der Lösung der großen Aufgabe gewesen ist.

Auch hier könnte man eine Parallele ziehen zwischen den großen Kunstleistungen des Mittelalters und der Italiener, daß der Landesherr und kunstliebende Fürst, der den Künstlern die Aufgaben darbietet, zugleich die Meister gefunden hat, an die sich eine Menge junger Leute angeschlossen haben, so daß sich eine bestimmte Schule daraus entwickelte, die Vortreffliches zu leisten vermochte.

Nun, meine Herren, am heutigen Tage ist auch zu gleicher Zeit in Berlin das Pergamon-Museum eröffnet worden. Auch das betrachte Ich als einen sehr wichtigen Abschnitt unserer Kunstgeschichte und als gutes Omen und glückliches Zusammentreffen. Was in diesen Räumen dem staunenden Beobachter dargeboten wird, das ist eine solche Fülle von Schönheit, wie man sie sich gar nicht herrlicher vereint vorstellen kann.

Wie ist es mit der Kunst überhaupt in der Welt? Sie nimmt ihre Vorbilder, schöpft aus den großen Quellen der Mutter Natur, und diese, die Natur, trotz ihrer großen, scheinbar ungebundenen, grenzenlosen Freiheit, bewegt sich doch nach den ewigen Gesetzen, die der Schöpfer sich selbst gesetzt hat, und die nie ohne Gefahr für die Entwicklung der Welt überschritten oder durchbrochen werden können.

Ebenso ist's in der Kunst; und beim Anblick der herrlichen Überreste aus der alten klassischen Zeit überkommt einen auch wieder dasselbe Gefühl; hier herrscht auch ein ewiges, sich gleich bleibendes Gesetz; das Gesetz der Schönheit und Harmonie, der Ästhetik. Dieses Gesetz ist durch die Alten in einer so überraschenden und überwältigenden Weise, in einer so vollendeten Form zum Ausdruck gebracht worden, daß wir in allen modernen Empfindungen und allem unseren Können stolz darauf sind, wenn gesagt wird bei einer besonders guten Leistung: »Das ist beinahe so gut, wie es vor 1900 Jahren gemacht worden ist.«

Aber beinahe! Unter diesem Eindrucke möchte Ich Ihnen dringend ans Herz legen: noch ist die Bildhauerei zum größten Teile rein geblieben von den sogenannten modernen Richtungen und Strömungen, noch steht sie hoch und hehr da – erhalten Sie sie so, lassen Sie sich nicht durch Menschenurteil und allerlei Windlehre dazu verleiten, diese großen Grundsätze aufzugeben, worauf sie auferbaut ist!

Eine Kunst, die sich über die von Mir bezeichneten Gesetze und Schranken hinwegsetzt, ist keine Kunst mehr, sie ist Fabrikarbeit, ist Gewerbe, und das darf die Kunst nie werden. Mit dem viel mißbrauchten Worte »Freiheit« und unter seiner Flagge verfällt man gar oft in Grenzenlosigkeit, Schrankenlosigkeit, Selbstüberhebung. Wer sich aber von dem Gesetz der Schönheit und dem Gefühl für Ästhetik und Harmonie, die jedes Menschen Brust fühlt, ob er sie auch nicht ausdrücken kann, loslöst und in Gedanken in einer besonderen Richtung, einer bestimmten Lösung mehr technischer Aufgaben die Hauptsache erblickt, der versündigt sich an den Urquellen der Kunst.

Aber noch mehr: Die Kunst soll mithelfen, erzieherisch auf das Volk einzuwirken, sie soll auch den unteren Ständen nach harter Mühe und Arbeit die Möglichkeit geben, sich an den Idealen wieder aufzurichten. Uns, dem deutschen Volke, sind die großen Ideale zu dauernden Gütern geworden, während sie anderen Völkern mehr oder weniger verlorengegangen sind. Es bleibt nur das deutsche Volk übrig, das an erster Stelle berufen ist, diese großen Ideen zu hüten, zu pflegen, fortzusetzen, und zu diesen Idealen gehört, daß wir den arbeitenden, sich abmühenden Klassen die Möglichkeit geben, sich an dem Schönen zu erheben und sich aus ihren sonstigen Gedankenkreisen heraus- und emporzuarbeiten.

Wenn nun die Kunst, wie es jetzt vielfach geschieht, weiter nichts tut, als das Elend noch scheußlicher hinzustellen, wie es schon ist, dann versündigt sie sich damit am deutschen Volke. Die Pflege der Ideale ist zugleich die größte Kulturarbeit, und wenn wir hierin den anderen Völkern ein Muster sein und bleiben wollen, so muß das ganze Volk daran mitarbeiten, und soll die Kultur ihre Aufgabe voll erfüllen, dann muß sie bis in die untersten Schichten des Volkes hindurchgedrungen sein. Das kann sie nur, wenn die Kunst die Hand dazu bietet, wenn sie *erhebt, statt daß sie in den Rinnstein niedersteigt.*

Ich empfinde es als Landesherr manchmal recht bitter, daß die Kunst in ihren Meistern nicht energisch genug gegen solche

Richtungen Front macht. Ich verkenne keinen Augenblick, daß mancher strebsame Charakter unter den Anhängern dieser Richtungen ist, der vielleicht von den besten Absichten erfüllt ist, er befindet sich aber doch auf falschem Wege. Der rechte Künstler bedarf keiner Marktschreierei, keiner Presse, keiner Konnexionen. Ich glaube nicht, daß Ihre großen Vorbilder auf dem Gebiete der Wissenschaft weder im alten Griechenland noch in Italien, noch in der Renaissancezeit je zu einer Reklame, wie sie jetzt durch die Presse vielfach geübt wird, gegriffen haben, um ihre Ideen besonders in den Vordergrund zu rücken. Sie haben gewirkt, wie Gott es ihnen eingab, im übrigen haben sie die Leute reden lassen.

Und so muß auch ein ehrlicher, rechter Künstler handeln. Die Kunst, die zur Reklame heruntersteigt, ist keine Kunst mehr, mag sie hundert- und tausendmal gepriesen werden. Ein Gefühl für das, was häßlich oder schön ist, hat jeder Mensch, mag er noch so einfach sein, und dieses Gefühl weiter im Volke zu pflegen, dazu brauche Ich Sie alle, und daß Sie in der Siegesallee ein Stück solcher Arbeit geleistet haben, dafür danke Ich Ihnen ganz besonders.

Das kann Ich Ihnen jetzt schon mitteilen: der Eindruck, den die Siegesallee auf den Fremden macht, ist ein ganz überwältigender, überall macht sich ein ungeheurer Respekt für die deutsche Bildhauerei bemerkbar. Mögen Sie auf dieser Höhe stets stehen bleiben, mögen auch Meinen Enkeln und Urenkeln, wenn sie Mir dereinst erstehen werden, die gleichen Meister zur Seite stehen! Dann, bin Ich überzeugt, wird unser Volk in der Lage sein, das Schöne zu lieben und das Ideale stets hochzuhalten.

Ich erhebe Mein Glas und trinke auf Ihrer aller Wohl, und nochmals Meinen herzlichsten Dank.

[41] Ein Hoch auf die Kaiserin (18. Juni 1902)

Das Kaiserpaar begab sich im Frühsommer 1902 von Nürnberg nach Bonn. Hier wurde am 18. Juni das 75. Stiftungsfest des Corps Borussia gefeiert. Dabei brachte Wilhelm II. ein Hoch auf die Kaiserin aus:

Von unseren Urahnen und Vorfahren wissen die Chroniken zu melden, daß, wenn sie im Waffengang zusammenkamen und in Turnieren eine Lanze miteinander brachen, es sich von selbst verstand, daß ein hoher Kreis von Damen, um sie versammelt, auf sie herabblickte. Mit Stolz empfing der Sieger einen Kranz aus schöner Hand, und ebenso ward, wenn sie zu Harfe und Leier griffen und wenn sie im Streit um die Wette sangen, auf der Wartburg dem Sieger der Preis zuteil.

Noch nie, solange die Geschichte der deutschen Universitäten geschrieben wird, ist einer Universität eine solche Ehre zuteil geworden wie am heutigen Tage. Im Kreise des schönen Bonn, umgeben von fürstlichen Damen, ist die Kaiserin erschienen, die erste Landesfürstin, um einem Kommers von Studenten beizuwohnen. Diese beispiellose Ehre wird der Stadt Bonn zuteil und in dieser Stadt Bonn dem Korps »Borussia«.

Ich hoffe und erwarte, daß alle jungen Borussen, auf denen heute das Auge Ihrer Majestät geruht hat, eine Weihe für ihr ganzes Leben empfangen haben.

Wir aber, ob General oder Staatsmann, ob Leutnant, ob Landjunker, schließen uns heute zusammen in Dankbarkeit zur Huldigung vor unserer Kaiserin und reiben einen urkräftigen Salamander.

Ihre Majestät die Kaiserin hurra, hurra, hurra!

[42] Nach der Beisetzung Krupps in Essen (26. November 1902)

Der Wirkliche Geheime Kommerzienrat Friedrich Alfred Krupp war im November 1902 einem Herzschlag erlegen. An seiner Beisetzung nahm der Kaiser teil. Vor der Abreise von Essen hielt Wilhelm II. am 26. November im Wartesaal des Bahnhofes an die Mitglieder des Direktoriums der Kruppschen Werke und an die Vertreter der Arbeiterschaft eine Ansprache:

Es ist Mir ein Bedürfnis, Ihnen auszusprechen, wie tief Ich in Meinem Herzen durch den Tod des Verewigten ergriffen worden bin. Dieselbe Trauer läßt Ihre Majestät die Kaiserin und Königin Ihnen allen aussprechen und hat sie das auch bereits schriftlich der Frau Krupp zum Ausdruck gebracht. Ich habe häufig mit Meiner Gemahlin die Gastfreundschaft im Kruppschen Hause genossen und den Zauber der Liebenswürdigkeit des Verstorbenen auf Mich wirken lassen. Im Laufe der Jahre haben sich unsere Beziehungen so gestaltet, daß Ich Mich als einen Freund des Verewigten und seines Hauses bezeichnen darf. Aus diesem Grunde habe Ich es Mir nicht versagen wollen, zu der heutigen Trauerfeier zu erscheinen, indem Ich es für Meine Pflicht gehalten, der Witwe und den Töchtern Meines Freundes zur Seite zu stehen.

Die besonderen Umstände, welche das traurige Ereignis begleiteten, sind Mir zugleich Veranlassung gewesen, Mich als das Oberhaupt des Deutschen Reiches hier einzufinden, um den Schild des Deutschen Kaisers über dem Hause und dem Andenken des Verstorbenen zu halten. Wer den Heimgegangenen näher gekannt hat, wußte, mit welcher feinfühligen und empfindsamen Natur er begabt war und daß diese den einzigen Angriffspunkt bieten konnte, um ihn tödlich zu treffen. Er ist ein Opfer seiner unantastbaren Integrität geworden.

Eine Tat ist in deutschen Landen geschehen, so niederträchtig und gemein, daß sie alle Herzen erbeben gemacht und jedem deutschen Patrioten die Schamröte auf die Wangen treiben mußte über die unserm ganzen Volke angetane Schmach. Einen kerndeutschen Mann, der stets nur für andere gelebt, der stets nur das Wohl des Vaterlandes, vor allem aber das seiner Arbeiter im Auge gehabt hat, hat man an seiner Ehre angegriffen.

Diese Tat mit ihren Folgen ist weiter nichts als Mord; denn es besteht kein Unterschied zwischen demjenigen, der den Gifttrank einem andern mischt und kredenzt, und demjenigen, der aus dem sicheren Verstecke seines Redaktionsbureaus mit den vergifteten Pfeilen seiner Verleumdungen einen Mitmenschen um seinen ehrlichen Namen bringt und ihn durch die hierdurch hervorgerufenen Seelenqualen tötet.

Wer war es, der diese Schandtat an unserm Freunde beging? – Männer, die bisher als Deutsche gegolten haben, jetzt aber dieses Namens unwürdig sind, hervorgegangen aus den Klassen der deutschen Arbeiterbevölkerung, die Krupp eben so unendlich viel zu verdanken hat und von der Tausende in den Straßen Essens mit tränenfeuchtem Blick dem Sarge ihres Wohltäters ein letztes Lebewohl zuwinken.

Ihr Kruppschen Arbeiter habt immer treu zu eurem Arbeitgeber gehalten und an ihm gehangen; Dankbarkeit ist in euren Herzen nicht erloschen; mit Stolz habe Ich im Auslande überall durch eurer Hände Werk den Namen unsres deutschen Vaterlandes verherrlicht gesehen. Männer, die Führer der deutschen Arbeiter sein wollen, haben euch euren treuen Herrn geraubt. An euch ist es, die Ehre eures Herrn zu schirmen und zu wahren und sein Andenken vor Verunglimpfungen zu schützen.

[43] Einweihung der Ruhmeshalle in Görlitz (29. November 1902)

Bei der Einweihung der neuerrichteten »Ruhmeshalle« in Görlitz nahm der Kaiser am 29. November 1902 einen Ehrentrunk entgegen und antwortete auf die Huldigungsansprache des Oberbürgermeisters:

Indem Ich Ihnen, Mein verehrter Herr Oberbürgermeister, Meinen herzlichsten Dank ausspreche dafür, daß die Stadt Görlitz gewünscht hat, daß Ich an diesem Tage der Einweihung zugegen sein möchte, spreche Ich auch dem Komitee Meinen Dank und Meine Freude aus über das Werk, das Sie hier vollbracht haben.

Es ist ein Werk der Erinnerung, und deshalb möchte Ich glauben, daß der Name Erinnerungs- oder Gedenkhalle für diese Halle besser paßt als Ruhmeshalle. Es ist ungermanisch, sich zu rühmen; wir wollen Gott dankbar sein, daß er Meinem Großvater und Vater geholfen hat, unser Land wieder zu einigen und bis hierher zu führen; wir wollen uns aber dessen nicht rühmen; denn ohne Ihn wäre es uns wohl kaum gelungen. Also eine Gedenkhalle für den Ruhm des deutschen Vaterlandes!

Diese Gedenkhalle soll uns mahnen, wie es das verehrte Stadthaupt soeben gesagt, sie soll uns mahnen, daß unserm Volk bei dem Anblick der Paladine und Heroen aus großer Zeit wieder klar wird, daß unsere Einheit nur durch gewaltige Arbeit des Geistes und des Körpers möglich geworden ist, die gewaltige Arbeit Kaiser Wilhelms des Großen, der in jahrelangen Kämpfen dafür gewirkt, die gewaltige Geistesarbeit des deutschen Volkes, welches in allen seinen Ständen danach trachtete, seine Einheit wieder zu finden, und die gewaltige Arbeit seiner bewährten Söhne auf dem Schlachtfelde.

Mir will es aber scheinen, als ob die jetzige Generation der Verpflichtung, durch Arbeit das fortzuführen, was uns durch die Arbeit der Väter überkommen ist, nicht vollkommen entsprechen wollte. Unser Volk in seinen verschiedenen Klassen und Ständen ist für diese Aufgaben unempfänglicher geworden*. Die großen Fragen, die an dasselbe herantreten, seitdem ein einiges deutsches Vaterland und ein einiges germanisches Volk wiederhergestellt sind, werden nicht verstanden.

Ich hoffe aber, daß jeder Bürger, der hier ein- und ausgeht,

---

* Nach einer andern Lesart: »Unser Volk in seinen verschiedenen Klassen und Ständen ist eingeschlafen.«

aus diesem Anblick zum Nachdenken angeregt werden möge und daß in den Lausitzern und auch in den Fremden, die hier hoffentlich in großer Zahl sich einfinden werden, das Gefühl für den kategorischen Imperativ der Pflicht wieder wach werde. Es ist schön und herrlich, wenn ein Volk seine Liebe zu seinen Vätern und zur Krone und deren Träger zum Ausdruck bringt; allein damit ist es nicht getan. Es kann der Träger der Krone und seine Organe auf die Dauer ein ganzes Land nicht vorwärts bringen, wenn nicht alle Stände desselben helfen.

Wir stehen an der Schwelle der Entfaltung neuer Kräfte; unsere Zeit verlangt ein Geschlecht, das sie versteht. Das neue Jahrhundert wird beherrscht durch die Wissenschaft, inbegriffen die Technik, und nicht wie das vorige, durch die Philosophie. Dem müssen wir entsprechen. Groß ist der Deutsche in seiner wissenschaftlichen Forschung, groß in seiner Organisierungs- und Disziplinfähigkeit. Die Freiheit für das einzelne Individuum, der Drang zur Entwicklung der Individualität, der unserem Stamme innewohnt, ist bedingt durch die Unterordnung unter das Ganze zum Wohle des Ganzen.

Möge deswegen die zukünftige Zeit ein Geschlecht heranwachsen sehen, das in voller Erkenntnis dieser Tatsachen in freudiger Arbeit Individuen entwickelt, die sich unterordnen zum Wohle des Ganzen und zum Wohle des Volkes und des Vaterlandes. Dann wird das, was Ich in Aachen angedeutet habe, erst Wirklichkeit und Wahrheit werden, äußerlich begrenzt, innerlich unbegrenzt.

Und hier auf Schlesiens Boden, da ziemt es sich wohl, an den Großen König zu erinnern, der diesen Edelstein seiner Krone eingefügt hat, und das, was er für die Zukunft seines Vaterlandes im Auge hatte, das wollen wir auch weiterbilden. Freiheit für das Denken, Freiheit in der Weiterbildung der Religion und Freiheit für unsere wissenschaftliche Forschung, das ist die Freiheit, die Ich dem deutschen Volke wünsche und ihm erkämpfen möchte, *aber nicht die Freiheit, sich nach Belieben schlecht zu regieren**.

Nun ergreife Ich diesen Pokal, gefüllt mit deutschem Wein, und trinke auf das Wohl der Stadt Görlitz und der Lausitz. Sie leben hoch! hoch! hoch!

* Nach einer andern Lesart: »Es ziemt sich wohl, hier auf schlesischem Boden an den Großen König zu erinnern, der diesen Edelstein seiner Krone eingefügt hat, und so wie er die Zukunft im Auge gehalten hat, so wollen wir auch weiterstreben in der Freiheit der Religion und der Weiterbildung unserer wissenschaftlichen Forschung. Das ist die Freiheit, die Ich dem deutschen Volke wünsche, aber nicht die Freiheit, sich selbst schlecht zu regieren.«

Nach dem Schluß eines Gesangswettstreites in Frankfurt am Main versammelte der Kaiser am 6. Juni 1903 die Dirigenten aller Gesangsvereine und hielt in Gegenwart des Kultusministers Dr. Studt eine Ansprache:

Meine Herren! Ich habe Sie zusammenberufen, um Ihnen zunächst Meine Freude auszusprechen, daß so viele Vereine der Aufforderung des Rundschreibens gefolgt sind und sich an dem Wettgesang beteiligt haben. Es ist das ein Beweis für die Arbeitsfreudigkeit und die Sangesfreudigkeit unter Ihnen und zugleich ein Beweis dafür, wie rege das Interesse an der Pflege des Gesanges unter den Vereinen blüht.

Ich will hierbei doch Gelegenheit nehmen, die Herren auf einiges aufmerksam zu machen, das auch für Sie vielleicht von Interesse sein kann, da es nicht nur der Ausfluß Meiner eigenen Anschauung, sondern derjenigen fast aller Zuhörer ist. Ich muß auf die Wahl Ihrer Stücke einen Augenblick eingehen.

Die Absicht, die bei diesem Gesangswettstreit vorgelegen hat, war die, daß durch ihn der Volksgesang, die Pflege des Volksliedes gehoben und gestärkt und in weite Kreise verbreitet werden soll. Nun haben die Herren Kompositionen gewählt, die von unserm alten deutschen bekannten guten Volksliede und Volkstone wesentlich entfernt lagen. Sie haben Ihren Chören kolossale Aufgaben gestellt; sie sind zum Teil geradezu bewundernswürdig gelöst worden, und Ich muß sagen, es hat uns alle in Erstaunen gesetzt und ergriffen, daß hier Hunderte von Männern, die vielleicht am Tage acht bis zwölf Stunden in schwerer Arbeit in ungünstiger Temperatur, umgeben von Staub und Rauch, gearbeitet haben, in der Lage gewesen sind, durch eifriges Studium und selbstlose Hingabe an die Arbeit so schwere Aufgaben zu übernehmen, wie wir sie hier gehört haben.

Ich möchte aber glauben, daß in der Beziehung vielleicht die Dirigenten zum Teil selbst gefühlt haben, daß in der Wahl der Chöre das Äußerste erreicht ist, was wir von den Männergesangvereinen verlangen können. Ich möchte dringend davor warnen, daß Sie nicht etwa auf den Weg treten, es philharmonischen Chören gleichzutun.

Meine Ansicht ist: der Männergesangverein ist dazu nicht da; er soll das Volkslied pflegen. *Von den Kompositionen, die unsern Herzen nahestehen, ist merkwürdig wenig gesungen worden,* sechs- bis siebenmal Hegar, achtmal Brambach. Ich kann Ihnen offen gestehen, wenn man diese Meister öfter hintereinander hört, dann würde man jeden Verein mit Dank und Jubel begrüßen, der nur einmal ›Wer hat dich, du schöner Wald‹ oder ›Ich hatt' einen Kameraden‹ oder ›Es zogen drei Burschen‹ gesungen hätte.

Diese Kompositionen sind außerordentlich wertvoll für die Ausbildung der Technik; es ist, als ob ein besonders hohes Sprunggestell aufgestellt würde; aber es mangelt Hegar und Brambach zu sehr an Melodik; *zudem komponieren die Herren Texte, die etwas lang sind.* Ich bin im allgemeinen sehr dankbar, daß so patriotische und schöne Texte gewählt wurden, die von alten Kaisersagen und großer Vorzeit handeln. Ich glaube aber, daß zum Teil die Komponisten den Texten nicht gerecht werden.

Es soll meines Erachtens ein Chor aus schönen Männerstimmen nicht durch Komponisten dahin gebracht werden, daß er Tonmalerei treibt und eine orchestermäßige Instrumentation nachmacht. Tonmalerei des Orchesters ist schon nicht immer angenehm, mit Männerstimmen noch bedenklicher. Die Länge ermüdet, weil die Tonlage eines Männerchors immerhin beschränkt ist und auf die Dauer zu gleichmäßig wirkt. *Ich warne auch davor, nicht zu lyrisch zu werden.* Ich glaube, daß auch im Preischor die Lyrik zu sehr vorwaltet.

Die Herren werden gemerkt haben, daß die Chöre, die etwas mehr Energisches und Männliches zeigten, beim Publikum mehr Beifall gefunden haben. *Die Sentimentalität, die in jeder deutschen Seele ruht, soll in poetischen Schöpfungen auch zum Ausdruck kommen; aber da, wo es sich um Balladen und Mannestaten handelt, muß der Männerchor energisch zur Geltung kommen, am besten in einfachen Kompositionen.*

Es wird vielleicht den Herren interessant sein, daß fast zwei Drittel aller Vereine zu hoch eingesetzt und zum Teil einen halben, einen dreiviertel, sogar um einen fünfviertel Ton zu hoch geschlossen haben. Deshalb haben Ihnen die gewählten Aufgaben zum Teil selber geschadet. Es war eine Freude, wenn einmal ein Verein so tief einsetzte, daß man das Gefühl hatte, er hat noch Reserve übrig.

Die Wahl der Chöre werde Ich in Zukunft dadurch entsprechender zu gestalten versuchen, daß Ich eine Sammlung veranstalten werde sämtlicher Volkslieder, die in Deutschland, Österreich und der Schweiz geschrieben, gesungen und bekannt sind, gleichgültig, ob der Komponist bekannt ist oder nicht. Sie wird katalogisiert werden, und Ich werde dafür Sorge tragen, daß sie allen Vereinen billig und einfach zugänglich sein kann.

Dann werden wir in der Lage sein, aus diesem Kreise Lieder zu suchen, die wir brauchen.

Wir sind hier am Rhein, und nicht ein einziger Verein hat die ›Drei Burschen‹ gesungen oder ›Joachim Hans von Zieten‹ und ›Fridericus Rex‹. Wir sind hier in Frankfurt, und kein einziger hat Kalliwoda gewählt. Wir haben Mendelssohn, Beethoven, Abt; von ihnen ist nichts erklungen. Hiermit ist nun wohl der modernen Komposition genug getan. Sie haben sich Aufgaben gestellt – Ich nehme auch das Preislied nicht aus, Ich selbst halte es an einzelnen Stellen für viel zu schwer –, Ich glaube, daß wir sie in vieler Beziehung vereinfachen können.

Ich habe Gelegenheit genommen, mit den Preisrichtern darüber zu sprechen. Die Herren haben ihren Gedankenaustausch in einem Promemoria zu Papier gebracht, das den Vereinen zugänglich gemacht werden wird. Mein Kabinettsrat von Lucanus wird es den Herren vorlesen. (Nach der Verlesung fuhr der Kaiser fort:)

Meine Herren! Ich erwarte von Ihnen, daß Sie möglichst dieser Ansicht und diesen Meinen Ratschlägen entsprechen werden. Ich bin fest davon überzeugt, daß dann auch die Sänger selber noch mehr Freude an der Einübung haben. Ich glaube, daß da, wo die Noten erst eingeübt werden mußten, eine geradezu physische Anstrengung nötig gewesen ist, um das zu erreichen, was Sie erreicht haben, zumal bei den Mitgliedern, die in Fabriken arbeiten. Ich habe die Listen durchgesehen; es ist erfreulich, wie viele vom Hammer und vom Amboß von der Schmiede hergekommen sind; aber es muß schlaflose Nächte gekostet haben. Wenn wir auf einfachen Gesang kommen, dann sind Sie in der Lage, mit den rein künstlerischen Vereinen zu konkurrieren, deren Mitglieder tagsüber in einer andern Atmosphäre leben, die besser und staubfreier ist, was doch auf die Stimmorgane sehr einwirkt.

Sonst kann Ich nur sagen, daß wir zum Teil geradezu ganz hervorragendes Material gehört haben, auch abgesehen von den Vereinen, die auch unter Ihnen als hervorragend anerkannt sind, instrumental glockenartige Effekte! *Unzweifelhaft ist, daß ein hoher Grad von musikalischer Begabung in der Bevölkerung steckt, der aber in einfachen, klangreichen Harmonien sich zu zeigen Gelegenheit haben muß.* Wenn Sie diese einfachen, schönen Chöre, wie sie das Volkslied und die Komponisten darbieten, die Ich genannt habe, singen, so werden Sie selber Freude haben und weniger Schwierigkeiten, und gleichzeitig werden Sie das Publikum, das zum Teil aus Fremden besteht, besser mit unserm Volksliede bekannt machen, Sie werden mit dem Volksliede den Patriotismus stärken, und damit das allgemeine Band, das alle umschließen soll.

Ich danke Ihnen.

[45] Horridoh! (Berlin, Oktober 1904)

Der Kaiser ließ Ende Oktober 1904 am Großen Stern im Berliner Tiergarten einige Jagdgruppen aufstellen. Bei der Frühstückstafel nach der Enthüllung brachte er folgenden Trinkspruch aus:

Mein Glas soll gelten dem edlen Waidwerk und allen ehrlichen deutschen Waidmännern, und soll zugleich ein Wort des Dankes enthalten für die Tätigkeit der Forstmänner, die sich heute um Mich versammelt haben.

Ich spreche Ihnen Meinen vollsten Dank und Meine Anerkennung aus, daß Sie Meine Ideen und Wünsche in bezug auf die Jagd, die Wildpflege und das Waidwerk mit Aufbietung aller Kräfte zu entwickeln und zu fördern bemüht sind. Ich spreche vor allen Dingen den Herren Meine besondere Anerkennung und Meinen Dank aus, die Mich auf Meinen Pürschen begleiten und dieselben interessant und zugleich glücklich zu gestalten bestrebt sind.

Wir alle folgen dem einen schönen Grundsatz, unser Wild zu hegen und zu pflegen, es waidmännisch zu jagen und in ihm, dem Geschöpf, den Schöpfer zu ehren, wie es in dem alten guten deutschen Jagdspruch steht.

Auf das edle Waidwerk, auf alle edlen deutschen Waidmänner leere Ich Mein Glas mit einem kräftigen Horridoh!

[46] Aus einer Straßburger Rede (8. Mai 1905)

Nach der ›Straßburger Post‹ äußerte der Kaiser am 8. Mai 1905 im Offizierskasino in Straßburg unter anderem folgendes:

Die jungen Leute müssen mehr herangekriegt werden. Sie müssen tüchtig den Tag über arbeiten, so daß sie abends ordentlich ermüdet sind und bald das Lager, anstatt erschlaffende Vergnügungen aufzusuchen. Das Offizierkorps ist der Kern des Heeres, und es muß frisch erhalten bleiben, sonst leidet das Heer.

Dafür bietet der jetzige Krieg wieder Beispiele genug. Das japanische Offizierkorps ist äußerst tüchtig und hat sich, wie auch der japanische Soldat, voll bewährt. Das russische Offizierkorps dagegen hat vollständig versagt, während der Soldat sich gut gehalten, und tapfer gekämpft hat. Mein Sohn* hat mir erzählt, wie die russischen Offiziere sämtlichen Sekt in Kiautschau aufgekauft haben. Der Feldsoldat muß sich an ein karges Leben gewöhnen und darf nicht an solche Dinge denken.

Nach der ›Straßburger Bürgerzeitung‹ lauteten die betreffenden Ausführungen:

Das russische Heer, welches bei Mukden gefochten, sei durch Unsittlichkeit und Alkoholgenuß – die betreffende Äußerung habe noch drastischer gelautet – entnervt. Nur so könne man sich die russische Niederlage bei Mukden erklären. Deutschland habe, nachdem Rußland seine Schwäche gegenüber der gelben Gefahr gezeigt, unter Umständen die Aufgabe, der Ausbreitung dieser Gefahr entgegenzutreten. Die Offiziere und Mannschaften des deutschen Heeres sollten streng darauf halten, daß ihre Zeit gut ausgefüllt sei, damit sie nicht auf Unsittlichkeit und Völlerei verfallen. Man solle die Mannschaften scharf anstrengen, damit sie keine Zeit hätten, an derartiges zu denken.

[47] Trinkspruch auf das VIII. Armeekorps (11. September 1905)

Der Kaiser hielt am 11. September 1905 die Parade des VIII. Armeekorps ab. Da es in Strömen regnete, ließ man die Truppen feldmarschmäßig antreten, um die Paradeuniform zu schonen. Dazu meinte der Kaiser:

Nicht im lichten Paradekleide, sondern wie zum ernsten Waffengang standen die Söhne des Rheinlandes heute vor Mir. Feldmarschmäßig! war die Überschrift über dem heutigen Tage. Die Marine nennt das »klar zum Gefecht«! Die schönste Wehr, die der preußische Soldat tragen kann, ist das Kleid, in dem er seinem Gegner im Felde siegreich entgegentritt, das schönste Gewand, das ein Grenzkorps tragen kann, wenn es vor seinem

* Prinz Adalbert, der, von Ostasien kommend, in Italien mit dem Kaiser zusammengetroffen war.

Kaiser sich zeigt. Daß dieses Grenzkorps die Wacht am Rhein gut halten wird, darauf vertraue Ich in Ruhe nach dem, was Ich heute gesehen habe.

Das VIII. Armeekorps Hurra! – Hurra! – Hurra!

[48] Das deutsche Volk in Waffen (26. Oktober 1905)

Am 105. Geburtstage des Feldmarschalls Graf Helmuth von Moltke wurde dessen Denkmal auf dem Königsplatz in Berlin enthüllt. Nachmittags um 6 Uhr fand zu Ehren des Tages im Weißen Saale des königlichen Schlosses eine Festtafel statt. Dabei brachte der Kaiser folgenden Trinkspruch aus:

Dem heutigen Tage seien zwei Gläser bestimmt, das eine der Vergangenheit und der Erinnerung.

In aufrichtigem Danke gegen die Vorsehung, die in großer Zeit dem Großen Kaiser seine Paladine beschert hat, wollen wir vor allen Dingen das erste Glas ein stilles sein lassen, welches dem Andenken gewidmet ist des Kaisers Wilhelm Majestät größten Generals.

Das zweite Glas, das gilt der Zukunft und der Gegenwart. Wie es in der Welt steht mit uns, haben die Herren gesehen.

Darum: *Das Pulver trocken, das Schwert geschliffen, das Ziel erkannt, die Kräfte gespannt und die Schwarzseher verbannt!* Mein Glas gilt unserm Volk in Waffen! Das deutsche Heer und sein Generalstab Hurra! – Hurra! – Hurra!

[49] Festmahl für die Provinz Schlesien (8. September 1906)

Der Trinkspruch des Kaisers bei dem für die Provinz Schlesien am 8. September 1906 im Zwinger zu Breslau gegebenen Festmahl lautete:

Mein lieber Oberpräsident*! Mit tiefbewegtem Herzen ergreife Ich heute das Wort, um als souveräner Herzog von Schlesien zu Meinen Schlesiern zu sprechen. Denn die Eindrücke, die in der kurzen Zeit, in der Ich unter Ihnen weile, auf Mich einstürmten, sind so gewaltiger und packender Natur, daß die Worte mangeln, um ihnen Ausdruck zu geben und die rechte

* Graf Zedlitz-Trützschler.

Form zu finden für den Dank, den Ich Meinen Schlesiern aussprechen möchte. Nicht bloß am gestrigen Tage, der den Jubel des Einzugstages womöglich noch übertönte, und nicht nur von seiten der alten Soldaten im schwarzen Rock mit den Kriegsdekorationen auf der Brust, die da erzählen können: »Wir haben mitgetan zu der Zeit, wo Geschichte gemacht wurde«, und die sich rühmen dürfen, Kriegsgefährten des großen Kaisers und seines erhabenen Sohnes, Meines Vaters, zu sein, von dem Ihnen allen bekannt ist, wie hoch sein Herz für Schlesien schlug – sondern auch heute auf Meiner Fahrt durch die grünen schlesischen Lande nach Bunzelwitz, Schweidnitz und Rogau und zurück: überall habe Ich dieselbe Wärme, dieselbe flammende, lodernde Begeisterung gefunden. Es ist die alte schlesische Treue, die zum Durchbruch kommt, und die beweist die Anerkennung seitens der Bevölkerung für das, was das Haus Hohenzollern für sie getan hat. Diese Treue wächst auf einem ganz besonders durch die Historie geweihten Boden. Denn wer wollte leugnen, daß der schlesische Boden, wie kaum einer, mit der Geschichte unseres Vaterlandes und unseres Hauses in engster Verbindung steht, und wie könnte man von der Entwicklung Schlesiens überhaupt ein Wort reden, ohne zunächst und vor allem der einen gewaltigen Figur zu gedenken, von der die Grenadiere sangen vom Rhein bis an die Oder: »Fridericus Rex, unser König und Herr!« Wo der Blick über Schlesiens Fluren schweift, tauchen die Erinnerungen an ihn auf, an die unvergleichlichen Kämpfe, unter denen er Preußen seine Weltmachtstellung schuf, aber auch an die herrliche Friedensarbeit, in der er versuchte, das schwer heimgesuchte Land zu heben und zu stärken. Und wiederum in späterer Zeit war es gerade Schlesien vorbehalten, einen neuen Hoffnungsstrahl für den schwergeprüften Hohenzollern König Friedrich Wilhelm III. zu senden, als ihm die lodernde Begeisterung der ersten Freiwilligen in Breslau entgegenschlug, als die ersten Schilderhebungen hier erfolgten, und als »Lützows wilde, verwegene Jagd« ihr Treiben am Zobten vor dem Feind begann. Und so ist es seither gegangen. Schlesiens Söhne haben gefochten, wo es darauf ankam, für das Vaterland einzutreten und ihr Blut einzusetzen. Und so kann man wohl sagen, die Geschichte Unseres Hauses ist unlöslich verknüpft mit dieser, einer der schönsten Provinzen. Und wir können, wenn wir diese reiche Geschichte überblicken, sie mit einem Worte kennzeichnen, welches einst Mein hochseliger Herr Großvater sprach, als nach heißem Ringen die Kaiserkrone mit des Himmels Willen sich auf sein Haupt senkte: »Gott war mit uns, und ihm sei die Ehre!« Und wenn Ich daran denke, wie heut die Fahnen der Kriegervereine in stolzem Schritt bei Mir vorbeizogen, so glaube Ich, wir können das auch auf die Jetztzeit übertragen und wir können Gott danken, wie er alles zum Wohl und Nutzen dieser Provinz und unseres Landes gefügt hat, vor allem, daß es uns vergönnt gewesen ist, im Frieden unsere Arbeit zu tun. *Wenn aber Gott mit uns gewesen ist, so liegt wohl die ernste Frage nahe, ob wir seiner Hilfe auch würdig waren?* Hat ein jeder unter uns nun auch das Seinige dazu getan, unter Drangabe von allen seinen Sinnen, von Gesundheit und Leibeskräften das fortzuführen und auszubauen, was die Vorzeit uns hinterlassen hat? Wenn ein jeder an sein Herz schlägt und sich ehrlich diese Frage vorlegt, so wird wohl bei manchem die Antwort schwer sein. Nun wohl, Meine Herren, lassen Sie uns aus der großen Persönlichkeit des großen Königs die Einsicht und die Entschlüsse schöpfen, wo es gefehlt hat an der Arbeit, wo der Mut hat sinken wollen, wo schwarze Gedanken und Befürchtungen das Haupt umrauschten. Hinweg damit! *So wie der große König von dem alten Alliierten niemals im Stich gelassen worden ist, so wird auch unser Vaterland und diese schöne Provinz seinem Herzen nahe bleiben.* Und so wollen wir ein neues Gelübde aus dem schönen Schatz der Erinnerungen und der goldenen Treue, die Mir hier entgegenschlug, prägen: Uns von nun an mit Aufbietung aller geistigen und körperlichen Kräfte nur der einen Aufgabe zu widmen, unser Land vorwärts zu bringen, für unser Volk zu arbeiten, ein jeder in seinem Stande, gleichviel, ob hoch oder niedrig, unter Zusammenschluß der Konfessionen dem Unglauben zu steuern und uns vor allen Dingen den freien Blick für die Zukunft zu bewahren und niemals an uns und unserem Volke zu verzagen. Den Lebenden gehört die Welt, und der Lebende hat recht. *Schwarzseher dulde ich nicht, und wer sich zur Arbeit nicht eignet, der scheide aus, und wenn er will, suche er sich ein besseres Land.* Ich erwarte aber von Meinen Schlesiern, daß sie mit dem heutigen Tage sich von neuem in dem Entschluß zusammenfinden werden, den großen Zielen und Vorbildern nachgehend, ihrem Herzog zu folgen in seiner Arbeit und vor allem in seiner Friedensarbeit für sein Volk. In dieser Hoffnung leere Ich Mein Glas auf das Wohl der Provinz Schlesien und aller treuen Schlesier.

[50] An die Bensberger Kadetten (18. Oktober 1906)

Der Kaiser besuchte am 18. Oktober 1906 das Kadettenkorps in Bensberg. Nachdem die Kadetten einen Parademarsch ausgeführt hatten, redete der Kaiser sie mit folgenden Worten an:

Guten Morgen, Jungens! Ich habe Mich sehr gefreut, euch hier zu sehen. Der Parademarsch war gut! Ihr seid noch jung, und ihr wollt erst noch Offiziere werden, um dereinst Führer Meiner Armee zu sein. Denkt daran, was vor hundert Jahren passierte, und ihr steht Mir dafür, daß so etwas nicht wieder vorkommt. Im übrigen könnt ihr auf Meine Kosten soviel Schokolade und Kuchen essen, wie ihr nur runterstopfen könnt. Adieu, Kadetten!

[51] Gespräch mit Ganghofer (12. November 1906)

Die ›Münchener Neuesten Nachrichten‹ veröffentlichten im ›Vorabendblatt‹ vom 20. November 1906 einen Bericht über das Gespräch des Kaisers mit dem Schriftsteller Ludwig Ganghofer vom 12. November 1906:

Nach der Festvorstellung im Hoftheater am Abend des 12.November hatte der Kaiser noch eine kleinere intime Gesellschaft um sich, und zwar seine Herren vom persönlichen Dienst und der preußischen Gesandtschaft, die Herren des bayrischen Ehrendienstes, darunter Freiherr von Würtzburg, General Gebsattel usw., ferner den Staatssekretär des Äußeren Freiherr von Tschirschky, den Vertreter des Chefs des Zivilkabinetts von Eisenhart-Rothe und unseren einheimischen Dichter Dr. Ludwig Ganghofer. Wie in Nürnberg, so hatte auch der Kaiser hier in München den Wunsch geäußert, Dr. Ganghofer zu sehen und mit ihm zu sprechen. Der Empfang fand im alten Wintergarten der Residenz statt, der direkt an die Gemächer, die der Kaiser hier bewohnte, anstößt. Der Wintergarten bot in seiner herrlichen Blumenpracht einen entzückenden Anblick und einen angenehmen Aufenthalt. Auf dem freien Platz vor dem Garten war ein kostbarer Teppich ausgebreitet und dort eine kleine Tafel gedeckt. Die Herren nahmen an der Tafel Platz, während der Kaiser Ganghofer zu einer Promenade durch den Garten einlud, die sich über fünfviertel Stunde ausdehnte. Der Kaiser unterhielt sich mit Ganghofer außerordentlich lebhaft zunächst über die Arbeiten des Dichters.

Der Kaiser erwähnte, daß er noch in der letzten Zeit den ›Hohen Schein‹ gelesen habe, und sprach im Anschluß hieran längere Zeit eingehend über den Inhalt und den Gedankengang dieses Buches. Aus der Art und Weise, wie er darüber sprach, sah man, wie intensiv sich der Kaiser mit einer Sache beschäftigt.

Was ihm an dem Buche besonders gefällt, das ist, so drückte sich der Kaiser aus, der daraus hervortönende optimistische Klang, die Predigt, die den Glauben an das Leben und die Aussöhnung mit den Schatten des Daseins, das Vertrauen auf die Zukunft und das Vertrauen auf die Menschen fordert. »Das machte auf Mich«, sagte der Kaiser, »einen solchen Eindruck, weil Ich ein Optimist durch und durch bin und Mich durch nichts abhalten lassen werde, dies bis an Mein Lebensende zu bleiben.« Der Kaiser nannte sich selbst einen Mann, der von Arbeit erfüllt ist und an seine Arbeiten glaubt, und fügte hinzu: »Ich will vorwärtskommen. Ich würde Mich sehr freuen, wenn man das, was Ich will, auch verstehen wollte und Mich dabei unterstützen würde.« Im Anschluß hieran sprach der Kaiser auch über die schwierige Stellung, die man bei jeder Arbeit dem Mißtrauen gegenüber habe. Er berief sich dabei wieder auf eine Stelle aus Ganghofers ›Schweigen im Walde‹*, die auch seinen Empfindungen besonders entsprochen habe, weil sie seine eigenen Anschauungen dem Leben gegenüber wiedergebe. Die Stelle lautet: »Der Mißtrauische begeht ein Unrecht am anderen und schädigt sich selbst. Wir haben die Pflicht, jeden Menschen für gut zu halten, solange er uns nicht das Gegenteil beweist.« »Nach diesem Grundsatz«, sagte der Kaiser, »habe Ich von jeher jeden Menschen genommen, mit dem Ich zu tun hatte. Man macht manchmal ja auch schlechte Erfahrungen, aber dadurch darf man sich nicht abhalten lassen. Man muß immer wieder mit neuem Vertrauen an die Menschheit und an das Leben herantreten.«

Der Kaiser brachte dann das Gespräch auf eine Spruchtafel, die er in Schwabacher Schrift mit bunten Initialen in Steindruck hat herstellen lassen. Sie enthält neben dem obigen Spruch noch mehrere aphoristisch gehaltene Sinnsprüche aus dem genannten Roman Ganghofers und beginnt mit den Worten: »Stark sein

---

* Der Kaiser besaß die Gesammelten Schriften Ganghofers in 30 Bänden, in prächtig gebundener Ausgabe als Geschenk des Dichters.

im Schmerz; nicht wünschen, was unerreichbar oder wertlos usw.« Jetzt ist sie allgemein im Handel verbreitet. Der Kaiser ließ aus seinen Gemächern eine solche Tafel holen und machte sie Dr. Ganghofer zum Geschenk.

Was auf der Tafel stehe, sei ihm so sympathisch, weil es durchaus seinen Lebensanschauungen entspreche. Man komme doch mit einem gesunden Stück Optimismus und mit einer helleren und vertrauensvolleren Lebensanschauung sowohl im eigenen Leben wie bei den Berufsarbeiten viel weiter, als wenn man alle Dinge mit pessimistischem Auge ansehe, und in der Politik sei das auch nicht anders. Das deutsche Volk habe doch eine Zukunft, und da sei es ein Wort, das ihn immer kränke, sooft er es höre, das sei das Wort »Reichsverdrossenheit«. Was hat man von der Verdrossenheit? Lieber arbeiten und vorwärtsschauen. Ich arbeite ja auch unverdrossen und glaube, daß Ich dabei doch vorwärtskomme.

Im Anschluß an dieses Wort schilderte der Kaiser eingehend die Art und Weise, wie er täglich arbeitet und wie ihn oft die Fülle und Schwere der Pflichten und Arbeiten, die auf ihn heranstürmen, schwer ermüden. Daraus mache sich bei ihm immer das Bedürfnis geltend, einmal auszuspannen und wieder ein neues Stück Welt zu sehen, wieder andere Menschen kennenzulernen, die wieder anregend wirken. So sei auch die Nordlandreise für ihn immer eine körperliche und geistige Erfrischung.

Der Kaiser schilderte lebhaft und plastisch, wie so eine Reise allmählich beruhigend und erfrischend wirke. In den ersten Tagen, da gäbe es noch immer eine Fülle von Arbeit. Telegramme und Briefe kämen noch auf das Schiff, und er und seine Umgebung könnten sich lange nicht von der Arbeit trennen. Dann werde es immer ruhiger und einsamer, bis man endlich die volle Ruhe gefunden habe, um sich ganz der herrlichen Natur und ihren Schönheiten zu widmen. Der Kaiser gab dann lebendige Schilderungen von seinen Reisen, von den eigenartigen Schönheiten der Fjorde, von dem Eindruck der Mitternachtssonne. Namentlich sprach er seine Freude über die Einfachheit und Herzlichkeit der Leute, die ihm dort so ungekünstelt entgegenkämen aus. »Alles, was Mich drückt, ist auf einige Wochen von Mir abgelöst, und das, was Mich freut, das verübeln Mir vielfach die Leute. *Ich weiß, daß man Mich den Reisekaiser nennt, aber das habe Ich immer nur heiter aufgenommen.* Ich lasse Mir dadurch die Freude an der Welt nicht nehmen. Die Reise macht auch Freunde, und gerade auch innerhalb der eigenen Heimat. Ich glaube, dadurch wird das Gefühl der Zusammengehörigkeit noch gestärkt, und, fügte er hinzu, viele Deutsche wissen gar nicht, wie schön unsere Heimat ist, und wie viel es da zu sehen gibt. Ich freue Mich immer, wenn Ich ein neues Stück Deutschlands kennenlerne.« Besonders der Süden sei ihm landschaftlich und durch die Art des Verkehrs so sympathisch, und er erinnere sich immer mit ganz besonderem Vergnügen einer Reise, die er vor vielen Jahren nach Berchtesgaden gemacht habe, und an die schönen Tage, die er bei seinem Onkel, dem Herzog von Koburg, in den Bergen, in der Hinterriß, habe zubringen können. Wenn bei ihm das Reisen nur nicht mit so viel Umständen verbunden wäre. »Man muß immer einen großen Apparat in Bewegung setzen. *Oft möchte Ich Mich am liebsten in ein Automobil setzen und ein paar Tage flott hinausfahren und zufrieden und arbeitsfroh wieder nach Hause kommen.* Und solche Erfrischungen braucht man gerade in Meinem ernsten Beruf sehr notwendig, doppelt notwendig, weil man gegen viele Mißverständnisse zu kämpfen hat; denn man ist da immer in einer undankbaren Lage, weil man Uns keine Selbständigkeit zubilligt. Gelingt Mir etwas, so fragt alle Welt: ›Wer hat ihm das geraten?‹ Und mißlingt Mir etwas, so heißt es: ›Er hat es nicht verstanden.‹ Was man bei anderen Fürsten als selbstverständlich betrachtet, da fragt man bei Mir immer ›warum?‹, und die einzige Antwort kann doch nur sein: ›Weil Ich für das Deutsche Reich und für das deutsche Volk das Gute will.‹«

»Manchmal erfährt man ja auch viel Gutes, und zwar«, fügte der Kaiser hinzu, »am meisten auf Meinen Reisen, die man Mir so zum Vorwurf macht.« So seien ihm die Tage in München eine ungetrübte Freude gewesen, an die er sich immer erinnern werde. Das Warme und Herzliche in der Art der Bevölkerung, das farbenfrohe und schöne Bild der Stadt in ihrem künstlerischen Schmuck habe ihn entzückt.

Das Gespräch ging dann noch über verschiedene Fragen der Literatur und der Politik. Auch von seiner Familie erzählte der Kaiser, und hier ist besonders wohltuend die Herzlichkeit, mit der der Kaiser von ihr sprach. Er sagte immer nur »Meine Frau« und »Meine Buben«. In ganz besonders herzlicher Weise sprach dann der Kaiser noch über unseren Regenten, dessen Rüstigkeit und Aufopferung bei den so anstrengenden Tagen er rühmte und dabei den Wunsch aussprach, daß der hohe Fürst uns allen noch recht lange erhalten bleiben möge.

[52] Festmahl für die Provinz Westfalen (31. August 1907)

In Münster hielt der Kaiser bei einem Festmahl am 31. August 1907 im Landesmuseum folgende Rede:

Es ist Mir ein Herzensbedürfnis, den Vertretern der Provinz, die Ich heute um Mich versammelt habe, aus tiefster Seele Meinen herzlichsten Dank auszusprechen, für die Art und Weise, wie Ich in dem schönen Westfalenlande allerorten empfangen worden bin. Ich möchte auch zugleich nochmals Ihnen allen im Namen Ihrer Majestät der Kaiserin und Königin wiederholen, wie unendlich betrübt sie ist, daß es ihr durch den Unfall nicht vergönnt gewesen, die westfälischen Tage mitzumachen und persönlich mit Ihnen und dem westfälischen Volke in Berührung zu treten.

Die Provinz Westfalen bietet ein schönes Bild dafür, daß es wohl möglich ist, historische, konfessionelle und wirtschaftliche Gegensätze in versöhnlicher Weise zu einen in der Liebe und Treue zum gemeinsamen Vaterlande. Die Provinz setzt sich zusammen aus verschiedenen Landesteilen, von denen viele schon lange der Krone Preußen zugehören und manche erst später dazu gekommen sind. Sie wetteifern aber alle miteinander in der treuen Zugehörigkeit zu Unserem Hause. Wie Ich keinen Unterschied mache zwischen alten und neuen Landesteilen, so mache Ich auch keinen Unterschied zwischen Untertanen katholischer und protestantischer Konfession. Stehen sie doch beide auf dem Boden des Christentums, und beide sind bestrebt, treue Bürger und gehorsame Untertanen zu sein. Meinem landesväterlichen Herzen stehen alle Meine Landeskinder gleich nahe. In wirtschaftlicher Beziehung bietet uns die Provinz gleichfalls ein höchst erfreuliches Bild. Sie zeigt, daß die großen Erwerbszweige sich einander nicht zu schädigen brauchen, und daß die Wohlfahrt des einen auch dem anderen zugute kommt. Der Bauer bebaut seine rote westfälische Erde mit Fleiß, fest am Überlieferten, Althergebrachten haltend, eine kernige Natur mit eisernem Fleiß und ehrenhafter Gesinnung, von treuem Wesen, eine feste Grundlage für unser Staatswesen. Darum wird Mir der Schutz der Landwirtschaft stets besonders am Herzen liegen. Der Bürger baut seine Städte in immer vollkommenerer Weise aus, es entstehen großartige Werke gemeinnütziger Art, Museen und Sammlungen, Krankenhäuser und Kirchen. Im Schoße Ihrer Berge ruhen die Schätze, die, von fleißigen Händen der braven Bergleute gefördert, der Industrie Gelegenheit geben, sich zu betätigen, dieser Industrie – der Stolz unserer Nation –, wunderbar in ihrem Aufschwung, beneidet von aller Welt. Möge es ihr vergönnt sein, rastlos auch fernerhin Schätze zu sammeln für unser Nationalvermögen und nach außen den guten Ruf von der Tüchtigkeit und Güte deutscher Arbeit zu mehren.

Ich gedenke hierbei auch der Arbeiter, die in den gewaltigen industriellen Unternehmungen vor den Hochöfen und unter Tage im Stollen mit nerviger Faust ihr Werk verrichten. Die Sorge für sie, ihren Wohlstand und ihre Wohlfahrt habe Ich als teures Erbe von Meinem in Gott ruhenden Großvater überkommen, und es ist Mein Wunsch und Wille, daß wir auf dem Gebiete der sozialen Fürsorge festhalten an den Grundsätzen, die in der unvergeßlichen Botschaft Kaiser Wilhelms des Großen niedergelegt sind.

Das schöne Bild versöhnlicher Einheit, welches die Provinz Westfalen dem Beobachter zeigt, würde Ich gern auf unser gesamtes Vaterland übertragen sehen. Ich glaube, daß zu einer solchen Einigung aller unserer Mitbürger, aller unserer Stände nur ein Mittel möglich ist, das ist die Religion. Freilich nicht in streng kirchlich dogmatischem Sinne verstanden, sondern im weiteren, für das Leben praktischeren Sinne. Ich muß hierbei auf Meine eigenen Erfahrungen zurückgreifen. *Ich habe in Meiner langen Regierungszeit – es ist jetzt das zwanzigste Jahr, das Ich angetreten habe – mit vielen Menschen zu tun gehabt und habe vieles von ihnen erdulden müssen, oft unbewußt und oft leider auch bewußt haben sie Mir bitter weh getan.* Und wenn Mich in solchen Momenten der Zorn übermannen wollte und der Gedanke an Vergeltung aufstieg, dann habe Ich Mich gefragt, welches Mittel wohl das geeigneteste sei, den Zorn zu mildern und die Milde zu stärken. Das einzige, was Ich gefunden habe, bestand darin, daß Ich Mir sagte: Alle sind Menschen wie Du, und obgleich sie Dir wehe tun, sie sind Träger einer Seele aus den lichten Höhen, von oben stammend, zu denen wir alle einst wieder zurückkehren wollen und durch ihre Seele haben sie ein Stück ihres Schöpfers in sich. Wer so denkt, der wird auch immer milde Beurteilung für seine Mitmenschen haben. Wäre es möglich, daß im deutschen Volke dieser Gedanke Raum gewänne für die gegenseitige Beurteilung, so wäre damit die erste Vorbedingung geschaffen für eine vollständige Einigkeit. Aber erreicht kann dieselbe nur in einem Mittelpunkt werden: in der Person unseres Erlösers! In dem Manne, der uns Brüder genannt, der uns allen zum Vorbilde gelebt hat, der persönlichsten der Persönlichkeiten. Er wandelt auch noch jetzt durch die Völker dahin und ist uns allen fühlbar in unserem Herzen. Im Aufblick zu ihm muß unser Volk sich einigen, es muß fest bauen auf seinen Worten, von denen er selbst gesagt hat: »Himmel und Erde werden vergehen, aber meine Worte vergehen nicht.« Wenn es das tut, wird es ihm auch gelingen. Zu solcher Mitarbeit möchte Ich am heutigen Tage auffordern, insbesondere die westfälischen Männer. Denn, wie Ich vorher auseinandersetzte, haben sie es verstanden, das schöne Bild versöhnter Gegensätze in ihrer Provinz zu geben. Sie werden Mich auch zuerst und am besten verstehen. In diesem Geist sollen alte und neue Landesteile, Bürger, Bauer und Arbeiter sich zusammentun und einheitlich in gleicher Treue und Liebe zum Vaterlande zusammenwirken. *Dann wird unser deutsches Volk der Granitblock sein, auf dem unser Herrgott seine Kulturwerke an der Welt aufbauen und vollenden kann. Dann wird auch das Dichterwort sich erfüllen, das da sagt: »An deutschem Wesen wird einmal noch die Welt genesen.«* Wer bereit ist, hierzu Mir die Hand zu bieten, dem werde Ich dankbar sein, und Ich werde ihn freudig annehmen, er sei, wer und wes Standes er wolle. Ich glaube, daß Ich von den Westfalen am ersten verstanden werde und deshalb habe Ich Mich an Sie gewendet.

Nun erhebe Ich Mein Glas mit dem Wunsche, daß Gottes Segen auf der alten westfälischen roten Erde ruhen möge und auf allen ihren Bewohnern, daß es Mir vergönnt sei, fernerhin den Frieden zu erhalten, damit Sie ungestört Ihrem Berufe nachgehen können. Gott segne Westfalen! Die Provinz Westfalen hurra, hurra, hurra!

[53] An den Grafen Zeppelin (10. November 1908)

Der Kaiser verlieh 1908 dem Grafen Zeppelin den Schwarzen Adler-Orden. Die Rede, die Wilhelm II. bei der Überreichung der Auszeichnung am 10. November hielt, hatte folgenden Wortlaut:

In Meinem Namen und im Namen unseres ganzen deutschen Volkes freue Ich Mich, Euere Exzellenz zu diesem herrlichen Werke, das Sie Mir heute so schön vorgeführt haben, aus tiefstem Herzen zu beglückwünschen. Unser Vaterland kann stolz sein, einen solchen Sohn zu besitzen, *den größten Deutschen des zwanzigsten Jahrhunderts*, der durch seine Erfindung uns an einen neuen Entwicklungspunkt des Menschengeschlechts geführt hat. Es dürfte wohl nicht zu viel gesagt sein, daß wir heute einen der größten Momente in der Entwicklung der menschlichen Kultur erlebt haben. Ich danke Gott mit allen Deutschen, daß er unser Volk für würdig erachtete, Sie den Unseren zu nennen. Möge es uns allen vergönnt sein, dereinst auch, wie Sie, mit Stolz an unserem Lebensabend uns sagen zu dürfen, daß es uns gelungen, so erfolgreich unserem teuren Vaterlande gedient zu haben. Als Zeichen Meiner bewundernden Anerkennung, die gewiß alle Ihre hier versammelten Gäste und unser ganzes deutsches Volk teilen, verleihe Ich Ihnen hiermit Meinen hohen Orden vom Schwarzen Adler. Nun gestatten Sie Mir, Mein lieber Graf, daß ich Ihnen jetzt schon inoffiziell die Akkolade* erteile. Seine Exzellenz Graf Zeppelin, der Bezwinger der Lüfte, hurra!

[54] Fahnenübergabe an die Prima des Gymnasiums in Kassel
     (19. August 1911)

Auf die Bitte des Direktors jenes Gymnasiums, dem Wilhelm II. einst als Schüler angehört hatte, beschloß der Kaiser, die von seinen Eltern der Schule im Jahre 1875 geschenkte Fahne durch eine neue zu ersetzen. Zur Übernahme der Fahne hielt der Kaiser eine Ansprache:

Ich habe beschlossen, der Prima statt der Fahne, die Meine Eltern gestiftet haben, als Ich Schüler war, und die ein Opfer der Zeit geworden ist, eine neue sticken zu lassen. Das Gymnasium hat darum gebeten, die alte zurückzubekommen; Ich werde sie zurechtmachen lassen, damit sie aufgehängt werden kann; Ich wünsche durch sie die Erinnerung daran erhalten zu sehen, daß aus Ihrer Anstalt und deren Arbeit ein deutscher Kaiser hervorgegangen ist.

Sie beschäftigen sich mit dem Studium der Antike. Legen Sie dabei den Hauptwert nicht auf die Einzelheiten des politischen

---

* Die Akkolade (Umhalsung) war eine Zeremonie bei der Aufnahme in einen Ritterorden. Später wurde die Akkolade auch für den ganzen Akt des Ritterschlages oder für die Aufnahme in den Orden gebraucht.

Lebens; denn diese Verhältnisse haben sich so geändert, daß sie nicht mehr auf die Jetztzeit übertragen werden können. Wohl mögen Sie an manchen großen Gestalten und Charakteren des Altertums sich erfreuen, doch einen besonderen Vorzug hat das Griechentum, den kein anderes Volk aufzuweisen hat: die Harmonie, an der es unserer Zeit so sehr fehlt, zeigt das Griechenvolk in der Kunst, im Leben, in den Bewegungen, in den Kostümen, ja sogar in den Systemen der Philosophie und in der Behandlung ihrer Probleme. Ganz besonders empfehle Ich Ihnen zu lesen, was Chamberlain in der Einleitung zu seinen Grundlagen des 19. Jahrhunderts über diesen Punkt in trefflicher Weise sagt.

Und dann vor allem treiben Sie vaterländische Geschichte und lernen Sie das Elend unseres Volkes in den letzten Zeiten des Mittelalters, in den Kämpfen zwischen Staat und Kirche und zwischen den Fürsten und den Streit der Konfessionen im 30jährigen Kriege kennen, wo unser Volk zerstampft wurde und verbraucht im Dienste fremder Völker und Dynasten, mit denen seine Interessen gar nichts zu tun hatten, bis auf den großen Zusammenbruch zur Zeit Napoleons. Erst 1870 hat den einheitlichen germanischen Staat uns wiedergebracht. Und wenn Sie ins politische Leben eintreten, halten Sie den Blick aufs Ganze gerichtet, unbeirrt durch die Partei. Denn diese schiebt ihre Interessen vor die des Vaterlandes und zieht häufig einen Vorhang zwischen Sie und das Vaterland. Und wenn Sie das politische Treiben zu verwirren droht, so rate Ich Ihnen für einige Zeit sich zurückzuziehen, sei es auf Reisen, sei es auf einem Spaziergang, und die Natur auf sich wirken zu lassen. Kehrt man dann zurück, so hat man einen freieren Blick über die realen Verhältnisse. Wenn die Wogen einmal über Ihnen zusammenschlagen, *wenn so manche Erscheinung der modernen Kunst und Literatur verwirrend und niederziehend wirken, so können Sie immer wieder sich emporrichten an jenen Idealen des Altertums.*

Sie stehen vor dem Abgang zur Hochschule. Da möchte Ich Ihnen noch einen Rat geben, den Sie nicht scherzhaft auffassen sollen, sondern der Mir bitterer Ernst ist. Der Alkohol ist eine Gefahr für unser Volk, die Mir, glauben Sie es Mir, große Sorge macht. Ich führe 23 Jahre die Regierung und weiß aus den Schriftstücken, die Mir durch die Hand gehen, wie viele Verbrechen durch den Alkohol herbeigeführt werden. Richten Sie den Blick auf ein Nachbarland: Die Amerikaner sind uns hierin weit voraus. Auf den Universitäten dort wird Tüchtiges geleistet, wovon man sich auch hier überzeugen kann, da so viele Studenten von dort zu uns kommen. Dort sehen Sie bei den Vereinigungen und bei den großen akademischen Festen, z. B. bei Einführung eines Rektors, auf der ganzen Tafel keinen Wein; es geht auch da ohne. Wenn Sie die Universität beziehen, stählen Sie Ihren Körper durch Sport, auch durch den Kampf mit dem Rapier, was Ich keinem übelnehmen werde, durch Rudern, *aber suchen Sie keinen Rekord aufzustellen, wer die größte Menge geistiger Getränke verschlingen kann*. Das sind Sitten, die aus einer anderen Zeit stammen. Wenn Sie in den Korps und Verbindungen in diesem Sinne wirken wollen, werde Ich Ihnen dankbar sein. Wir haben jetzt andere Aufgaben als früher und müssen nationalökonomische und finanzielle Kenntnisse uns aneignen. Denn es gilt Deutschland seine Stellung in der Welt, besonders auf dem Weltmarkte, zu wahren. Dazu müssen wir alle fest zusammenhalten.

Hiermit übergebe Ich Ihnen die Fahne. Der Primus omnium, so nehme Ich an, wird sie tragen und es als eine Ehre ansehen, daß er der erste ist, der sie trägt.

[55] Nach der Mobilmachung (1. August 1914)

Privattelegramm der ›Frankfurter Zeitung‹ vom 1. August 1914:

Unter den Linden und vor dem königlichen Schloß sammelten sich bald nach der Bekanntgabe der Mobilmachung viele Hunderttausende von Menschen. Jeder Wagenverkehr hörte auf. Der Lustgarten und der freie Platz vor dem Schloß waren dicht angefüllt von den Menschenmassen, die patriotische Lieder sangen und wie auf Kommando gleichmäßig immer wieder den Ruf erneuerten: »Wir wollen den Kaiser sehen!« Gegen $1/_2 7$ Uhr erschien der Kaiser am mittleren Fenster der ersten Etage, von einem unbeschreiblich starken Jubel und von Hurrarufen begrüßt. Patriotische Lieder wurden angestimmt. Nach einiger Zeit trat in der Menge Ruhe ein. Die Kaiserin trat an die Seite des Kaisers, der den Massen zuwinkte, daß er sprechen wolle. Unter tiefstem Schweigen sprach der Kaiser dann ungefähr mit weithin vernehmbarer, langsam stärker werdender Stimme: »*Wenn es zum Kriege kommen soll, hört jede Partei auf, wir sind nur noch deutsche Brüder*. In Friedenszeiten hat mich zwar die

eine oder andere Partei angegriffen, das verzeihe ich ihr aber
jetzt von ganzem Herzen. Wenn uns unsere Nachbarn den Frieden nicht gönnen, dann hoffen und wünschen wir, daß unser
gutes deutsches Schwert siegreich aus dem Kampf hervorgehen
wird.«

An diese Worte des Kaisers schloß sich ein Jubel, wie er wohl
noch niemals in Berlin erklungen ist. Die Menge stimmte be-
geistert erneut patriotische Lieder an.

[56] Aufruf an das deutsche Volk (6. August 1914)

In einer Sonderausgabe des ›Reichsanzeigers‹ wurde am 6. August 1914 folgender
Aufruf des Kaisers veröffentlicht:

An das deutsche Volk!

Seit der Reichsgründung ist es durch 43 Jahre Mein und Meiner Vorfahren heißes Bemühen gewesen, der Welt den Frieden
zu erhalten und in Frieden unsere kraftvolle Entwicklung zu
fördern. Aber die Gegner neiden uns den Erfolg unserer Arbeit. Eine offenkundige und heimliche Feindschaft von Ost und
West, von jenseits der See haben wir zu ertragen im Bewußtsein
unserer Verantwortung und Kraft. Nun aber will man uns de-
mütigen. Man verlangt, daß wir mit verschränkten Armen zusehen, wie unsere Feinde sich zu tückischem Überfall rüsten.
Man will nicht dulden, daß wir in entschlossener Treue zu unserem Bundesgenossen stehen, der um sein Ansehen als Großmacht kämpft und mit dessen Erniederung auch unsere Macht
und Ehre verloren ist. So muß denn das Schwert entscheiden.
Mitten im Frieden überfällt uns der Feind. Darum auf zu den
Waffen! Jedes Schwanken, jedes Zögern wäre Verrat am Vaterlande. Um Sein oder Nichtsein unseres Reiches handelt es sich,
das unsere Väter sich neu gründeten. Um Sein oder Nichtsein
deutscher Macht und deutschen Wesens. *Wir werden uns wehren
bis zum letzten Hauch von Mann und Roß, und wir werden diesen Kampf
bestehen auch gegen eine Welt von Feinden.* Noch nie ward Deutschland überwunden, wenn es einig war. Vorwärts mit Gott, der
mit uns sein wird, wie er mit den Vätern war.

[57] Eine Ansprache im Hauptquartier (27. August 1914)

Berichten der Dortmunder Zeitung ›Tremonia‹ zufolge versammelte der Kaiser am 27. August 1914 im Hauptquartier die Truppen zur Parade und hielt folgende Ansprache:

Kameraden! Ich habe Euch hier um mich versammelt, um mich mit Euch des herrlichen Sieges zu erfreuen, den unsere Kameraden in mehreren Tagen in heißem Ringen erfochten haben. Truppen aus allen Gauen halfen in unwiderstehlicher Tapferkeit und unerschütterlicher Treue mit zu dem großen Erfolge. Es standen unter der Führung des bayerischen Königssohnes nebeneinander und fochten mit gleichem Schneid Truppen aller Jahrgänge, Aktive, Reserve und Landwehr. Diesen Sieg danken wir vor allen Dingen unserm alten Gott, er wird uns nicht verlassen, da wir für eine heilige und gerechte Sache einstehen. Viele unserer Kameraden sind bereits im Kampfe gefallen. Sie sind als Helden fürs Vaterland gestorben. Wir wollen derselben hier in Ehren gedenken und bringen zu Ehren der draußen stehenden Helden ein dreifaches Hurra aus. Wir haben noch manche blutige Schlacht vor uns; hoffen wir auf weitere gleiche Erfolge. Wir lassen nicht nach und werden dem Feinde ans Leder gehen. Wir verlieren nicht die Zuversicht im Vertrauen auf unseren guten alten Gott dort droben. Wir wollen siegen, und wir müssen siegen!

[58] Feldgottesdienst in Polen (5. März 1915)

Die ›Danziger Zeitung‹ veröffentlichte am 5. März 1915 eine stenographisch aufgenommene Rede, die der Kaiser im Anschluß an einen Feld-Gottesdienst gehalten hatte:

Soldaten! Es ist mir eine große Freude, daß es mir vergönnt war, heute mit Euch unter Gottes freiem Himmel und vor seinem Altar an diesem schlichten Feldgottesdienste teilzunehmen. Für das, was Ihr geleistet, spreche ich Euch meinen Dank und meine vollste Anerkennung aus, und überall in der Heimat und bei den Truppen, die im Westen kämpfen, blickt man dankbar und stolz auf Eure Taten. Eine schwere Aufgabe ist uns gestellt. Es gilt, die Existenzberechtigung Deutschlands noch einmal vor der ganzen Welt zu beweisen. Diese Aufgabe müssen und werden wir erfüllen! Keine Überschätzung des Feindes; aber auch keine Unterschätzung der eigenen Kraft! Wir Preußen sind es ja gewöhnt, gegen einen überlegenen Feind zu kämpfen und zu siegen. Dazu gehört das feste Vertrauen auf unsern großen Alliierten dort oben, der unserer gerechten Sache zum Siege verhelfen wird. Wir wissen es aus unserer Kinderzeit, und als Erwachsene haben wir es beim Studium der Geschichte gelernt, daß Gott nur mit den gläubigen Heeren ist. So war es unter dem Großen Kurfürsten, so war es unter dem Alten Fritz, so war es bei meinem Großvater, und so ist es auch unter mir. Wie Luther es aussprach: »Ein Mann mit Gott ist immer die Majorität.« Einen Vorteil haben wir gegenüber unseren Feinden: Sie haben keine Parole, *sie wissen nicht, wofür sie kämpfen, für wen sie sich totschießen lassen. Sie tragen den schweren Tornister des bösen Gewissens, ein friedliebendes Volk überfallen zu haben.* Wir aber ziehen gegen den Feind mit dem Sturmgepäck des leichten Gewissens. Zum Erfolg ist aber auch weiter nötig, daß jeder Mann seine Pflicht tut. Und so erwarte und verlange ich auch von Euch, daß jeder sein Letztes hingibt an Gesundheit und Lebenskraft, bis der Sieg unser ist.

[59] Ansprache in Bad Homburg (10. Februar 1918)

Bei einer Huldigung, die aus Anlaß des Friedensschlusses mit der Ukraine die Homburger dem Kaiser am 10. Februar 1918 darbrachten, erwiderte Wilhelm II. auf eine Ansprache des Bürgermeisters mit folgenden Worten:

Meine lieben Homburger! Ich danke Euch von ganzem Herzen für die schlichte Feier und die warmen Worte, die Euer Stadtoberhaupt soeben zu mir gesprochen hat. Es sind schwere Zeiten über uns hingegangen. Ein jeder hat seine Last zu tragen gehabt, Sorgen und Trauer, Kummer und Trübsal, nicht zum mindesten der, der jetzt vor Euch steht. In ihm vereinigen sich Sorge und Schmerz um das ganze Volk und sein Leid. In diesem selben Hofe habe ich damals im Jahre 1870/71 als kleiner Junge die Homburger stehen sehen, unter Führung vom alten Jacobi, als sie nach großen Siegesnachrichten meiner seligen Frau Mutter ihre Huldigung darbrachten. Ein Bild, das sich mir ewig in die Seele eingeprägt hat! Ich habe damals nicht geahnt, daß es mir bestimmt sein sollte, zur Erhaltung dessen, was damals mein

Großvater und mein seliger Vater erworben und errungen haben, kämpfen zu müssen. *Es hat unser Herrgott entschieden mit unserm deutschen Volke noch etwas vor;* deswegen hat er es in die Schule genommen; und ein jeder ernsthaft und klar Denkende unter Euch wird mir zugeben, daß es notwendig war. Wir gingen oft falsche Wege. Der Herr hat uns durch diese harte Schule darauf hingewiesen, wo wir hin sollen. Zu gleicher Zeit ist die Welt aber nicht auf dem richtigen Wege gewesen, und wer die Geschichte verfolgt hat, kann beobachten, wie es unser Herrgott mit einem Volke nach dem andern versucht hat, die Welt auf den richtigen Weg zu bringen. Den Völkern ist es nicht gelungen. Das römische Reich ist versunken, das fränkische zerfallen und das alte Deutsche Reich auch. Nun hat er uns Aufgaben gestellt. *Wir Deutsche, die wir noch Ideale haben, sollen für die Herbeiführung besserer Zeiten wirken;* wir sollen kämpfen für Recht, Treue und Sittlichkeit. Unser Herrgott will den Frieden haben, aber einen solchen, in dem die Welt sich anstrengt, das Rechte und das Gute zu tun. Wir sollen der Welt den Frieden bringen, wir werden es tun auf jede Art. Gestern ist's im gütlichen gelungen. Der Feind, der, von unseren Heeren geschlagen, einsieht, daß es nichts mehr nützt, zu fechten, und der uns die Hand entgegenhält, der erhält auch unsre Hand. Wir schlagen ein. Aber der, welcher den Frieden nicht annehmen will, sondern im Gegenteil, seines eignen und unsers Volkes Blut vergießend, den Frieden nicht haben will, der muß dazu gezwungen werden. Das ist jetzt unsre Aufgabe, dafür müssen jetzt alle wirken, Männer und Frauen. Mit den Nachbarvölkern wollen wir in Freundschaft leben, aber vorher muß der Sieg der deutschen Waffen anerkannt werden. Unsre Truppen werden ihn weiter unter unserm großen Hindenburg erfechten. Dann wird der Friede kommen. Ein Friede, wie er notwendig ist für eine starke Zukunft des Deutschen Reiches, und der den Gang der Weltgeschichte beeinflussen wird. (Bravo und Hurra!) Dazu müssen uns die gewaltigen Mächte des Himmels beistehen, dazu muß ein jeder von Euch, vom Schulkinde bis zum Greise hinauf, immer nur dem einen Gedanken leben: Sieg und ein deutscher Friede. Das deutsche Vaterland soll leben! Hurra!

Ich verzichte hierdurch für alle Zukunft auf die Rechte an der Krone Preußens und die damit verbundenen Rechte an der deutschen Kaiserkrone. Zugleich entbinde ich alle Beamten des Deutschen Reiches und Preußens sowie alle Offiziere, Unteroffiziere und Mannschaften der Marine, des preußischen Heeres und die Truppen der Bundeskontingente des Treueides, den sie mir als ihrem Kaiser, König und Obersten Befehlshaber geleistet haben. Ich erwarte von ihnen, daß sie bis zur Neuordnung des Deutschen Reiches den Inhabern der tatsächlichen Gewalt in Deutschland helfen, das deutsche Volk gegen die drohenden Gefahren der Anarchie, Hungersnot und Fremdherrschaft zu schützen.

Urkundlich unter Unserer höchsteigenhändigen Unterschrift und beigedrucktem kaiserlichen Insiegel.

Gegeben Amerongen, den 28. November 1918.   gez. Wilhelm

Kommentare

Zur Kommentierung werden hauptsächlich die Äußerungen der Zeitgenossen Kaiser Wilhelms II. herangezogen. Objektiv und unmittelbar unterrichten diese Quellen über die Reaktionen auf die Kaiser-Reden.

[2] Zu einer Abordnung der streikenden Bergleute (14. Mai 1889) und
[3] Empfang der Arbeitgeber im Bergbau (16. März 1889)

Beide Ansprachen sind als Versuche zu werten, Bismarck »zu zeigen«, wie die soziale Frage anzupacken wäre. Am 28. November 1887, damals noch Prinz, hatte er zu verstehen gegeben: »Gegenüber den grundstürzenden Tendenzen einer anarchistischen und glaubenslosen Partei ist der wirksamste Schutz von Thron und Altar in der Zurückführung der glaubenslosen Menschen zum Christentum und zur Kirche und damit zu der Anerkennung der gesetzlichen Autorität und der Liebe zur Monarchie zu suchen.«

Von dieser Grundeinstellung ist er nicht abgegangen, in der Verfahrensweise blieb er – wie bei der Behandlung anderer Fragen auch – veränderlich. Die ›Zuchthaus-Vorlage‹ (s. Rede vom 6. September 1898 [25], S. 79) sah ihn am anderen Ende des Zieles, das er sich ursprünglich gesteckt hatte.

Seine Vorstellung von der Lösung der sozialen Frage, die ja eine der Ursachen des Konfliktes mit Bismarck war, wird aus jeder späteren Rede, in welcher er sich gegen die Sozialdemokraten wendet, so deutlich wie hier beim Empfang der Bergleute: Sozialdemokrat ist ihm gleichbedeutend mit Reichs- und Vaterlandsfeind.

»Erst die Sozialisten abschießen, köpfen und unschädlich machen – wenn nötig per Blutbad« schreibt er am 31. Dezember 1905 an Bülow – und fährt fort: »und dann Krieg nach außen! Aber nicht vorher und nicht a tempo. Mit herzlichsten Grüßen und Wünschen zum Neuen Jahr, welches uns gesegnete Arbeit bringen möge.« [Zitiert nach: Berliner Tageblatt, Nr. 487 vom 14. Oktober 1928]

[6, 7, 13, 20] Die Reden vom Gottesgnadentum (Königsberg, 15. Mai 1890; Berlin, 20. Februar 1891; Königsberg, 6. September 1894; Koblenz, 31. August 1897)

Von seiner Auffassung: »Von Gottes Gnaden ist der König, daher ist er auch nur dem Herrn allein verantwortlich. Er darf seinen Weg und sein Wirken nur unter diesem Gesichtspunkt wählen« – wie Wilhelms II. Eintrag in das Goldene Buch der ›Illustrierten Zeitung‹ in Leipzig, herausgegeben aus Anlaß der Jahrhundertwende, lautete – ging der Kaiser zeitlebens nicht ab. Noch in seiner Ansprache vom 10. Februar 1918 [59] (S. 128) in Bad Homburg sagte er: »Nun hat der Herrgott uns Aufgaben gestellt . . .«

Mit seinem Gottesgnadentum – berichtet Robert Saitschick (in: Bismarck und das Schicksal des deutschen Volkes) – »waren Hunderte von Prozessen wegen Majestätsbeleidigung, fünf- bis sechshundert im Jahre, verbunden«. In seiner von Haß und Hohn auf Wilhelm II. gekennzeichneten Gedichtsammlung ›Parisiana, deutsche Verse aus Paris‹, verlegt in Zürich, nennt der deutsche Schriftsteller Oskar Panizza auch den »Preis« für Majestätsbeleidigungen:

»Für einen Witz, ein Jahr Gefängnis, für 'ne Erzählung dritthalb Jahr' – so trüb stand niemals dein Verhängnis, so hoch flog, Deutschland, nie dein Aar!«
[Zitiert nach: Das Liebeskonzil und andere Schriften, Neuwied 1964, S. 230]

Vermutlich wegen folgender Stelle war Ludwig Quidde (1927 Träger des Friedens-Nobelpreises) der Majestätsbeleidigung angeklagt und verurteilt worden:

»... ist gar dieser korrumpierte Geist, der das Vergehen der Majestätsbeleidigung erfunden hat und in der Versagung der Ehrfurcht eine strafbare Beleidigung des Herrschers erblickt, in der Gesetzgebung und in die Rechtsprechung eingezogen: so ist es ja wirklich zu verwundern, wenn ein so absoluter Monarch bei gesunden Sinnen bleibt.«

Das geschah im Jahre 1893 (vgl. Zeittafel, S. 153). Im Jahre 1906 ließ der Kaiser eine großmütige Ausnahme gemacht mit der Weisung, von einer Strafverfolgung der Karikaturen-Sammlung ›Er‹ abzusehen. Im nächsten Jahre hielt er es endlich an der Zeit, anläßlich seines Geburtstages ein wenig Milde walten zu lassen:

»Es entspricht Meinem Wunsche, daß wegen Majestätsbeleidigung oder Beleidigung eines Mitgliedes Meines Königlichen Hauses nur solche Personen die gesetzliche Strafe erleiden, welche sich jener Vergehen mit Vorbedacht und in böser Absicht und nicht bloß aus Unverstand, Unbesonnenheit, Übereilung oder sonst ohne bösen Willen schuldig gemacht haben. Ich beauftrage daher Sie, den Justizminister, Mir, so lange nicht das Gesetz eine entsprechende Einschränkung der Strafbarkeit enthält, fortlaufend von Amts wegen über alle nach dem Angeführten berücksichtigenswerten Verurteilungen behufs Meiner Entschließung über Ausübung des Begnadigungsrechts zu berichten.

Berlin, den 27. Januar 1907.   Wilhelm R.«

[Erlaß an den preußischen Ministerpräsidenten und an den preußischen Justizminister, veröffentlicht im ›Reichsanzeiger‹]

[10, 19, 21–23, 26, 29, 32] Die Flotten-Reden (Kiel, 27. Juni 1892; Köln, 18. Juni 1897; Kiel, 15. Dezember 1897; Wilhelmshaven, 1. März 1898; Stettin, 23. September 1898; Hamburg, 18. Oktober 1899; Wilhelmshaven, 2. Juli 1900)

Hier fielen die Worte »Dreizack in unserer Faust«, »Reichsgewalt bedeutet Seegewalt«, »Unsere Zukunft liegt auf dem Wasser«, »Bitter not ist uns eine starke deutsche Flotte« –, die, von ihren verhängnisvollen außenpolitischen Folgen abgesehen, als Werbesprüche für den »Flottenverein« ihre Rolle spielten. Die stärkste Unterstützung seiner Flottenliebhaberei fand der Kaiser in dem späteren Großadmiral Alfred von Tirpitz (seit 1896 Chef der ostasiatischen Division, von 1897 bis 1916 Staatssekretär des Reichsmarineamtes). Die beste Schilderung von Person und Tätigkeit des Großadmirals gibt der Publizist Bernhard Guttmann, der ihn als handelnder Zeitgenosse verfolgt hat. Er schreibt in seinem Erinnerungsbuch ›Schattenriß einer Generation‹ (Stuttgart 1950, S. 78 ff.):

»Tirpitz sah mit dem zweigeteilten Barte wie der wetterfeste Seemann der Legende aus, in Wahrheit war er ein Bürogeneral, Organisator großen Stils, durchaus in das industrielle Zeitalter der weiten Planung passend, auch ein genauer Beobachter und Manipulant der politischen Kulisse. Selbst in diesem Bezirk, der die Aufrichtigkeit wenig fördert, galt er als der entschiedenste Gegner der Wahrheitsliebe. Seine Voranschläge waren für naive Volksvertreter schwer zu durchschauen, die Londoner Admiralität durchschaute sie ...

Als Kiderlen-Wächter Staatssekretär des Auswärtigen war, notierte er: ›Ich bin ein Gegner von Tirpitz, weil ich fürchte, daß seine Politik uns den Krieg mit England bringen wird. Ich halte Tirpitz für den größten (Lügner) ... den Berlins Pflaster trägt.‹ Der Admiral begann seine Arbeit mit der Einführung eines mächtigen Propaganda-Apparates. In seinen ,Erinnerungen' verzeichnet er: ›Heeringen organisierte die Nachrichtenabteilung des Reichsmarineamtes; er reiste an den Universitäten umher, wo sich fast alle Nationalökonomen bis zu Brentano hin in großartiger Weise zur Unterstützung bereit fanden ... sie wiesen nach, daß die Aufwendungen für die

Flotte produktive Ausgaben wären‹. Zu den Nationalökonomen (fährt Guttmann fort) stießen die Historiker und die anderen Fakultäten. Von den Hochschulen, Gymnasien, Volksschulen her wurde dem Rattenfänger die Jugend zugetrieben. Die Zweigstellen des Alldeutschen Verbandes und des Flottenvereins unterhielten die Agitation in der Presse. Selbst kleine Blätter hatten plötzlich sehr informierte Artikel über Weltpolitik, Weltwirtschaft, die britische Kolonialmacht, den englischen Handelsneid. Die Kosten waren wohl sehr groß, aber die Schiffbauindustrie schlug die Spesen auf die Panzerplattenpreise, die das Reich zahlte, und unter den Milliarden bedeutete dieser Posten fast nichts. Die gesellschaftliche Beeinflussung kam hinzu. Das Offizierskorps der Marine war viel aufgeschlossener, moderner als die Armee. Man konnte den hergebrachten Gamaschenhochmut nicht brauchen, hielt auf konziliante, weltmännische Formen. Beständig wurden Parlamentarier, Gelehrte, Wirtschaftskapazitäten mit ihren Damen zu Kreuzerfahrten eingeladen; die weibliche Advokatur für die Marine war eine Karte im Spiel. Eine Steigerung der deutschen Seemacht innerhalb der Grenzen des Vernünftigen war vollkommen vertretbar ... aber die Idee des Admirals war eine ganz andere. Er hielt es für unerträglich, ›daß unsere Entfaltung auf dem breiten Rücken des britischen Freihandels und der britischen Weltherrschaft sich auf Widerruf vollzog‹. England sollte bedroht werden, damit es den ›Widerruf‹ bleiben lasse, und dazu war eine Flotte großer Schlachtschiffe zu schaffen ... Jedoch Tirpitz war, gestützt auf eine kolossale Propaganda der Alldeutschen, völlig stark genug, jeden ernsthaften Versuch des Ausgleichs mit den Briten zu ersticken. Die monarchische Ordnung war nicht fähig, mit dem Staatssekretär der Marine fertig zu werden. Er blieb unter den Reichskanzlern Hohenlohe, Bülow, Bethmann-Hollweg unerschüttert bei seiner Tätigkeit. Hochgestellte Personen, die darüber den Kopf schüttelten und in ihren Tagebüchern, wie man später las, vor dem kommenden Unheil warnten, gab es genug. Aber der Hebel des Verhängnisses arbeitete weiter ...«

[9] Festmahl des Brandenburgischen Provinziallandtages (24. Februar 1892)

Baronin Spitzemberg trug am 28. Februar 1892 in ihr Tagebuch ein: »Wir sind alle sehr bestürzt und betrübt über des Kaisers neuliche Rede im Provinziallandtag, die das Schlimmste ist, was er in dieser Hinsicht bis jetzt geleistet und wirklich den Größenwahn befürchten läßt. Die Stellung, die er Gott seinem Hause gegenüber anweist, ist ebenso ungeheuerlich vom Standpunkte des Menschen als lächerlich für einen Gott – ›der sich Mühe geben‹ muß, um ein Herrscherhaus emporzubringen!! Und die Führerrolle, die er sich zu spielen zutraut, ist so mystisch angehaucht und aufgebauscht, daß einem ganz bänglich zu Sinne wird. Die bitterste Enttäuschung muß ja kommen, und ob solche dann nicht so lähmend und vernichtend wirken wird, daß im entscheidenden Augenblicke die Tatkraft und die Geistesgegenwart fehlen werden, zumal wenn – was ebenso sicher kommen wird – nur Kreaturen den jungen Fürsten umgeben werden, das muß die Zukunft lehren. Einstweilen aber ist dies alles tieftraurig und stimmt zu ernstem Nachdenken. – Überdies soll die Rede im Wortlaut noch schroffer gelautet haben als das im Reichsanzeiger gedruckte Opus.«
[Baronin Spitzemberg, Am Hof der Hohenzollern, München 1965, S. 147 f.]

»... als er von den herrlichen Zeiten sprach, denen er sein Volk entgegenführe, äußerte sich Hinzpeter, der mit der Beschaffenheit seines Charakters vertraut war: ›Der Kaiser denkt in trüben Stunden oft an den kommenden Untergang des Deutschen Reiches.‹«
[Zitiert in: Robert Saitschick, Bismarck und das Schicksal des Deutschen Volkes, S. 112]

Der Kommentar Penzlers zu dieser äußerst knappen Anrede – handelte es sich doch um einen Kolonialskandal, der viel Beunruhigung hervorgerufen hatte – lautet ebenso knapp:

»Im Anfang des Jahres waren die ersten Nachrichten über die Ausschreitungen des Kanzlers Leist bei der Züchtigung der Dahomeweiber bekannt geworden. Unzweifelhaft hat der Kaiser diese Vorfälle im Sinne bei seiner Ermahnung.«

[17] Parade zum Sedansfest (2. September 1895)

»Mitten in den Beginn meiner Arbeit fiel eine Rede Kaiser Wilhelms II. zum Sedanfeste, worin der Kaiser, schwer verstimmt durch die Kritik der sozialdemokratischen Presse an dem immer erneuten Triumphgesang über die Niederlage des ›Erbfeindes‹, die sozialdemokratische Führerschaft eine ›vaterlandslose Rotte‹ nannte, die nicht wert sei, den deutschen Namen zu führen. Diese Rede erregte mich so stark, daß ich in der damals von mir redigierten Zeitschrift ›Ethische Kultur‹ diese kaiserliche Rede zwar in ehrerbietigem Tone, aber dennoch äußerst scharf kritisierte und hervorhob, daß man den arbeitenden Klassen zuerst ein wirkliches Vaterland schaffen müsse, bevor man vaterländische Gesinnung von ihnen erwarten dürfe – wozu ich das Wort des Sempronius Gracchus zitierte, das er den römischen Soldaten widmete: ›Herren der Welt ohne eigene Scholle.‹ Eine ganz andere Methode, eine Methode, die dem Vaterland entfremdete Führerschaft der deutschen Arbeiter für eine wahre Gemeinschaft der beiden Klassen zurückzugewinnen, müsse in Angriff genommen werden. Beschimpfungen von allerhöchster Stelle aus seien nur geeignet, die Kluft zu vergrößern. Nur die Nachahmung des englischen Vorbildes könne das Schlimmste verhüten.

Bald nach dem Erscheinen dieses Artikels ließ mir der preußische Minister des Innern die Anklage wegen ›Majestätsbeleidigung‹ zustellen. Der Prozeß gegen mich fand im November des gleichen Jahres [1895] statt. Ich wurde von Justizrat Doktor von Gordon verteidigt, erhielt aber auch das Wort zur Selbstverteidigung, wobei ich ausführte, daß ich durch alles, was ich in England beobachtet und was ich in meinem persönlichen Verkehr mit der deutschen Arbeiterschaft erlebt hätte, mich mit der Überzeugung erfüllt hätte, daß derartige Reden wie die kaiserliche nicht mehr zeitgemäß seien und dem Kaiser im deutschen Volke eine Verkennung zuziehen müssen, die er nicht verdiene. Der Staatsanwalt las darauf den Artikel vor und bemerkte fast nach jedem Satze: ›Nun, meine Herren Richter, das ist doch unerhört.‹ Er warf mir dann eine bedauerliche Selbstüberschätzung vor: Wie hätte ich nur glauben können, daß ich mit meinem kleinen Blättchen die kaiserliche Politik in eine andere Richtung lenken zu können imstande sei? Ich antwortete darauf: ›Preußen ist durch den Geist der Pflichterfüllung im kleinsten groß geworden, und so glaubte auch ich, vom kleinsten Kreise aus der Wirkung in die Ferne dienen zu können.‹ Erstaunlicherweise schlug dieses Argument durch. Das Gericht akzeptierte meinen kategorischen Imperativ, obwohl er sich gegen die Majestät richtete. – ›Der Angeklagte‹, so hieß es im Gerichtsentscheid, ›glaubte, dem kategorischen Imperativ der Pflicht gehorchen zu müssen . . .‹, und verordnete mir statt der 9 Monate Gefängnis, die der Staatsanwalt beantragt hatte, drei Monate Festungshaft, was in Deutschland eine ›custodia honesta‹, also keine ehrenrührige Strafe, war, für deren Antritt ich mir die schönsten Monate des kommenden Jahres [1896] auswählen konnte.«

[Friedrich Wilhelm Foerster, Erlebte Weltgeschichte, S. 115 f.]

»Wieder strömt hier in reichen Bildern die Auffassung der Romantik hervor. Die märkischen Eichen und Kiefern haben den Monarchen umrauscht, die Poesie der Heide hat ihn umwoben. Und sie haben ihm erzählt von alten Zeiten und von dem aufgehenden Frührot des anbrechenden hundertjährigen Geburtstages Kaiser Wilhelms des Ersten. Stets erscheint er in den Worten des Enkels als ›der hohe Herr‹, als ›mein Herr Großvater‹, als solle die Distanz, die den Fürsten vom Volke trennt, auch in der Geschichte, in dem Andenken der Liebe bestehen. Neben dem Weißbart aber erhebt sich die Gestalt des Helden vom Kyffhäuser, des einzigen, dem es gelungen sei, ›gewissermaßen das Land einmal zusammenzuraffen‹. Aber wie hier der Hohenstaufe, der in weltentlegener Ferne starb, nachdem ihm trotz endloser Kämpfe sein Lebenswerk mißglückt war, statt der nüchtern-klaren und herrschgewaltigen Sachsenkönige als der Einiger des Reiches genannt wird, so entwickelt Kaiser Wilhelm auch den Charakter und das Streben des ersten Hohenzollernkaisers nicht nach den ruhigen Feststellungen der Geschichte, nicht aus den kühlen Daten der Tatsachen, sondern aus der poetischen Anschauung des Romantikers heraus, und statt der historischen Gestalt führt er uns mit dichterischer Schaffenskraft den phantastischen Kaiser der Legende vor. Ihm scheint er dem Cid Campeador zu gleichen, und um sein Andenken soll man sich scharen zum Kampfe gegen die Partei, die es ›wagt, die staatlichen Grundlagen anzugreifen, die gegen die Religion sich erhebt und selbst vor der Person des Allerhöchsten Herrn nicht Halt macht‹. Wir wissen, daß diesem Hoffen die Erfüllung versagt blieb. Zwischen Wollen und Vollbringen, zwischen dem temperamentvollen Wort und der schlichten Tat gibt es unzählige Stufen, und die zündende Losung bedeutet noch keine gewonnene Schlacht. Auch der mächtigste Schall verhallt, auch der Kanonendonner rollt in der Ferne dahin. Königsworte leben aber nur, wenn sie Taten sind, in der Nachwelt weiter.«
[Paul Liman, Der Kaiser, Berlin 1904, S. 98 f.]

»Meine neulich geäußerten Befürchtungen betreffs einer kaiserlichen Zentennar-Rede sind in kaum geahnter Weise in Erfüllung gegangen. Unsere Feinde hier finden es kaum noch nötig, unter scheinheiligem Achselzucken über den eigentlich nicht mehr zurechnungsfähigen hohen Redner ihre helle Freude zu verbergen. Die Nationalgesinnten gleichen einem aufgeschreckten Hühnervolk. Der gebildete süddeutsche Durchschnittspolitiker, auch der klerikale, ist entrüstet über die von S. M. beliebte Geschichtsfälschung und die Bezeichnung der Moltke und Bismarck als Handlanger des erhabenen Herrschers. Auch findet man allgemein den Ausfall gegen die Sozialdemokratie sehr taktlos. Bezüglich der Heiligsprechung (welches Bild für einen Herrscher protestantischen Glaubens!) bemerkt das partikularistisch-klerikale Münchener ›Vaterland‹, wenn das Volk nur erst zu allen Gebeinen deutscher Kaiser wallfahren könne, dann wäre ihm freilich wohler. Wohin treiben wir? Die Scholle noch nicht unterwaschenen Erdreichs, auf der der Vertreter des Reichs in Bayern steht, wird immer kleiner. Eine ähnliche Flut wie der märkische Redeschwall spült sie vollends hinweg. Einstweilen ist jedenfalls der Trumpf, den wir im toten allverehrten Kaiser in der Hand her hatten, unter dem Tisch geworfen, da einen Wilhelm den Großen hier absolut niemand akzeptiert.«
[Graf Anton Monts, ehemaliger preußischer Gesandter in München, am 2. März 1897 an Bülow, zitiert nach: Fürst Bülow, Denkwürdigkeiten, Bd. 1, S. 41]

Noch die eifrigste Bemühung des Kaisers, seinen Großvater als »Wilhelm den Großen« in die Geschichte eingehen zu lassen, blieb erfolglos. Die geschichtliche Wahrheit war stärker als die geschichtliche Phantasie des Kaisers. Die von ihm erstrebte nationale Legendenbildung, in Wilhelm I. die Wiederverkörperung Barbarossas zu erblicken, führte zu einem ehrfurchtslosen Ausverkauf aller historischen Erinnerungen, die sich nicht in die Linie fügten, die von Barbarossa direkt zu den neuen Kaisern führte. Keine Rede mehr von Aachen, von Wien, keine Rede mehr von der Paulskirche, keine Rede mehr von den Idealen aus den gesammelten Werken der Klassiker: die »kleindeutsche Lösung« mit der Vorherrschaft Preußens wurde rückhaltlos als die Erfüllung des Barbarossa-Traumes gefeiert. Der Kyffhäuser wurde mit einer ebenso anmaßenden wie scheußlichen Architektur gekrönt, und aus dem heiligen Berg der Legende wurde ein Aufmarschplatz für Kriegsveteranen, die bei Bier und Würstchen die Schlacht bei Sedan wiederholten, und zu einem sogenannten »Wallfahrtsort« der Schuljugend, die sich um so erleichterter von ihm abwenden konnte, als ihr ja nichts mehr zu tun übrig blieb. Barbarossa war ja wiedererstanden. Also tief beeindruckt und sich ehrlich und selbstgefällig mit dem Lenker aller geschichtlichen Vorsehung einig fühlend, konnte man hochgemut einen Ort verlassen, der so sinnfällig die Richtigkeit eines neuen Ruhms bekräftigte.

[21] Abschiedsrede an den Prinzen Heinrich (15. Dezember 1897)

»Es ist doch etwas Schreckliches um diese Redewut und diese Prahlerei, besonders wenn es sich um Dinge handelt, die der Kaiser nie zu tun gedenkt. Alles ist nun wieder außer sich über die Kieler Reden, besonders die völlig unsinnige des Prinzen Heinrich.«
[Baronin Spitzemberg, Am Hof der Hohenzollern, S. 182]

Kenner der Verhältnisse – oder boshafte Zungen? – ließen übrigens durchblicken, daß der in Untertanenseligkeit schwimmende Antworttext des Prinzen von Wilhelm II. der Einfachheit halber gleich mitaufgesetzt worden sei.

»Das Wort von der gepanzerten Faust sollte namentlich in der englischen Übersetzung als ›mailed fist‹ bei allen Angriffen der uns feindlichen Presse viele Jahre immer wiederkehren und in den Augen der Welt aus dem im Grunde gutmütigen und wohlwollenden, jedenfalls unkriegerischen Wilhelm II. einen neuen Dschingis-Chan machen.«
[Fürst Bülow, Denkwürdigkeiten, Bd. 1, S. 204]

[24] Ansprache an das Kunstpersonal der Königlichen Schauspiele (16. Juni 1898)

In einer Bilanz, welche die (von Eugen Diederichs in Jena ins Leben gerufene) sozial-religiöse Monatsschrift für deutsche Kultur ›Die Tat‹ (5. Jg., Heft 6, 1913) anläßlich des 25-jährigen Regierungsjubiläums des Kaisers zog, schrieb Hans von Hülsen zum Thema ›Der Kaiser und das Theater‹ u. a.:
»Den Kaiser aber erblickt man nur in den Königlichen Theatern; dort herrscht er, dort wird ihm geboten, was ihm zusagt, dort ist das Repertoire der Ausdruck seines persönlichen Geschmacks: im Opernhause Wagner, im Schauspielhause Kadelburg. Bitte, Kadelburg wirkt unleugbar patriotisch und staatserhaltend, denn die vielen schmucken Uniformen in seinen Stücken wecken und stärken – namentlich bei den Backfischen – die Begeisterung für das deutsche Militär . . .! – Um aber ernsthaft zu reden, so sei gerade herausgesagt, daß es mit dem Repertoire des Schauspielhauses während der Regierungszeit des Kaisers merklich bergab gegangen ist; und wenn Wilhelm II. wirklich in dem Glauben leben sollte, die dort zur Anschauung gebrachten Stücke seien das, was von unserer dramatischen Kunst die Gegenwart

überdauern wird – so ist es nur ein Akt der Ehrlichkeit, ihn darauf aufmerksam zu machen, daß dieser Glaube ein Irrtum ist.

Mir erscheint es durchaus begreiflich, daß jemand, der den ganzen Tag dem anstrengenden und verantwortungsvollen Geschäft des Regierens obgelegen hat, am Abend nichts sehen oder hören will, was außerordentliche Anforderungen an die zerebralen und seelischen Fähigkeiten stellt. Aber es erhebt sich dagegen doch die Frage, ob es in Berlin nicht leichte Stätten gibt, wo leichte Genüsse ausgeschränkt werden, und ob gerade das Königliche Schauspielhaus, in dem weite Kreise der Kunstfreunde trotz aller Enttäuschungen immer noch so etwas wie ein Nationaltheater sehen – ob gerade diese durch die historische Tradition ebensosehr wie durch das Massenzutrauen geweihte Bühne der Tummelplatz des kaiserlichen Geschmackes und die Triumphstätte der Herren Kadelburg, Blumenthal und Lauff – pardon: von Lauff! – sein muß. Mir will scheinen, daß das nicht nötig ist – daß es besser stände, wenn das Schauspielhaus nicht einzig und allein für den Kaiser da wäre.

Während der letzten Spielzeit zum Beispiel prädominierten auf dem Spielplan Stücke wie ›Der große König‹, ein rührend kindliches Festspiel, ein gesprochenes Opernlibretto; das Lustspiel ›Der Austauschleutnant‹, dessen Verfasser ich bedaure vergessen zu haben; ›Ein Waffengang‹ von Herrn Oskar Blumenthal; ›Wieselchen‹ von Leo Lenz – schon die äußerste Harmlosigkeit – und ähnliche.

Paul Lindau zeichnet für alles dies verantwortlich; aber im letzten Grunde ist nicht er dafür verantwortlich zu machen, sondern der Geschmack des Kaisers, dem er sich fügt und ja wohl fügen muß; letzten Grundes und dem Geiste nach ist der Kaiser sein eigener Dramaturg, Regisseur und leider, ach! auch – Dekorateur, und daher kommt es, daß lautes Pathos ›historische Treue‹, Schwertergerassel, Pomp, Dekorationssucht und ähnliche Dinge, die die neuere Bühnenkunst längst über Bord geworfen oder doch sehr geläutert hat, immer noch, wie vor einem Menschenalter auf dieser Bühne herrschen; daher kommt es, daß das Königliche Schauspielhaus lediglich ein höfisches Institut ist und im Kunstleben der Gegenwart gar keine Rolle spielt.«

[25] Galatafel in Oeynhausen. Die ›Zuchthaus-Rede‹ (6. September 1898)

Erich Eyck nennt die ›Zuchthaus-Rede‹ »die unausweichliche Folge der kaiserlichen Redewut«. Wilhelm Schröder hat eine Quelle ausfindig gemacht, die den Pastor von Bodelschwingh als den Anreger zu dieser Rede bezeichnet. In der ›Neuen Westfälischen Volkszeitung‹ stellte der Pastor die Vorgeschichte wie folgt dar:

»Wir standen hier gerade in dem Waschhause von Wilhelmsdorf vor dem Reinigungsofen der Wanderarmen, dem Se. Majestät besondere Teilnahme zuwandte. Der Kaiser sprach gegenüber einer gegenteiligen Ansicht seine Überzeugung aus, daß schon dies eine große Barmherzigkeit sei und den Mut zur Arbeit wieder neu beleben müßte, wenn ein solch armer Wanderer, von Ungeziefer gründlich gereinigt, in reinen neuen Kleidern sich fühlte, und fragte, wie lange es dauere, bis solch neue Kleider zu verdienen seien. Ich sprach von der großen Schwierigkeit unserer Lage, die rechte Mitte zu treffen, um nicht zu viel und zu wenig zu gewähren, und daß wir mit der Barmherzigkeit auch stramme Zucht verbinden müssen – *ohne Zucht und stramme Ordnung sei keine Barmherzigkeit möglich*. Namentlich sei es auch Pflicht der Gesetzgebung, daß der nationalen Arbeit voller Schutz gewährt werden müsse gegen die Tyrannei derjenigen, welche den freien Mann, der arbeiten will, durch Drohungen an seiner freien Arbeit hindern!«
[Zitiert nach: Wilhelm Schröder, Das persönliche Regiment. Reden und sonstige öffentliche Äußerungen Wilhelms II., München 1907, S. 63]

Der Entwurf eines Gesetzes »zum Schutze des gewerblichen Arbeitsverhältnisses« ging im Juni 1899 dem Reichstag zu, am 20. November 1899 lehnte der Reichstag die Vorlage ab. Innerhalb von zehn Jahren hatte sich die Ansicht des Kaisers, die soziale Frage betreffend, genau in ihr Gegenteil gewandelt. Jetzt wollte er die strengen Maßnahmen, die Bismarck damals gefordert hatte (vgl. [2, 3]).

[27] Tischrede in Damaskus (8. November 1898)

» ›Und wie haben Dir die Reden des Deutschen Kaisers während seines Besuches in Palästina gefallen?‹ fragte der Zar trocken in einem Brief seine Mutter. Die Kaiserin Marie ließ ihn nicht im Zweifel über ihre Gefühle: ›Die Bilder von der Reise durch das Heilige Land hätten mich zum Lachen gebracht, wenn die ganze Sache nicht so empörend wäre‹, antwortete sie Nikolaus. ›Alles aus purer Eitelkeit, nur damit darüber gesprochen wird! Diese Pilgerkutte, diese Pose eines Oberpastors, der Frieden auf Erden predigt mit einer Donnerstimme, als ob er seine Truppen kommandierte, und sie [die Kaiserin] mit dem großen Kreuz in Jerusalem, all das ist vollkommen lächerlich und zeigt nicht eine Spur von religiösem Gefühl – abscheulich! Und dann, was für ein hübscher Anblick, wie sie beide auf dem Berge Sinai knien und vom Hauslehrer ihrer Kinder gesegnet werden, den man eigens zu diesem Zweck mitgebracht hat! . . . Aber genug davon – es macht mich zu ärgerlich – es macht mir sogar Herzklopfen, wenn ich davon schreibe, und es lohnt sich auch wirklich nicht.‹« [Virginia Cowles, Wilhelm der Kaiser, S. 153 f.]

Außenpolitisch hatte es der Kaiser – die 300 Millionen Mohammedaner seiner Freundschaft versichernd – sowohl mit den Engländern als auch mit den Russen verdorben; bloß einer rednerischen Pose willen. Innenpolitisch gab die Palästina-Reise, mit einem Gefolge von 50 Personen – und einem halben Schiff »voller Kirchenlichter« (lies: hohen evangelischen Geistlichen) Anlaß zu neuen Strophen des alten Liedes vom »Reisekaiser«. Frank Wedekind hat das Ereignis für den ›Simplizissimus‹ unter dem Pseudonym »Hieronymos« in neue Strophen umgesetzt. Ein Gedicht, dessen Folgen – Majestätsbeleidigung – er sich durch Flucht entzog. Einige Strophen des Gedichtes lauten:

Willkommen, Fürst, in meines Landes Grenzen,
Willkommen mit dem holden Ehgemahl,
Mit Geistlichkeit, Lakaien, Excellenzen,
Und Polizeibeamten ohne Zahl.
Es freuen rings sich die histor'schen Orte
Seit vielen Wochen schon auf deine Worte,
Und es vergrößert ihre Sehnsuchtspein
Der heiße Wunsch, photographiert zu sein.

Ist denn nicht deine Herrschaft auch so weise,
Daß du dein Land getrost verlassen kannst?
Nicht jeder Herrscher wagt sich auf die Reise
Ins alte Kanaan. Du aber fandst,
Du seist zu Hause momentan entbehrlich;
Der Augenblick ist völlig ungefährlich;
Und wer sein Land so klug wie du regiert,
Weiß immer schon im voraus, was passiert.

So sei uns denn noch einmal hochwillkommen,
Und laß dir unsre tiefste Ehrfurcht weihn,
Der du die Schmach vom heilgen Land genommen,
Von dir bisher noch nicht besucht zu sein.
Mit Stolz erfüllst du Millionen Christen;

Wie wird von nun an Golgatha sich brüsten,
Das einst vernahm das letzte Wort vom Kreuz
Und heute nun das erste deinerseits.

Der Menschheit Durst nach Thaten läßt sich stillen,
Doch nach Bewundrung ist ihr Durst enorm.
Der du ihr beide Durste zu erfüllen
Vermagst, seis in der Tropen-Uniform,
Sei es in Seemannstracht, im Purpurkleide,
Im Rokoko-Kostüm aus starrer Seide,
Sei es im Jagdrock oder Sportgewand,
Willkommen, teurer Fürst, im heilgen Land!

Hieronymos

[Simplizissimus, 3. Jg., Nr. 31]

Übrigens: Nachfolger Wedekinds als satirischer »Dichter« wurde Ludwig Thoma, der im ›Simpl‹ als »Peter Schlemihl« großen Erfolg haben sollte.

[32] An das erste Expeditionskorps für China (2. Juli 1900)

Bülow schreibt in seinen ›Denkwürdigkeiten‹ (Bd. 1, S. 358 f.):
»Hohenlohe und ich wollten diese Rede nicht veröffentlichen lassen, sie war aber von Seiner Majestät sofort und direkt an den Vertreter von Wolffs Telegraphenbüro gegeben worden, bevor das Diner zu Ende war. Um zu verhindern, daß solche kaiserlichen Ergüsse unsere Politik aus ihrem Geleise brachten, richtete ich aus Wilhelmshaven am 2. Juli an das Auswärtige Amt die nachstehende telegraphische Direktive: ›Auch nach der Ermordung des Freiherrn von Ketteler wird unsere Politik in Ostasien eine besonnene, ruhige und nüchterne bleiben. Wir werden insbesondere vermeiden, was die Eintracht unter den Mächten stören könnte, weiter Fühlung mit Rußland halten, England nicht abstoßen, auch Japan und Amerika freundlich behandeln. Die Situation hat sich aber insofern durch die Niedermetzelung unseres Gesandten verändert, als es jetzt vor allem darauf ankommt, der Nation zu zeigen, daß diejenigen, die ihre Geschäfte führen, das deutsche Ansehen und die deutsche Ehre mit Schnelligkeit und Nachdruck zu wahren wissen. Dies ist die Politik, die ich bei Seiner Majestät dem Kaiser vertreten habe und welche die Allerhöchste volle Zustimmung fand.‹«

Die ›Humoristischen Blätter‹ Wien brachten eine Karikatur ›Kein Abschied mehr ohne Rede‹, die den Kaiser zeigt, wie er den südwärts ziehenden Schwalben nachruft: »Geht, fliegt fort, o Vögel, aber vergeßt nicht, daß ihr Deutsche seid, und tut eure Pflicht!« (Wiedergegeben in: Grand-Carteret, »ER« im Spiegel der Karikatur, S. 80.)

[35] Truppenbesichtigung in Bremerhaven. Die ›Hunnen-Rede‹ (27. Juli 1900)

Der deutsche Gesandte in Peking, Freiherr Klemens von Ketteler, wurde am 20. Juni 1900, während des sogenannten Boxer-Aufstandes von fremdenfeindlichen Chinesen in Peking auf der Straße erschossen. Da gleichzeitig die meisten anderen europäischen Gesandtschaften von den Aufständischen eingeschlossen wurden, bangte man auch um deren Schicksal. Die verschiedenen Mächte entsandten zum Schutze ihres Personals Truppen nach China; Rußland stellte den größten Teil, aber Deutschland war durch die Ermordung seines Gesandten herausfordernd beleidigt worden.

Dies war auch ein Grund dafür, daß die Truppen unter einen deutschen Oberbefehlshaber gestellt werden, »aber die unwürdige Form, in welcher Wilhelm II. bei den Mächten betteln ging, um zu erreichen, daß der von ihm für diesen Posten bereits ausersehene Feldmarschall Graf Waldersee in Vorschlag gebracht würde, konnte in keiner Weise dazu dienen, das Ansehen des Deutschen Reiches zu erhöhen. Im Gegenteil, er machte nur sich selbst und somit das Reich in den Augen des Auslandes im höchsten Grad lächerlich«. So berichtet ein damals aktiver deutscher Diplomat, Botschaftsrat a. D. Hermann Freiherr von Eckardtstein (Lebenserinnerungen und politische Denkwürdigkeiten, Leipzig 1920, Bd. II, S. 187): Um die Ernennung eines deutschen Feldmarschalls zum »Weltmarschall« entstand ein kleiner Skandal. Die Franzosen stimmten übrigens erst am 14. August zu, am nächsten Tag wurde Peking von europäischen, japanischen und amerikanischen Truppen (unter einem russischen Oberbefehlshaber!) eingenommen – die ganze Aktion Waldersee war also verpufft. Diesem kleineren Skandal folgte der größere, die Rede des Kaisers. Schon am 19. Juni – Ketteler war irrtümlich für tot erklärt worden – hatte Wilhelm II. an Bülow ein Telegramm gerichtet, in dem u. a. zu lesen war: »Peking muß dem Erdboden gleichgemacht werden ... Der Deutsche Gesandte wird durch Meine Truppen gerächt. Peking muß rasiert werden!« (Große Politik der Europäischen Kabinette, Nr. 4527.) Nicht weniger rachsüchtig ging es in der Bremerhavener Rede zu. Gewiß, im amtlichen Wortlaut der Rede kommt das Wort »Hunnen« nicht vor; nichtsdestoweniger ist es gefallen. Die Presse hat es gehört, und es wurde in aller Welt verbreitet. Wir wissen einen unverdächtigen Zeugen, den deutschen, konservativ eingestellten Kulturkritiker Max Kemmrich (Moderne Kultur-Kuriosa, München 1926, S. 7). Er schreibt:

»Ich habe als eine der ganz wenigen Zivilpersonen diese Rede mit eigenen Ohren gehört und kann feststellen, daß sie noch wesentlich schärfer lautete, als der spätere offizielle Text wahrhaben wollte. Aber an der Tatsache, daß uns die hunnische Kriegführung und ›Gefangene werden nicht gemacht! Pardon wird nicht gegeben!‹ als vorbildlich hingestellt wurde, ist von keiner Seite gerüttelt worden.«

Der Herausgeber der offiziellen Kaiser-Reden, Johannes Penzler, vergißt nicht anzumerken, daß der Eindruck der Rede auf die zunächst Beteiligten »groß« gewesen sei. Ein Freiwilliger des 1. Ostasiatischen Infanterie-Regiments habe darüber nach Haus geschrieben:

»Nachdem der Kaiser die Front entlanggegangen war und jedes Bataillon, jede Abteilung oder Schwadron einzeln begrüßt hatte, schilderte er in beredten Worten die jetzige Lage und wies darauf hin, daß dergleichen himmelschreiendes Unrecht in der Weltgeschichte noch nicht verzeichnet wäre, stellte aber auch die Schwierigkeit der Aufgabe, die wir uns gestellt, ins rechte Licht, und betonte, daß wir einen ebenbürtigen Gegner in der Ausrüstung und Ausbildung, in der Anzahl aber einen zehnfach überlegenen Gegner vor uns hätten. Aber, so lauteten ungefähr seine Worte, ihr werdet und müßt ihn schlagen mit Gottes Hilfe, und zwar so, daß der Chinese in Jahrtausenden noch nicht daran denken soll, die Hand gegen einen Deutschen zu erheben, und sehr erregt und gewaltig wurde seine Stimme bei den Worten: ›Auf Berufung eures Mir geleisteten Fahneneides verlange Ich, daß ihr keinen Pardon gebt, Gefangene werden nicht gemacht, denn ihr sollt die Rache der in jüngster Zeit verübten Greuel sein.‹ Dann folgten einige Abschiedsworte, und mit den Worten ›Adieu, Kameraden‹ endete die für mich und vielleicht für viele andere unvergeßliche Kaiserrede.«

Über den politischen Eindruck schreibt Fürst Bülow, damals Staatssekretär, in seinen ›Denkwürdigkeiten‹ (Bd. 1, S. 359 f.):

»Die schlimmste Rede jener Zeit und vielleicht die schädlichste, die Wilhelm II. je gehalten hat, war die Rede in Bremerhaven am 27. Juli 1900. Als Hohenlohe und ich dort eintrafen, erblickten wir am Hafen, wo die für Ostasien bestimmten Truppen aufgestellt waren, ein hölzernes Gerüst. Es wurde darüber hin- und hergeredet, welchem Zweck es dienen sollte. Die einen meinten, daß sich die Feuerwehr von Bremerhaven an diesem Turm für Feuersbrünste einexerziere, andere glaubten, die Matrosen sollten hier Turnübungen anstellen. Plötzlich erschien der Kaiser und erkletterte die, wie sich jetzt herausstellte, für ihn errichtete Redekanzel. In der Rede, die er von diesem Podium mit scharfer, weithin reichender Stimme hielt, befand sich der Satz: ›Pardon wird nicht gegeben, Gefangene werden nicht gemacht! Wie vor tausend Jahren die Hunnen unter König Etzel sich einen Namen gemacht haben, der sie noch jetzt in Überlieferung und Märchen gewaltig erscheinen läßt, so möge der Name Deutscher in China auf tausend Jahre durch euch in einer Weise betätigt werden, daß niemals wieder ein Chinese es wagt, einen Deutschen auch nur scheel anzusehen.‹ Noch während der Kaiser sprach, setzte ich mich mit dem Direktor des Bremer Lloyd, dem verständigen Herrn Wiegand, in Verbindung, um alle anwesenden Journalisten darauf zu verpflichten, daß sie diese Rede nicht ohne vorherige Korrektur durch mich veröffentlichen würden. Diese Zusage wurde auch von allen gegeben und loyal gehalten.

Als ich auf die ›Hohenzollern‹ zurückkehrte, meldete sich ein Berliner Publizist bei mir, der die Rede wörtlich nachstenographiert hatte und glücklich war, sie als erster seinem Blatt telegraphieren zu können. Auf mein Zureden erklärte er sich in anständiger Weise bereit, auf diese Primeur zu verzichten und die Kraftstellen der kaiserlichen Ansprache zu unterdrücken. Während der Kaiser gesprochen hatte, war das Gesicht des einundachtzigjährigen Fürsten Hohenlohe immer länger geworden. Er hatte mir kaum drei Monate vorher telegraphiert: ›Seien Sie versichert, daß ich, solange ich noch fähig bin, mein Amt zu verwalten, glücklich sein werde, auf Ihre Mitarbeit rechnen zu dürfen.‹ Jetzt meinte er, indem er sich mit resigniertem Gesicht mir zuwandte: ›Das kann ich unmöglich im Reichstag vertreten, das müssen Sie versuchen.‹ Bei der Abendtafel wurden die Zeitungen gebracht. Der Kaiser griff nach ihnen und war sehr verwundert, seine Rede nur in der ihr von mir gegebenen Fassung, d. h. unter Weglassung der bedenklichen Wendungen, zu finden. ›Sie haben ja gerade das Schönste weggestrichen‹, meinte er zu mir, der ich ihm gegenübersaß, weniger erzürnt als enttäuscht und betrübt. Da wurde ein kleines, in Wilhelmshaven erscheinendes Blatt gebracht, das die kaiserliche Rede in extenso veröffentlicht hatte. Ein Mitarbeiter dieses Blättchens hatte, auf einem Dache sitzend, die Rede nachstenographiert und sofort publiziert, ohne daß Wiegand oder ich es hatten hindern können. Er hatte auch schon die betreffende Nummer seines Blattes nach Bremen, Hamburg, Hannover, Emden und Berlin in Tausenden von Exemplaren expediert, froh über das gute Geschäft, das er machen würde. Der Kaiser war entzückt, als er nun seine Rede in ihrem vollen Wortlaut las, aber weniger erfreut, als ich, während er nachher seine Zigarre rauchte, ihn über seine Auslassungen zur Rede stellte ... Im Reichstage bin ich einige Monate später mit den gegen den Kaiser gerichteten Angriffen in der Tat fertig geworden. Was ich aber nicht verhindern konnte, war, daß, als Kurzsichtigkeit und plumpes Ungeschick uns in den Krieg straucheln ließen, die französische und noch mehr die englische und die amerikanische Propaganda gerade mit der ›Hunnen-Rede‹ des deutschen Kaisers arbeitete, um die Welt gegen uns aufzuhetzen. Wenn das gute und edle deutsche Volk, das im besten Sinne humaner denkt und fühlt als irgendein anderes Volk in beiden Hemisphären, von Millionen ›the huns‹, ›les huns‹, ›die Hunnen‹, genannt wurde, so war das eine Folge jener unseligen Rede, die Wilhelm II. in Bremerhaven gehalten hatte.«

Bülows Versicherung, daß er das Unglück dieser Rede sogleich erkannt habe, muß man nicht aufs Wort glauben – legte er sie doch erst viel später ab, als es für ihn gefahrlos war. Damals, als Staatssekretär des Auswärtigen Amtes, und bald darauf, als Reichskanzler, stand er zum Kaiser.

Auch der Kriegsminister, Herr von Goßler, hatte die Rede vor dem Reichstage zu verteidigen; er ist ungeschickter vorgegangen als Bülow, und als sich seine Ausführungen zu seltsamen Entschuldigungen verstiegen, kam es zu Heiterkeitsausbrüchen – eine Komödie nach der Tragödie. Herr von Goßler sagte:

»Das Wort Hunnen ist jetzt in die sozialdemokratischen Blätter übergegangen. Es stammt aus einer Bremerhavener Kaiser-Rede. Aber es ist aus dem Zusammenhang gerissen worden; man muß dem ganzen Gedankengang der Kaiser-Rede nachgehen, und dann kann man doch die Auffassung vertreten, daß der jetzige Feldzug gegen China ein Rachefeldzug auch wegen der Greueltaten ist, die die Mongolen vor 1500 Jahren in Deutschland und Europa begangen haben. (Stürmische Heiterkeit.) Gottes Mühlen mahlen langsam, aber sicher. (Stürmische Heiterkeit.) Man muß die Weltgeschichte nicht nach Einzelheiten betrachten, sondern sie nehmen, wie sie im ganzen ist. (Erneute Heiterkeit.)«
[Zitiert nach: Max Kemmrich, Moderne Kultur-Kuriosa, S. 8]

[36] Seepredigt (29. Juli 1900)

Zwei Tage nach der Hunnenrede, noch ganz eingenommen von seinen chinesischen Kriegs- und Racheplänen, hielt der Kaiser an Bord der »Hohenzollern« auf der Höhe von Helgoland einen Schiffsgottesdienst in eigener Person ab. Kirchenrechtlich stand dem nichts im Wege, wenn Wilhelm II. auch der erste war, der von diesem Recht Gebrauch machte. Schließlich schrieb er auch die Predigttexte zu den hohen Nationalfeiertagen seinen Oberhofpredigern genau vor – solche Anweisungen gibt es handschriftlich –, und so nahm er denn auch die Gelegenheit wahr, wenn auf Seereisen kein Pfarrer an Bord war, den Schiffsgottesdienst in höchst eigener Person zu halten, und zwar mit eigener Predigt. Damit nicht genug, am 30. Dezember 1898 konnten die Berliner Blätter melden:

»Der Kaiser hat durch den Feldprobst der Armee ein Predigtbuch für die Kriegsschiffe der Marine herrichten lassen. Nach diesem Buche soll auf den Kriegsschiffen, die keinen Geistlichen an Bord haben, von dem damit betrauten Offizier die Andacht nach der Gottesdienstordnung abgehalten werden. Gleichzeitig ist der Wunsch ausgedrückt worden, daß auch auf den Schiffen der Handelsmarine bei der Abhaltung des Gottesdienstes für die Mannschaft und Passagiere von dem Kommandanten bzw. dem die Sonntagsandacht leitenden Offizier dieses Buch in Gebrauch genommen wird. Hiermit wird demnächst auf den überseeischen Handelsdampfschiffen Hamburgs der Anfang gemacht werden.«

Die Berliner Blätter meldeten weiter, daß der Kaiser, wenn er mit der »Hohenzollern« ausfahre, sonntags auf dem Schiffsdeck Andachtsdienst anordne und dabei selbst als Prediger auftrete. Solche Predigten dauerten zuweilen mehrere Stunden. Während dem Kaiser bisher zu diesen Andachten aus Berlin ein Predigttext zugesandt worden sei, den er zur Verlesung brachte, sollte jetzt *sein* Predigtbuch eingeführt werden.

Über den Hergang eines solchen kaiserlichen Predigtgottesdienstes berichtet Philipp Eulenburg unterm 21. Juli 1889:

»Sonntag. Um 10 Uhr versammelten wir uns auf Vorderdeck. Über einen Kasten war die Kriegsflagge gedeckt, und der Kaiser nahm seinen Platz am Altar ein. Er hatte den Stern des Schwarzen Adler-Ordens angelegt, und seine Figur hob sich von dem großen preußischen Adler der zweiten Flagge ab, die den Mast umhüllte. In zwei Reihen standen die Matrosen und wir dem Altar gegenüber. Nach Verlesung des Evangeliums und der Epistel las der Kaiser eine kurze Predigt und schloß den Gottesdienst mit dem ›Vaterunser‹ und dem Segen. Der Tag war hell und klar. Wir fuhren zwischen herrlichen Felseninseln hin, während der geliebte Kaiser in seiner schlichten, geraden Art uns Gottes Wort vortrug. Welcher deutsche Kaiser hat wohl

je in solcher Form und Umgebung seines priesterlichen Amtes gewaltet? Es hatte etwas außerordentlich Bewegendes, diesen in Jugend und Frische strahlenden Herrn so schlicht und einfach seine Glaubensüberzeugung, seine Zugehörigkeit zum Christentum bekennen zu sehen. Ich mußte ihm aus tiefstem Herzen dafür danken, und es erfreute mich, in Waldersee die gleiche Stimmung, die mich bewegte, wiederzufinden.«
[Philipp Eulenburg, Mit dem Kaiser als Staatsmann und Freund, Dresden 1931, 1. Bd., S. 58 f.]

[40] Die wahre Kunst (18. Dezember 1901)

Mutiger als die bürgerlichen Politiker ihrer Zeit nahmen die bürgerlichen Schriftsteller zu den Kaiser-Reden Stellung. So hatte der Herausgeber der recht konservativen Zeitschrift ›Der Kunstwart‹, Ferdinand Avenarius, im Leitartikel seines ersten Novemberheftes 1901 zur »Siegesallee« Stellung genommen:

»Stimmen, die dagegen sprachen, Stimmen, die auch das Unkünstlerische der ganzen Anlage zeigten, wurden nicht gehört. Und so ward mit der Siegesallee wiederum nicht Kunst als Lebensvermittlerin gebildet, sondern Dekoration und Scheinkunst zu einem politischen Zweck, zur Verherrlichung der Dynastie, und zwar ohne Auswahl unter ihren Gliedern, ohne Rücksicht darauf, ob der einzelne einer Verherrlichung oder der Vergessenheit im Volke wert war. Daß für den Kaiser das dynastische Interesse auch in Kunstfragen den Ausschlag gab, sprach er klar aus, indem er Menzel den Schwarzen Adler-Orden nicht seiner künstlerischen Verdienste halber, sondern ausdrücklich wegen seiner Verdienste um die Dynastie der Hohenzollern verlieh. Der Abstand zwischen einem Menzel und einem Anton Werner, für uns eine Welt weit, war deshalb für den Kaiser nicht groß. Er zeichnete auch diesen, er zeichnete noch unbedeutendere Maler mit warmer Anerkennung aus. Er ließ durch Knackfuß Entwürfe in so schwächlicher Weise ausführen, daß es für uns nicht einzusehen war, weshalb die Meinung, sie rührten vom Kaiser selbst her, nicht in des Kaisers Interesse dementiert wurde. Aber es kam auch kein Dementi, als später behauptet wurde, die künstlerisch völlig verunglückten Jubiläumsgedenkmünzen, die neuen Briefmarken, ja, die Jahrhundertpostkarten hätten die Billigung Seiner Majestät gefunden. Da sich's, besonders bei den Briefmarken, trotz ihrer Kleinheit um sehr wichtige Äußerungen der deutschen Kunst handelte, so war jedenfalls nicht ohne weiteres anzunehmen, daß dem Kaiser diese Entwürfe *nicht* vorgelegen hätten.

Es ist nicht nötig, an noch mehr zu erinnern. Wenn Wilhelms I. politischer Ruhm darin wurzelte, daß er große Männer heranzog und wirken ließ, so könnten wir auf dem Gebiete der Kunstpflege nur dem wirklichen Ruhm zuerkennen, der den großen Künstlern seiner Zeit Raum zur Betätigung schaffte, wie das ›der Medizäer Güte‹, wie das die Einsicht Karl Augusts und Wagner gegenüber die Begeisterung Ludwigs II. taten, indem sie die eigenen Laienwünsche der Führung durch den Geist des echten Künstlergenies *unterordneten*. Wilhelm II. kann gar nicht so denken. Wir wissen nicht, ob seine persönliche Veranlagung dem widerstreitet, aber das wissen wir um so bestimmter: wenn er auch zehn Mal mit ganzem Herzen das wahre Wesen der Kunstpflege erkannt hätte – so hätte ihm das Verhalten seiner Umgebung diese Erkenntnis hundert Mal umschleiern müssen.«

Schon im zweiten Januarheft 1902 setzte sich der ›Kunstwart‹ ebenfalls in einem Leitartikel mit der Kaiser-Rede ›Die wahre Kunst‹ auseinander. Avenarius schrieb:

»Gebe Gott, daß es wahr ist: ›dem deutschen Volk sind die großen Ideale zu dauernden Gütern geworden‹. Daß wir sie halten, müssen wir sie sehen, daß wir sie vor uns hinstellen können, müssen wir sie gestalten, wie sie *in* uns sind. Aber wir leben nicht vor zweitausend, noch vor fünfhundert Jahren, wir leben *heute*, und wenn wir nicht spielen noch lügen sollen, so kristallt sich auch unsere Kunst aus der Welt, die um uns jubelt und weint, singt und stöhnt, wie der Himmel ihr's heißt. Und wenn wir nicht lügen sollen, so werden wir auch von einem Ideale nicht sagen können ›ich seh es so‹, weil's der Kaiser so sieht, und wenn wir keins sehen, wo er bewundert, so werden wir sagen müssen ›ich sehe keins‹.

›Die Kunst‹, sagte der Kaiser noch, ›soll mit helfen, erzieherisch auf das Volk einzuwirken.‹ Gewiß, das soll sie, aber wir fürchten, wir verstehen dabei etwas andres als Seine Majestät. Es gab eine Zeit, da das Lesen nur bei wenigen war, und man fand's gut so. Das Lesen der Begriffssprache ist heute ein Allgemeingut, das Lesen der Phantasiesprache aber, d. h. der Kunst, ist im Gegenteil eingeengt worden auf wenigere, als ehedem. Wir wünschen, daß es wieder verbreitet werde, weil sich unendlich vieles nicht anders von Seele zu Seele mitteilen läßt, als so ... Wir möchten auch aus dem Austausch des Gefühls- und Phantasielebens der Nation möglichst viele sich nähren sehen. Nach allen bisherigen Handlungen des Kaisers müssen wir aber annehmen, daß ihm im Mittelpunkte der Wünsche nicht diese Stärkung der empfangenden Organe steht, die nach *allen* Richtungen hin den Menschen bereichert, sondern daß er nur nach bestimmten politisch ausgewählten Richtungen hin durch die Kunst als Dienerin ›erziehen‹ will. Nun sind wir keine Gegner der Tendenzkunst schlechthin; das Verlangen, im bestimmten Sinn zu erregen und zu bewegen, kann so gut wie ein anderer Seelenzustand den eigentlichen Gehalt eines echten Kunstwerkes bilden. Wäre der Kaiser selbst ein Künstler, vielleicht könnt' er uns solcherlei Werke aus seiner heiligen Überzeugtheit vom Gottesgnadentum heraus geben, echte Kunstwerke, obgleich für die meisten des Volkes wahrscheinlich befremdende. Auf dem Wege der heutigen Hofkunst aber kann Kunst im eigentlichen Sinn überhaupt nicht entstehn. *Er* gibt den Gedanken, *sie* gehn an die Arbeit. *Er* behält die Direktive, *sie* richten sich danach. Bewege du die Massen, heißt's, aber ihr Schwerpunkt hat an dieser Stelle zu liegen. Also nicht im Nebensächlichen ist ihre Arbeit gebunden, sondern im Mittelpunkte des Wesentlichen. Dadurch wird die preußische Hofkunst zu einer Arbeit zweiter Hand mit geschickt gemachten Figurendekorationen ohne organisches Eigenleben. Ist der Charakter der beauftragten Herren gar zu entgegenkommend, so kann das Schauspielern sogar zur Fälschung führen. Es braucht kein plumpes Geschichtsfälschen zu sein, wie's innerhalb des kaiserlichen Künstlergefolges auch vorgekommen sein soll – in der Kunst fälscht man schon, wenn man etwas anders darstellt, als man *fühlt*. Und was ist wichtiger, als daß die Kunst, die ins Volk dringt, wahrhaftig sei? Ließe sich das Volk bewegen, ein Vornehmen von Anempfundenem als Ausdruck der besten Gemütskraft zu nehmen, so wäre die gegenwärtige ästhetische Unkultur solcher Verbildung sicher noch vorzuziehn. Es sind *sittliche* Werte, die hier in Frage stehn.

Wo das Eingreifen von Monarchen der Kunst zum Segen gewesen ist, hat es stets dem Neuen, dem Werdenden zum Durchbruch verholfen, indem es seinem Geiste den Arm lieh. Im alten Griechenland gab's ja überhaupt keine Hofkunst, in der Renaissance aber, auf die sich der Kaiser gleichfalls beruft, gab's allerdings eine: die *Neuerer* beschäftigte sie, den rücksichtslosesten sogar, nicht ›unsern‹, sondern den echten Michelangelo ...

Auch heute ist unser Ergebnis das: wir brauchen eine allgemeinere *bewußte Unterscheidung* zwischen der Hofkunst und der eigentlichen Kunst. Wo die preußische Hofkunst als jene Repräsentations- und dynastische Agitationskunst aufgefaßt wird, die sie ihrem Wesen nach ist, wird sie keinem schaden und manchen erfreuen. Aber sie hat mit jener Kunst, die das Fühlen und Schauen der führenden Geister der Nation mitzuteilen strebt und dadurch den Austausch und die Weiterentwicklung dieses Fühlens und Schauens bewirkt, nur die äußerlichen Mittel gemein. Soweit unsre Maler und Bildhauer zu Künstlern im *eigentlichen* Sinne gerechnet werden wollen, werden sie in höherem Maße als es im Zeitalter der Titel, Orden, Medaillen und lukrativen Dekorationsaufträge geschieht, ihre Unabhängigkeit wahren müssen, wie schwer und bitter es auch sein mag. Uns aber, die wir zum Volke sprechen, bleiben zwei Aufgaben im Vordergrund: einer Vermischung von Hofkunst und eigentlicher Kunst im Volksbewußtsein durch Erziehung zum ›Lesenkönnen‹ echter Kunst entgegenzuarbeiten und: die Allgemeinheit und ihre Vertreter immer wieder an die Notwendigkeit zu erinnern, den zu eigentlicher Kunst Berufenen zum Wohle eben der Allgemeinheit selbst die Arbeit unabhängig zu machen.«

»Es beleidigte sein landesväterliches Herz, daß Künstler so verstockt sein konnten, sich nicht an seinen Hof zu drängen, sich nicht seiner Führung zu unterstellen, daß sie eigene Wege gehen wollten und glauben durften, die kaiserliche Förderung nicht nötig zu haben. Und daß nun gar diese Künstler vom Publikum den seinen vorgezogen wurden, ja daß sie Galeriedirektoren und Universitätsprofessoren sie ernster nahmen als die Koner, Unger, Uphues, Begas, Eberlein – das steigerte seinen Unmut auf das höchste. So ergriff er denn gelegentlich, u. a. bei einem Festbankett zu Ehren der Siegesallee-Künstler, das Wort, um, angetan mit aller Autorität, seinem Unwillen Ausdruck zu geben. Er lobte seine ›Mitarbeiter‹, die andern aber – soweit konnte ihn seine verletzte Ehrliebe treiben! – tat er als ›Rinnsteinkünstler‹ ab.

Und damit war das Band zwischen ihm und der lebenden Kunst, soweit sie wirklich ›Kunst‹ ist, vollends zerrissen! Hatte man bis dahin auf seiten der Künstler den Kaiser auf seine Weise selig werden lassen, ohne den Bekundungen seines persönlichen Geschmackes besondere Aufmerksamkeit zu schenken, so fühlte man sich jetzt beleidigt, absichtlich gekränkt von einem Fürsten, der offenbar niemals die Gelegenheit sich wirklich an Ort und Stelle zu informieren genommen hatte, auf das ungerechteste verspottet. Die Berliner Sezession brachte für ihre nächste Ausstellung ein Plakat, auf dem ein blasses, kränkliches Kind aus einem Rinnstein Rosen pflückt, während ein aufgeputztes, schön frisiertes Mädchen, einen verdorrten Blumentopf in den Händen, verächtlich auf ihr Tun herabblickt. Und das Fernbleiben der Sezession von der Jubiläumsausstellung dieses Jahres hatte gleichfalls seine Ursache in jener für alle Zeiten bedauerlichen Rede des Kaisers!«
[Adolf Behne, Der Kaiser und die Kunst, in: Die Tat, 5. Jg., Heft 6, September 1913]

»Die Siegesallee endlich predigt den künstlerischen Byzantinismus ebenso laut wie die Auffassung des Kaisers vom Fürsten und seinen Handlangern. Sie ist ein vollkommener Ausdruck des Byzantinismus, nicht nur weil sie die Bedeutung einer langen Reihe von Fürsten, von wenigen abgesehen, in einer Weise hervorhebt, die der Geschichte widerspricht, nein, hauptsächlich ist es die Uniformität der Auffassung und Durchführung, das sklavische Befolgen der kaiserlichen Auffassung. Bei einem einzigen Denkmal fällt das nicht so sehr auf, eine so große Ansammlung aber macht dies Gefühl zu dem für den Eindruck Bestimmenden.«
[Graf E. Reventlow, Kaiser Wilhelm II. und die Byzantiner, München (1906), S. 166 f.]

[42] *Nach der Beisetzung Krupps in Essen (26. November 1902)*

In seiner Nummer 268 vom 15. November 1902 brachte der ›Vorwärts‹ den Artikel ›Krupp auf Capri‹:
»Seit Wochen ist die ausländische Presse voll von ungeheuerlichen Einzelheiten über den ›Fall Krupp‹. Die deutsche Presse dagegen verharrt in Schweigen. Wir haben vor einiger Zeit die Angelegenheit angedeutet, mochten sie aber nicht näher erörtern, ehe uns nicht ganz einwandfreie und vollständige direkte Informationen zur

Verfügung standen. Nunmehr aber muß der Fall in der Öffentlichkeit mit der gebotenen ernsten Vorsicht erörtert werden, da er nicht nur ein kapitalistisches Kulturbild krassester Färbung bietet, sondern auch vielleicht den Anstoß gibt, endlich jenen Para. 175 aus dem deutschen Strafgesetzbuch zu entfernen, der nicht nur das Laster trifft, sondern auch unglückselige Veranlagung sittlich fühlender Personen zu ewiger Furcht verdammt und sie zwischen Gefängnis und Erpressung in endloser Bedrohung festhält.

Der Geheime Kommerzienrat Krupp, Mitglied des preußischen Herrenhauses, der reichste Mann Deutschlands, dessen jährliches Einkommen seit den Flottenvorlagen auf 25 und mehr Millionen gestiegen ist, der über 50000 Arbeiter und Angestellte in seinen Betrieben unterhält, in denen das Zentrum der völkermordenden Kriegstechnik liegt, Herr Krupp, den die fremden Fürsten und Staatsmänner zu besuchen pflegen, wenn sie Deutschland durchreisen, gehört zu jenen Naturen, für die der § 175 eine stete Qual und Bedrohung bedeuten würde, wenn nicht auf diesem Gebiete die Gerechtigkeit in Anerkennung der Bedenklichkeit der gesetzlichen Bestimmung die Binde nur selten von den Augen nimmt.

Unter dem Einfluß der kapitalistischen Macht kann eine unglückliche Veranlagung, die den Besitzlosen niederdrückt oder gar zerschmettert, zu einem furchtbaren Quell der Korruption werden, die dann aus einem persönlichen Schicksal eine öffentliche Angelegenheit gestaltet.

Es ist bekannt, daß Herr Krupp seit einiger Zeit auf Capri, der Insel des Kaisers Tiberius, am Südeingang zum Golf von Neapel, eine Villa besaß. In den illustrierten Blättern des Scherlschen Betriebs konnte man Bilder sehen, die bewiesen, daß der Mann auch in seiner Capri-Muße nicht rastete, sondern als Wegebaumeister wunderbare Straßen aufführen ließ und sonst seinen Unternehmerfleiß rastlos betätigte. Aber Herr Krupp hatte sich nicht Capri gewählt, um die Insel mit Straßen zu beglücken, sondern weil das italienische Strafgesetzbuch keinen besonderen § 175 kennt.

In seiner verschwenderisch ausgestatteten Villa – wir geben nur einige der notwendigsten Einzelheiten wieder, die uns unser italienischer Korrespondent uns berichtet – huldigte er mit den jungen Männern der Insel dem homosexuellen Verkehr.

Die Korruption war bis zu einer solchen Höhe gediehen, daß man bei einem Photographen von Capri gewisse, nach der Natur aufgenommene Bilder sehen konnte. So war also die Insel Capri, wo das Geld Krupps das hierzu nötige moralische Terrain vorbereitet hatte, ein Zentrum homosexuellen Verkehrs geworden. Die neapolitanische Presse wußte darum, aber sie schwieg.

Man erzählt, daß im Vorjahre das ›Matino‹ – das Organ der Kamorra, das gegenwärtig vor den neapolitanischen Richtern steht – folgendes publiziert habe: ›Auf der Insel Capri ist jetzt Herr Krupp, der König der Kanonen und der „Capitoni" angekommen.‹ Einige Tage darauf kam der Redakteur des Blattes, Scarfoglio, mit einer Dirne nach Capri, und nach dieser Zeit hat der ›Matino‹ den Mund über die ›Capitoni‹ nicht mehr aufgetan, er veröffentlichte nur noch Lobeserhebungen über Krupp. Auch die italienischen Behörden wußten von den Vorgängen, aber man nahm Rücksicht auf den König der Kanonen.

Wie weit das Kriechen vor Krupp ging, dafür ein Beispiel: Als kürzlich der Ministerpräsident Capri besuchte, riet ihm der Bürgermeister der Insel an, dem Herrn Krupp ein Begrüßungs- und Glückwunschtelegramm zu senden. Schließlich wurde der Skandal denn doch zu groß, und der Minister des Innern sandte im geheimen einen Inspektor der öffentlichen Sicherheit nach Capri, der eine Untersuchung anzustellen hatte. Das geschah ohne Wissen der Lokalbehörden. Auf die Ergebnisse dieser Untersuchung hin wurde Herr Krupp ersucht, die Insel für immer zu verlassen. Die ›Propaganda‹ (das sozialistische Organ von Neapel), welche diese Dinge an die Öffentlichkeit gezogen hat, verlangt, daß der Bericht über die Untersuchung den Justizbehörden ausgeliefert werde, aber das ist bisher nicht geschehen.

Auf die Rechtslage des Falles wollen wir vorläufig nicht eingehen. Das grauenhafte Bild kapitalistischer Beeinflussung wird dadurch nicht sonderlich milder, daß man weiß, es handelt sich um einen pervers veranlagten Mann. Denn das Mitleid, das das Opfer eines verhängnisvollen Naturirrtums verdient, muß versagen, wenn die Krankheit zu ihrer Befriedigung Millionen in ihre Dienste stellt. Insoweit gibt es keine ausreichende Entschuldigung für den Mann.

Gleichwohl bietet der Fall für die deutsche Gesetzgebung ein hohes Interesse. Solange Herr Krupp in Deutschland lebt, ist er den Strafbestimmungen des § 175 verfallen. Nachdem die Perversität zu einem öffentlichen Skandal geführt hat, wäre es die Pflicht der Staatsanwaltschaft, sofort einzugreifen. Vielleicht erwägt man jetzt, um diesen das Rechtsgefühl verletzenden Widerspruch zwischen Gesetz und Anwendung des Rechtes zu beseitigen, die Beseitigung des § 175, der das Laster nicht ausrottet, aber das Unglück zur furchtbaren Qual verschärft. Von sozialdemokratischer Seite ist ja im Reichstag mehrfach auf eine solche Reform gedrungen.«

Noch am Erscheinungstag dieses Artikels stellte F. A. Krupp telegraphisch Strafantrag gegen den ›Vorwärts‹ wegen Beleidigung (bei der Staatsanwaltschaft des Landgerichts I in Berlin). Am 10. Dezember nahm Frau Margarethe Krupp den Strafantrag zurück, »nachdem sogar unser erhabener Kaiser und König Allerhöchstpersönlich für die Ehre des Verewigten eingetreten ist«.

Das Schreiben von Margarethe Krupp an Oberstaatsanwalt Dr. Isenbiel (datiert: Hügel, 10. Dezember 1902) hat folgenden Wortlaut:

»Euer Hochwohlgeboren

bin ich eine kurze Mitteilung darüber schuldig, wie ich nach dem Ableben meines Gatten zu dem durch seinen Strafantrag gegen die Redakteure des ›Vorwärts‹ und anderer Blätter eingeleiteten Strafverfahren stehe.

Mein nächster Gedanke bei Erwägung dieser Angelegenheit war, daß nichts unterlassen werden sollte, um das Andenken des Verewigten so vollständig von dem ihm angetanen Schimpfe rein zu waschen, daß seine Ehre für jedermann unantastbar dastehe.

Auf der anderen Seite geht aber die Fortsetzung des Kampfes gegen mein innerstes Empfinden. Mein Gefühl ist, daß, nachdem der Tod dazwischengetreten ist, der Streit möglichst ruhen sollte.

Dieses Gefühl hat durch die eingehende Erörterung, die ich mit sachkundigen Ratgebern gepflogen habe, nur an Stärke gewonnen. Es ist mir dabei klargeworden, daß der Kampf, der sich bei Fortsetzung des Verfahrens vor den Gerichten entspinnen wird, ein langwieriger und erbitterter werden wird, indem die Gegner alles aufbieten werden, um das Andenken des Verewigten noch weiter zu verunglimpfen, daß es auch nach Lage der Gesetzgebung nicht möglich sein wird, zu verhindern, daß das Verfahren durch fortgesetzte Beweisanträge endlos hingezogen, über den eigentlichen Gegenstand hinaus ausgedehnt und sensationell ausgebeutet werden kann. Ich muß sogar mit der Möglichkeit rechnen, daß die Gegner zu Mitteln schlimmster Art greifen, gegen welche nur sehr schwer aufzukommen ist, wenn nicht das Wort und das eidliche Zeugnis des Beleidigten selbst in die Waagschale geworfen werden kann. Dazu kommt, daß das Gesetz mir überhaupt die Möglichkeit versagt, in das Verfahren irgendwie einzugreifen, wie es dem Verewigten bei seinen Lebzeiten als Nebenkläger oder Privatkläger gestattet gewesen wäre. Einigermaßen wird mein Widerstreben gegen einen Kampf, wie ich ihn voraussehe, auch noch dadurch beeinflußt, daß meine Ärzte erklären, daß sie meine Kräfte den Gemütsbewegungen und Aufregungen, die von einem solchen Prozeß zu erwarten wären, nicht gewachsen halten. Wenn ich auch von jeder Rücksicht auf meine Person am liebsten absehen möchte, kann ich die Warnung der Ärzte doch nicht ganz außer acht lassen angesichts der ernsten Pflichten, die nach dem Ableben meines Gatten auf mir ruhen.

An der Bestrafung der Verleumder ist mir nichts gelegen, es genügt mir, daß mein verewigter Gatte durch die Stellung des Strafantrages seinen Willen bekundet hat, der Verleumdung entgegenzutreten. Ich bedarf auch für meine Überzeugung keiner gerichtlichen Ehrenerklärung, in meinen Augen steht das Andenken des Verewigten rein und unbefleckt da. Die wiederholten einmütigen Kundgebungen seiner Beamten und Arbeiter und die Erklärungen zahlloser Freunde beweisen mir, daß in den Kreisen, die ihm nahestanden, die Verleumdung wirkungslos und das Vertrauen und die Achtung, die er besaß, unerschüttert geblieben sind. Nachdem sogar unser erhabener Kaiser und König Allerhöchstpersönlich für die Ehre des Verewigten eingetreten ist und sein Andenken mit dem kaiserlichen Schilde gedeckt hat, habe ich kein Verlangen nach weiterem Schutze. E. H. bitte ich aus Vorstehendem geneigtest entnehmen zu wollen, daß ich für meinen Teil keinen Wunsch auf Fortsetzung des eingeleiteten Strafverfahrens aussprechen und die Entscheidung ganz dem Ermessen von E. H. anheimgeben möchte.«

[Zitiert in: Willi Boelke, Krupp und die Hohenzollern, Berlin (1956), S. 103 f.]

Als Beispiel für das starke Echo der Rede Kaiser Wilhelms II. nach der Beisetzung Krupps in den nationalistisch-militaristischen Kreisen möge folgender Brief des Dichters Ernst von Wildenbruch (Berlin, 27. November 1902), an den Kaiser dienen:

»E. M. haben schon mehr als einmal in Gnaden geruht, mir, dem in Ehrfurcht Unterzeichneten, zu erlauben, daß ich bei besonderen, für Deutschland wichtigen Gelegenheiten an Allerhöchstdieselben das Wort richtete.

Wenn ich im gegenwärtigen Augenblick um die Erlaubnis bitte, wiederum zu E. M. sprechen zu dürfen, so geschieht es aus Anlaß der von Allerhöchstdenselben nach der Beerdigung Friedrich Krupps an die Kruppschen Arbeiter gerichteten Ansprache, in deren Gedankengang und Fassung mit jedem Gedanken und jeder Silbe einzustimmen, für deren Geist und Inhalt E. M. aus tiefster Überzeugung, aus vollem Herzen zu danken zwingendes Bedürfnis mich treibt.

Es ist nicht das erste Mal, daß E. M. einem in ganz Deutschland verbreiteten dumpfen Gefühle durchschlagendes Wort, festen Beweis und bleibende Gestalt gegeben haben, selten aber ist es so glücklich geschehen wie jetzt, wo Sie die Handlungsweise dessen, der aus dem Redaktionsbüro der Zeitung heraus seelentötende Verleumdungen in die Welt schickt, als *Mord* und den Menschen, der solches tut, als *Giftmischer* gekennzeichnet haben.

Ja – dieses Wort werden Tausende und aber Tausende in Deutschland und über Deutschlands Grenzen hinaus E. M. aus überzeugtem Bewußtsein nachsprechen, dieses Wort wird in allen Seelen, die für Macht und Ehre noch nicht abgestorben sind, nachhallen wie ein Sturmwind, der aus reinen Bergeshöhen ins durstige Tal fährt.

Daß er nachwirken möge, dieser Sturm, daß er neue, gute Samenkörner in die Seelen trage und sie befruchte und wecke möge zu neuem Empfinden, das ist es, was Gott, E. M. als Lohn und Dank für dieses Ihr Wort verleihen möge!

Ein großer Schritt ist getan: das Scheusal, das verkappt und versteckt in unserem Leben umgeht und es verpestet, die Verleumdung, ist bei Namen genannt und ins helle Licht gezogen, die Menschen sind gezwungen worden, der Sachlage ins Gesicht zu sehen und Stellung dazu zu nehmen. Das danken wir unserem Kaiser, E. M.

Geruhen E. M., daß ich diesem allgemeinen Dankgefühle, das auch mein Gefühl ist, Ausdruck und Wort verleihe, gewähren E. M. es mir, daß ich an der Freude aller Deutschen, aller ehrlichen Menschen, die sich an unserem Kaiser freuen, mich mitfreuen darf, als meines allergnädigsten Herrn, E. M., in Ehrfurcht, Verehrung und Liebe treuuntertänigst verharrender   Ernst von Wildenbruch.«

[Zitiert in: Willi Boelke, Krupp und die Hohenzollern, S. 102 f.]

[44] Das deutsche Volkslied (6. Juni 1903)

Ohne Kommentar.

Eine Rede ähnlichen Inhalts hatte der Kaiser, beeindruckt vom Sieg der Japaner über die Russen, bei der Vereidigung von Marinerekruten am 9. März 1905 in Wilhelmshaven gehalten. Dieser Text wurde – in indirekter Wiedergabe – durch eine Veröffentlichung der ›Evangelischen Kirchenzeitung‹ bekannt. Es heißt dort:

»Der Kaiser spielte unter anderem auf die Heldentaten der Japaner an und führte aus, daß sie geboren seien aus der japanischen Vaterlandsliebe und Kindesliebe, die wieder eine herrliche Manneszucht zur Folge hätten in Heer und Marine. Man dürfe aber aus den japanischen Siegen – den Siegen des heidnischen über ein christliches Volk – nicht den Schluß ziehen, daß Buddha unserm Herrn Christus über sei. Wenn Rußland geschlagen wurde, so liege das zum großen Teile seiner Ansicht nach daran, daß es mit dem russischen Christentum sehr traurig bestellt sein müsse, die Japaner aber viele echte christliche Tugenden aufzuweisen hätten. Ein guter Christ, ein guter Soldat!

Aber auch im deutschen Volke sei es schlimm bestellt mit dem Christentum, und er – der Kaiser – bezweifle, ob wir Deutsche im Falle eines Krieges überhaupt noch das Recht hätten, Gott um den Sieg zu bitten, ihm denselben im Gebete abzuringen wie Jakob im Sieg mit dem Engel. Die Japaner wären eine Gottesgeißel wie einst Attila und Napoleon.

An uns sei es, dafür zu sorgen, daß Gott uns nicht einmal auch mit einer solchen Geißel züchtigen müsse usw. Der Kaiser sprach sehr ernst und vor allem sehr eindringlich und einfach, für alle verständlich.«

Jetzt, in Straßburg, machte er Unsittlichkeit und Völlerei für die Niederlage der Russen verantwortlich und wußte das beste Gegenmittel: »die Mannschaften scharf anstrengen«.

»Im ganzen Reich fragt man sich: wo sind die Schwarzseher? Und niemand wußte Antwort zu geben, denn den Ausdruck ›Schwarzseher‹ kann man korrekterweise nicht auf die Beurteilung vergangener Ereignisse anwenden. Ein Schwarzseher ist ein Mann, der die Zukunft dunkel sieht und insofern mit dem richtigen Maßstab auch die Energie zum Handeln verliert. In Deutschland ist bekanntlich die Mehrzahl der Bevölkerung für Politik überhaupt wenig interessiert und infolgedessen leichtfertig optimistisch. Die übrige Minderzahl folgt der Grundregel aller Politik, sich Tatsachen nicht durch Illusionen zu verschleiern, sie macht daraus kein Hehl, zieht auch die Konsequenz, um in Zukunft Illusionen zu vermeiden. Deswegen ist die Frage, wen der Kaiser gemeint haben könne, wie man in Deutschland so schön sagt, gegenstandslos. Hat er tatsächlich eine bestimmte Person oder Richtung im Auge gehabt, so diente sie ihm mehr als Zielpunkt des Angriffs überhaupt, als um sie treffend zu charakterisieren. Das Motiv für die kaiserliche Rede und viele andere ähnlicher Natur ist der Unwille gegen seines Erachtens unbotmäßige Kritik und der Drang, sich von eigenen pessimistischen Anwandlungen durch Aussprache zu befreien. In diesem Sinne sind viele der kaiserlichen Reden mit den Goetheschen Schöpfungen vergleichbar: sie dienen zur inneren Entlastung. Ihre subjektive Färbung kann, wenn wir ihre Entstehung so voraussetzen, niemanden wundern. Der Kaiser sieht die Verhältnisse nicht, wie sie sind, er fühlt aber selbst durch alle Byzantiner hindurch, daß man im Lande die Mißerfolge der Politik seiner verantwortlichen Regierung nicht verkennt, daß man sie offen erörtert, und gerade das muß einer Natur, wie der seinigen, am allerempfindlichsten sein. Seine Auffassung von der Stellung und Würde des Herrschers duldet an und für sich eine solche Kritik nicht, sie verwundet ihn und zeigt

ihm mitleidlos die Schranken zwischen seiner Auffassung und Vorstellung einerseits und den tatsächlichen Verhältnissen andererseits. Diese seelischen Bitternisse setzen sich dann nach außen in einen Kampf gegen Schwarzseher um.«
[Graf E. Reventlow, Kaiser Wilhelm II. und die Byzantiner, S. 66 f.]

In seinem Erinnerungswerk ›Wider den Strom‹ (S. 115) glaubt Heinrich Claß dieser »Schwarzseher« zu sein, den der Kaiser meinte. Claß, damals Stellvertretender Vorsitzender des »Alldeutschen Verbandes,« hatte am 2. September 1906 der Hauptversammlung in Dresden eine politische Jahresübersicht gegeben. Dort stellte er die Frage »wo die amtliche Reichspolitik, sei es nach außen, sei es im Innern, einen Erfolg erzielt habe? ... das Auswärtige Amt bürge für die unbedingte Harmlosigkeit unserer Politik«. Claß schreibt: »Hatte der Kaiser in der erwähnten Weise (Schwarzseher-Rede) darauf reagiert, so hielt auch Bülow es für richtig, sich gegen den Alldeutschen Verband zu wenden, indem er in der Reichstagssitzung vom 14. November 1906 uns mehr Wärme und Güte des Herzens als Klarheit des Kopfes zusprach.«

Über den Optimismus des Kaisers, und über dessen Quellen, vergleiche man das Gespräch mit Ganghofer am 12. November 1906 ([51], S. 119).

[52] Festmahl für die Provinz Westfalen (31. August 1907)

Zu dieser Rede schrieb Max Buchner, weiland o. ö. Universitätsprofessor in Würzburg, 1929:
»Ich wüßte nicht, in wiefern dieses Wort eine ungesunde völkische Hybris sein sollte, da doch der ›Granitblock‹ nicht mehr ist als ein passives Glied zum Bauen des großen Meisters. Nur ein ungesunder, krankhafter Trieb, sein eigenes Volkstum zu erniedrigen, kann solche Worte als völkische Selbstüberhebung verketzern.«
[Max Buchner, Kaiser Wilhelm II., seine Weltanschauung und die deutschen Katholiken, Leipzig 1929, S. 59]

[58] Feldgottesdienst in Polen (5. März 1915) und
[59] Ansprache in Bad Homburg (10. Februar 1918)

Mit dem Auftreten und Aufkommen Hindenburgs und Ludendorffs im kaiserlichen Hauptquartier war Wilhelm II. zu jenem Schattenkaiser geworden, der er in Friedenszeiten nicht sein wollte. Das Kriegsereignis als solches hat nicht zu einem Wandel seiner Gesinnungen beigetragen; das Schlachtenglück bestärkte seinen Glauben an die technische und moralische Überlegenheit seiner Truppen, die er immer noch als »Meine Leute« ansprach.

So hielt er es – am 8. August 1918 noch – »für merkwürdig, daß sich unsere Leute so gar nicht an die Tanks gewöhnen«« (Georg Alexander Müller, Regierte der Kaiser? Göttingen-Berlin-Frankfurt am Main 1959, S. 399).

Selbstverständlich sollten »die Leute« nach dem siegreichen Kriege auch belohnt werden. Ob er in Preußen das Dreiklassenwahlrecht abschaffen wollte? Ganz aus freien Stücken? In seinen Memoiren deutet er etwas ähnliches an:

»... die großartigen Leistungen der gesamten Truppen und der Geist, den ich bei Offizieren wie Mannschaften im Felde wie im Lazarett gefunden hatte, [machten] auf mich einen so tiefen Eindruck, daß ich bei mir beschloß, dem bewährten, herrlichen ›Volk in Waffen‹ bei der Heimkehr auch auf politischem Gebiete eine Freude und Anerkennung zu bereiten.«
[Wilhelm II., Ereignisse und Gestalten aus den Jahren 1878–1918, Leipzig-Berlin 1922, S. 114]

Im übrigen aber:

»Wenn er sich offen aussprach, war für jeden klar herauszuhören, daß ihm der Krieg in erster Linie im Lichte einer dynastisch-militärischen Angelegenheit erschien, die in der Hauptsache die Monarchen und ihre Höfe, die Diplomaten und die Feldherren anging, während die Soldaten und Bürger eben ihre selbstverständliche Pflicht zu erfüllen hatten. ›Was wollen Sie, Exzellenz, ich bin Dynast‹, sagte er einmal wohlwollend belehrend, als etwas ganz Selbstverständliches zu mir, als ich auf die Schwierigkeiten hinwies, die aus einer weitergehenden Besetzung der russischen Ostseestaaten in der Stimmung des Volkes entstehen könnten. Das war im vierten Kriegsjahr! ... Man kann es zur Not noch als eine, wenn auch recht unangenehme Entgleisung ansehen, wenn der Kaiser, als ihm ... am 20. Juli 1917 die Parteiführer vorgestellt wurden, diesen, die zum größten Teil aus Sozialdemokraten, Demokraten und von zu Haus aus demokratisch fühlenden Mitgliedern des Zentrums zusammengesetzt waren, sehr befriedigt erzählte, wie die preußische Garde in Galizien den Russen den demokratischen Staub aus den Westen geklopft habe, und daran die unbefangene Bemerkung knüpfte: ›Wo die Garde auftritt, gibt es keine Demokratie.‹«

[Friedrich Payer, Von Bethmann Hollweg bis Ebert. Erinnerungen und Bilder, Frankfurt am Main 1923, S. 177 ff.]

Zeittafel
(als fortlaufender Kommentar zu lesen)

1859 *27. Januar:* Dem Prinzen und der Prinzessin Friedrich von Preußen wird ein Sohn und Erbe geboren. Erst am dritten Tage nach der Geburt – die so gefahrvoll verlaufen war, daß man nicht auf ein lebendes Kind hoffen konnte – bemerkte man, daß »der linke Arm des Kindes paralysiert, die Schulter verletzt und die umliegende Schulterpartie stark angeschwollen war« (Frederick Ponsonby, Briefe der Kaiserin Friedrich, Berlin 1929, S. 21).

5. März: Das Kind wird getauft und erhält die Namen Friedrich, Wilhelm, Victor, Albert.

1869 *27. Januar:* An seinem zehnten Geburtstag wird Prinz Wilhelm in die preußische Armee aufgenommen. Er erhält die Uniform des Ersten Garderegiments zu Fuß; gleichzeitig den Hohen Orden vom Schwarzen Adler.

1871 *16. Juni:* Einzug der siegreichen Truppen durch das Brandenburger Tor in Berlin. Prinz Wilhelm reitet hinter seinem Vater und nimmt an der Siegesparade teil.

1872 *30. September:* Prinz Wilhelm schießt sein erstes Wild, einen Fasan.

1873 *2. April, 11 Uhr vormittags:* Prinz Wilhelm besteht nach vorausgegangenem Privatunterricht die Prüfung für den Eintritt in die Obertertia eines Gymnasiums in den Fächern Latein, Griechisch und Mathematik.

22. November: Auf der Vulkanwerft zu Stettin erlebt Prinz Wilhelm erstmals den Stapellauf eines Schiffes. Es war das erste deutsche Panzerschiff, das in Deutschland erbaut worden war, das Turmschiff »Preußen«.

1874 *1. September:* Prinz Wilhelm wird in der Friedenskirche zu Potsdam eingesegnet. »Meine Einsegnung hatte mich herrlich gestärkt und mit neuen Kräften versehen, und ich blickte mit fester Zuversicht und Gottvertrauen in die Zukunft« (Aus meinem Leben, Berlin-Leipzig 1927, S. 95).

1876 *Herbst:* Prinz Wilhelm schießt im Wildpark bei Potsdam seinen ersten Hirsch.

1877 *25. Januar:* Prinz Wilhelm legt in aller Form auf dem Gymnasium in Kassel das Abiturienten-Examen ab.

9. Februar: Beginn des aktiven Dienstes als Secondeleutnant im 1. Garderegiment.

1880 *14. Februar:* Heimliche Verlobung des Prinzen Wilhelm mit der Prinzessin Auguste Victoria von Schleswig-Holstein-Sonderburg-Augustenburg (in der Familie »Dona« genannt).

1881 *27. Februar:* Heirat des Prinzen Wilhelm. »Die liebe Dona sah reizend aus; alle waren von ihrer Schönheit und Grazie entzückt ... Ihr Kleid stand ihr außerordentlich gut – es war hellblau mit Goldbrokat, mit rosa und weißen China-Astern; um den Hals trug sie ihre Perlen und Deinen wundervollen Anhänger« (Die Mutter des Bräutigams an dessen Großmutter, Königin Victoria von England; zitiert bei: Frederick Ponsonby, Briefe der Kaiserin Friedrich, S. 194 ff.).

1888 *27. Januar:* Wilhelm I. ernennt den Prinzen Wilhelm zum Generalmajor und beauftragt ihn mit der Führung der 2. Garde-Infanterie-Brigade.

9. März: Tod Kaiser Wilhelms I. Prinz Wilhelm wird Kronprinz.

15. Juni: Tod Kaiser Friedrichs. Kronprinz Wilhelm wird Kaiser.

1889 *1. Juli:* Die erste Nordlandreise des Kaisers; sie beginnt in Kiel und endet am 27. Juli in Wilhelmshaven. Philipp zu Eulenburg als Begleiter »in der zweitbesten Kabine« auf der »Hohenzollern«. Mit dem »Kaiser als Staatsmann und Freund« wiederholt Eulenburg vierzehnmal »zur gleichen Jahreszeit mit fast gleichen Fahrtgenossen die Reise in die gleiche Gegend«; zwölfmal hat Eulenburg die Funktion eines offiziellen Regierungsvertreters.

1892 *1. Oktober:* Maximilian Harden gründet die Zeitschrift ›Zukunft‹, ein politisch-literarisches Organ zur Bekämpfung des »neuen Kurses«, das den Höhepunkt seines Einflusses durch die Aufdeckung der Eulenburg-»Kamarilla« erreichte.

1893 In der ›Gesellschaft‹, einer von dem Schriftsteller Michael Georg Conrad 1885 begründeten ›Monatsschrift für Litteratur, Kunst und Sozialpolitik‹, erscheint ein Beitrag: ›Caligula. Eine Studie über römischen Cäsarenwahnsinn‹. Der Verfasser, Ludwig Quidde, wurde – obwohl alle Anspielungen auf den Kaiser zwischen den Zeilen stehen – wegen Majestätsbeleidigung angeklagt und verurteilt. Quidde schließt seine Studie (die als Separatdruck etwa 25 Auflagen erlebte) mit den scheinheiligen Worten: ». . . denn etwas, das diesem Cäsarentum und dieser Herrschaft des Cäsarenwahnsinns ähnlich wäre, ist unter den heutigen Verhältnissen so völlig unmöglich, daß uns die ganze Schilderung wie ein kaum glaubliches Phantasiegemälde oder wie eine übertriebene Satire römischer Schriftsteller auf das zeitgenössische Cäsarentum anmuten wird, während sie nach dem heutigen Stande unserer Quellenforschung in allen wesentlichen Zügen trockene historische Wahrheit ist« (zitiert nach einem Separatdruck [Leipzig 1894], S. 20).

1894 *9. Juni:* Bei einem Hofkonzert in Potsdam wird der vom Kaiser komponierte und von ihm – in Zusammenarbeit mit Phili Eulenburg – »gedichtete« ›Sang an Aegir‹ zum erstenmal aufgeführt.

1895 *November:* Der Redakteur der Zeitschrift ›Ethische Kultur‹, Dr. Friedrich Wilhelm Foerster, der in einem Artikel seines Blattes die Rede des Kaisers zum Sedansfest (s. Rede vom 2. September 1895, S. 66) kritisiert hatte, wird wegen »Majestätsbeleidigung« zu drei Monaten Festungshaft verurteilt. Foerster saß die drei Monate in der Festung Weichselmünde bei Danzig ab. »Wir waren dort vier Strafgefangene: eine Klavierlehrerin, die gesagt hatte, der Kaiser sei ein grüner Junge; ein antisemitischer Redakteur, der behauptet hatte, der Kaiser sei verjudet; und ein Assessor, der seinen Gegner im Duell erschossen hatte« (zitiert nach: Friedrich Wilhelm Foerster, Erlebte Weltgeschichte, S. 116).

1896 *1. April:* Der Verleger Albert Langen (München) gründet die Zeitschrift ›Simplicissimus‹. In Text und Zeichnung sollte sie zur heftigsten, unnachgiebigsten und einfallsreichsten Kritikerin aller Erscheinungen dessen werden, was man heute »Wilhelminismus« nennt.
28. Oktober: Besuch des Kaisers bei Geheimrat Krupp in Essen. Für das Lokal des Meppener Schießplatzes, für das Beamtenkasino in Essen und für den Sitzungssaal des Essener Rathauses stiftete der Kaiser je ein Exemplar des neuesten, von ihm entworfenen Bildes ›Der deutsche Michel‹ und machte auch Herrn und Frau Krupp je ein Exemplar zum Geschenk.
Ende Oktober: Gegen die Entscheidung der Jury, welche den Schillerpreis Gerhart Hauptmann (für ›Hanneles Himmelfahrt‹) zugesprochen hatte, entscheidet der Kaiser, daß der Preis (6000 M) und die Goldene Medaille an Ernst von Wildenbruch (für ›Kaiser Heinrich‹) gegeben wird. Der Literarhistoriker Erich Schmidt legt daraufhin den Vorsitz in der Jury nieder.

1898 *12. Oktober:* Beginn der Palästinareise des Kaisers von Venedig aus.
18. Oktober: Landung in Konstantinopel.
26. Oktober: Landung in Haifa.
29. Oktober: Einritt in Jerusalem. Der Kaiser weigert sich, eine Deputation von Zionisten – Dr. Theodor Herzl an ihrer Spitze – zu empfangen.

30. Oktober: In Bethlehem.

4. November: Einschiffung in Jaffa.

8. November: Damaskus.

26. November: Eintreffen in Potsdam.

1. Dezember: Feierlicher Einzug des Kaisers und der Kaiserin in Berlin. »Einzüge wie dieser, nach einer Reise, deren Arrangement Cook übernommen hat, haben etwas Ridiküles« (Donna Laura Minghetti, eine Augenzeugin).

1899   *10. März:* Das Reichsmarineamt in Berlin gibt folgenden Allerhöchsten Erlaß bekannt:

»V. zu M. I. 1184. Seine Majestät der Kaiser und König haben Allerhöchst sich erneut dahin auszusprechen geruht, wie Allerhöchst dieselben es nicht wünschen, daß Seeoffiziere nur Schnurrbart tragen.«

[Zitiert nach: Wilhelm Schröder, Das persönliche Regiment, S. 26]

11. Juli: Das Wolff'sche Telegraphenbureau verbreitet folgende Nachricht: »Auf die Mitteilung von der Anbringung einer Erinnerungstafel auf dem durch die Erinnerung an den Großen Kurfürsten geweihten Sparenberge, wo der Kaiser am 17. Juni 1897 mit der Kaiserin weilte, hat der Kaiser an den Geheimen Oberregierungsrat Dr. Hinzpeter folgendes Telegramm gerichtet: ›Von der hervorragend gelungenen Statue des Großen Kurfürsten für die Siegesallee beabsichtige ich eine Reproduktion in Bronze der Stadt Bielefeld zu schenken und auf dem Sparenberge im Burggarten aufzustellen; sie soll ein Zeichen dankbarer Erinnerung sein für die Aufnahme seitens der Stadt und ein Mahnzeichen bleiben, daß, gleich wie in diesem Ahn, auch in mir ein unbeugsamer Wille ist, den einmal als richtig erkannten Weg allem Widerstand zum Trotz unbeirrt weiter zu gehen.‹«

Maximilian Harden verbüßt 6 Monate wegen »Majestätsbeleidigung« auf der Festung Weichselmünde bei Danzig.

1900   *29. Mai:* An diesem Tag trug der Kaiser zu einer Parade zum erstenmal die Abzeichen eines Feldmarschalls. Diesen Rang hatte er sich Anfang Mai selbst verliehen.

1901   *22. Januar:* Tod der Königin Victoria von England. Der Kaiser, der an ihr Sterbebett geeilt war, hielt sich die folgenden 14 Tage bis zur Bestattung in England auf. Phili Eulenburg schrieb an Bülow: »Mich macht … der Gedanke lächeln, wie die tote Großmutter ›ausschlachtet‹, um sich eine Zeitlang von ›Muttern‹ zu drücken« (unter »Muttern« ist die Deutsche Kaiserin zu verstehen).

6. März, abends: Der Kaiser befindet sich in Bremen; auf dem Weg zum Bahnhof wird er von einem Eisenstück getroffen, das ein junger – unzurechnungsfähiger – Mann namens Weiland nach ihm geworfen hat. Der Kaiser erleidet eine vier Zentimeter lange Rißwunde im Gesicht. Nach 14 Tagen ist er wiederhergestellt.

1902   *31. Oktober:* Durch die Presse ergeht eine Mitteilung über die Jagdbeute des Kaisers in dreißig Jahren. Danach erlegte Wilhelm II. während dieser Zeit folgendes Wild: 1302 Rothirsche, 66 Rottiere, 1596 Damhirsche, 96 Damtiere, 2506 grobe Sauen, 316 geringe Sauen, 798 Rehböcke, 121 Gemsen, 17881 Hasen, 1627 Kaninchen, 4 Wisent-Stiere, 7 Elche, 3 Renntiere, 3 Bären, 3 Dachse, 3 Füchse, 1 Baummarder, 84 Auerhähne, 24 Birkhähne, 18891 Fasanen, 703 Rebhühner, 95 Grouse, 3 Schnepfen, 56 Enten, 826 Reiher und Kormorane, 473 verschiedenes, 1 Wal, 1 Hecht. In summa 47443 Stück.

22. November: Friedrich Alfred Krupp, Mitglied des preußischen Herrenhauses und des preußischen Staatsrates, stirbt an einem Gehirnschlag.

26. November: Der Kaiser nimmt an der Beisetzung teil und hält eine Ansprache »um den Schild des Deutschen Kaisers über dem Hause und dem Andenken des Verstorbenen zu halten« (s. Rede vom 26. November 1902, S. 104).

Anfang Dezember: In Neudeck auf dem Gute des Fürsten Henkell von Donnersmark schoß der Kaiser im ganzen 1675 Stück Wild. Dabei feierte er die Erlegung des fünfzigtausendsten Tieres.

1903 *Oktober:* Der Stellvertretende Vorsitzende des »Alldeutschen Verbandes«, Heinrich Claß, Justizrat aus Mainz, hält bei der Tagung des Verbandes in Plauen das Hauptreferat ›Wandlungen in der Weltstellung Deutschlands seit 1890‹. Der Wortlaut der Rede wird als Flugschrift ›Die Bilanz des neuen Kurses‹ in einer Auflage von 60 000 Exemplaren verbreitet. »Wenn ich die Wirkung meines Plauener Berichtes richtig einschätze«, schreibt Claß, »glaube ich sagen zu dürfen, daß er der erste Schritt zur entschlossenen und umfassenden ›Nationalen Opposition‹ gewesen ist.« Der Publizist Graf Ernst Reventlow, später Redakteur der ›Alldeutschen Blätter‹, nennt die Flugschrift »eine sachlich unanfechtbare, erschütternde Übersicht der kaiserlichen Mißerfolge« (Wider den Strom, S. 93).

7. November: Der Kaiser unterzieht sich einer Stimmlippenoperation. Die Befürchtung, es könne sich um Krebs handeln, erweist sich als unbegründet.

1904 Der damalige Leitartikler der ›Leipziger Neuesten Nachrichten‹, Dr. Paul Liman, publizistischer Gegner des »Neuen Kurses«, Freund und Vertrauter Bismarcks, veröffentlicht eine – kritische – Biographie: ›Der Kaiser‹. Ein Charakterbild Wilhelms II. In dem Vorwort heißt es: ». . . noch aber hat die Nation . . . nicht die Gewißheit erlangt, daß nach klaren und unverrückbaren Zielen gesteuert werde . . . und allzuoft sieht sie die ruhige Erwägung, die stille zähe Arbeit verdrängt durch das Feuer des Temperaments, durch den Plan einer hochgemuten, aber allzusehr auf sich selbst gestellten Persönlichkeit. Dort aber, wo über das Schicksal von Völkern die Entscheidung fällt, darf nicht der Impuls den Ausgang bestimmen, sondern nur die ruhige, alle Möglichkeiten und alle Folgen sorgsam erwägende Berechnung.«

1906 *April:* In den Mitteilungen der Bad Homburger Kurverwaltung lesen wir: »Die diesjährige Frühjahrssaison ist nicht nur durch ein überraschend schnelles Erwachen der Natur, sondern auch durch den Besuch unseres Allergnädigsten Kaiserpaares glänzend eröffnet worden. Es war, als ob sich die starren Wälder und toten Wiesen auf die Nachricht hin, daß Seine Majestät der Kaiser und Ihre Majestät die Kaiserin hier eintreffen würden, verpflichtet fühlten, sich sofort mit frischem Grün zu schmücken.«

4. Juli: Der Kaiser erläßt an Bord der »Hamburg« folgende Kabinettsorder: »Ich habe meiner Jacht ›Hohenzollern‹ heute am Tage der Geburt meines ersten Enkelsohnes den ›Altdeutschen Marsch‹ von Kämpfert als besonderen, bei Flaggenparade zu spielenden Präsentiermarsch verliehen zur Erinnerung daran, daß ich diesen Tag mit Offizieren und Besatzung meiner Jacht zusammen auf See verbracht habe.«

August: Der englische König Eduard VII., von einer Begegnung mit dem Kaiser kommend, sagt in Paris zu dem französischen Minister des Auswärtigen, Delcassé: »Durch seine unglaubliche Eitelkeit fällt mein Neffe auf alle Speichelleckereien der Nationalisten seiner Umgebung herein, die ihm immer wieder versichern, er sei der größte Souverän der Welt . . .«

Oktober: Der Publizist Graf Ernst Reventlow veröffentlicht sein Buch ›Kaiser Wilhelm II. und die Byzantiner‹, eine Kritik aus dem Lager der Alldeutschen, besonders an der Umgebung des Kaisers. Sie schließt mit den Sätzen: »Je mehr nationale und politische Fragen öffentlich behandelt werden, desto besser. Ihre Erörterung ohne des Kaisers und seiner Tätigkeit Erwähnung zu tun, wäre absurd. Da erhebt sich die byzantinische Klippe, und zwar nicht nur für die Autoren, sondern auch für die Leser; sie wird um so höher, je niedriger das Niveau des Sinns für Tatsachen ist und je kritikloser man die kaiserliche Auffassung vom absoluten Herrentum hinnimmt. Andererseits wirkt diese Literatur wieder auf den Kaiser zurück, und man kann verstehen, wenn ihm die im Staube kriechenden Erzeugnisse das Gefühl unnahbarer Höhe befestigen.«

16. Oktober: Der Schuhmacher Wilhelm Voigt tritt als »Hauptmann von Köpenick« auf. Die ganze Welt lacht, und auch dem Kaiser soll dieser Streich gefallen haben; ihm hat die blinde Anbetung der Uniform imponiert.

Herbst: Der erste Band der ›Denkwürdigkeiten‹ des Fürsten Chlodwig zu Hohenlohe-Schillingsfürst, herausgegeben von seinem Sohn Alexander und Friedrich Curtius, erscheint (Band 2: 1907, Band 3: 1931). Der Kaiser empfindet die Veröffentlichung als einen skandalösen Vertrauensbruch; Alexander von Hohenlohe, seit 1898 Bezirkspräsident in Colmar, fällt in kaiserliche Ungnade und muß seinen Posten sofort verlassen (von 1906 bis zu seinem Tod, 1924, lebte er als Privatmann; seine Erinnerungen ›Aus meinem Leben‹ erschienen posthum, 1925).

14. Dezember: Auflösung des Reichstags wegen Ablehnung des Nachtragsetats für Deutsch-Südwestafrika. Max Weber schreibt an diesem Tag an Friedrich Naumann, die deutsche Nation werde im Auslande mit Recht verachtet, weil sie sich »dieses Regime dieses Mannes gefallen lasse«.

Im »Wiener Verlag« (Wien und Leipzig) erscheint unter dem Titel ›»Er« – im Spiegel der Karikatur‹ eine von John Grand-Carteret herausgegebene Sammlung von 348 Zeichnungen aus allen Ländern. Das Buch beginnt mit einem sechs Seiten langen Offenen Brief an Seine Majestät: ›Für die Freiheit der Karikatur‹, der, auf das Verhältnis Friedrichs des Großen zu Voltaire anspielend, mit den Worten schließt: »Wenn Sie die zeichnerische Verspottung Ihrer Person und Ihrer Handlungen fürchten und verbieten würden, wären Sie vor den Augen Europas herabgesetzt; Sie wären nicht mehr ›der Kaiser‹, der Kaiser des Friedens und der Moderne. Majestät! Setzen Sie Ihrer politischen Zensur das Veto der Vernunft und des guten Geschmacks entgegen. Majestät! Geben Sie den befreienden Wink, den die Welt von Ihnen erwartet! Lassen Sie diese Bilder frei!«

Tatsächlich wurde gegen die deutsche Ausgabe nicht polizeilich eingeschritten, nachdem schon vorher die französische Ausgabe unbehindert »eingeführt« werden durfte. Mitte Februar 1906 war – wie Wilhelm Schröder (Das persönliche Regiment, S. 195 ff.) feststellte – das Kasseler ›Volksblatt‹ in der Lage, den folgenden Geheim-Erlaß zu veröffentlichen:

»Der Finanzminister
S.-J. Nr. 1373/Geheim   Berlin, 4. Dez. 1905
Seiner Majestät dem Kaiser und König ist nach einer Mitteilung des Herrn Justizministers über kürzlich erschienenes, die Allerhöchste Person Seiner Majestät betreffendes Werk des französischen Karikaturensammlers Grand Cartaret: ›„Lui" devant l'objectif caricaturel‹ (Paris, Librairie Nilsson) Vortrag gehalten worden. Auf Allerhöchsten Befehl soll von einer Strafverfolgung wegen des Inhalts dieses Werkes sowie von seiner Beschlagnahme Abstand genommen werden.

Euer Hochwohlgeboren ersuche ich, die Amtsstellen des dortigen Verwaltungsbezirks alsbald vertraulich zu verständigen, daß sie sich, wenn Exemplare des bezeichneten Werkes zur Einfuhr gelangen sollten, der Herbeiführung der gerichtlichen Beschlagnahme und eines sonstigen Einschreitens zu enthalten haben. Die Beamten der Staatsanwaltschaft sind vom Herrn Justizminister veranlaßt worden, eine etwa vorher verfügte vorläufige gerichtliche Beschlagnahme aufzuheben.   (gez.) Freiherr v. Rheinbaben.«

1907   *13. und 27. April:* Maximilian Harden eröffnet in seiner ›Zukunft‹ die ersten Angriffe gegen den Fürsten Philipp Eulenburg und gegen die »Tafelrunde«. Der Beginn einer Serie von Prozessen, die nicht nur die deutsche Öffentlichkeit aufschreckten. Harden versicherte, nicht gegen die von ihm behauptete sexuelle Abartigkeit der Freunde ins Feld zu ziehen, sondern gegen die politische Verderblichkeit der unter sich verschworenen »Kamarilla« der »Mignons«.

25. Oktober: Dazu die Baronin Spitzemberg in ihrem Tagebuch: »Ich bin geradezu krank über den Prozeß Moltke-Harden, der derzeit sich in Moabit abspielt, hätte nicht geglaubt, daß gesetzlich derartige Dinge dürfen öffentlich besprochen werden. Holstein behauptete, authentisch zu wissen (ich nehme an von Bülow), daß aus politischen Ursachen dringend gewünscht worden sei, den Prozeß unter allen Umständen zu verhindern; dann seien Generäle konsultiert worden, und diese hätten behauptet, es müsse der Armee wegen Klarheit geschaffen werden, und sie seien durchgedrungen ... Und das alles hätte können mit einem bißchen Klugheit, ernstem Gefühl und Würde vermieden werden!« (Baronin Spitzemberg, Am Hof der Hohenzollern, S. 230.)

Im Verlag G. Birk u. Co. in München erscheint unter dem Titel ›Das persönliche Regiment‹ eine ›Zusammenstellung von Reden und sonstigen öffentlichen Äußerungen Wilhelms II.‹, herausgegeben von Wilhelm Schröder. Dies Buch eines Sozialdemokraten geht recht kritisch vor und tarnt sich als eine »Handhabe« für den Politiker. Das Vorwort schließt: »Die Fülle geflügelter Worte, die Wilhelm II. in den achtzehn Jahren seiner Regierung zu prägen verstand, wird jeden überraschen, der der Person dieses Monarchen Interesse zuwenden muß.«

1908   *28. Oktober:* ›Daily Telegraph‹ veröffentlicht einen Bericht über ein Interview mit dem Kaiser, welcher in England Sensation macht und in Deutschland Empörung hervorruft.

Ende Oktober: Der Kronprinz des Deutschen Reiches erhält ein deutsches Reichspatent auf einen von ihm erfundenen Manschettendoppelknopf. Patentnummer: 30139.

10. November, 13.15 Uhr: Die 158. Sitzung des Deutschen Reichstags beginnt. Auf der Tagesordnung stehen fünf Interpellationen über die Kaisergespräche (›Daily Telegraph‹-Interview).

Der erste Interpellant, der national-liberale Abgeordnete Bassermann, sagte u. a.: »Ein Gefühl maßlosen Erstaunens und tiefer Trauer stellte sich ein. Temperamentvolle Leute sprachen von der Sache wie von einer verlorenen Schlacht ... (Sehr wahr, links.) ... Wir wünschen, soweit irgend möglich sichere Garantien gegen das Eingreifen des persönlichen Regiments.«

Der Abgeordnete der Freisinnigen Volkspartei, Dr. Wiener: »Den schwersten Mißstand sehen wir aber in dem fortgesetzten Hervortreten des persönlichen Regiments. (Allgemeine Zustimmung.) Der konstitutionelle Grundsatz, den Träger der Krone nicht in die parlamentarische Erörterung zu ziehen, ist gewiß gut und von uns jahrelang befolgt worden, aber heute ist es unmöglich, ihn anzuwenden.«

Der sozialdemokratische Abgeordnete Singer: »Die Majorität dieses Reichstages ist mitschuldig an diesen Vorgängen (Widerspruch), denn sie hat die Verherrlichung des persönlichen Regimes nicht hintangehalten.«

Der Abgeordnete der Konservativen Dr. Heydebrandt: »Man muß es ganz offen aussprechen, daß es sich hier um eine Summe von Sorge, von Bedenken – und man kann wohl auch offen sagen – von Beunruhigung handelt, die sich seit langem aufgesammelt hat, auch in den Kreisen, an deren Treue zu Kaiser und Reich bisher noch niemals gezweifelt worden ist . . .«

Der Abgeordnete der Reichspartei, Fürst Hatzfeld: »Nach der Reichsverfassung . . . ist der Reichskanzler die allein verantwortliche Persönlichkeit, und wir fragen ihn, ob er für die Zukunft ähnliche Vorgänge zu verhindern in der Lage ist . . .«

[Zitiert nach dem Bericht der freikonservativen Tageszeitung ›Die Post‹ (Berlin), Morgenblatt vom 11. November 1908, Parlamentsbeilage]

Aus der Entgegnung des Reichskanzlers, Fürst Bülow: »Ich stehe dafür ein, daß sich das nicht wiederholt . . . In dem gegenwärtigen, schwierigen Augenblick . . . dürfen wir ein Unglück nicht zur Katastrophe machen . . . wir dürfen vor dem Auslande nicht Schwäche zeigen, die von unseren Gegnern so aufgefaßt werden würde, als wäre das Reich im Innern wie im Äußern gelähmt.«

[Reden, Bd. V (Reclam-Ausgabe), S. 82 ff.]

Dazu der Kronprinz des Deutschen Reiches in seinen ›Erinnerungen‹ (1922; S. 92): »Mein Vater war zurückgekehrt (von Donaueschingen) und lag, von Aufregung, von Unverstand und Erschütterung über die Vorkommnisse niedergeworfen, in Potsdam krank. Das für ihn kaum Faßbare war geschehen: nach zwanzig Jahren, während derer er sich für den Abgott der Mehrheit des deutschen Volkes und seine Regierungsart für vorbildlich gehalten hatte – war ihm und seinem Wesen das Mißtrauen ganz unverkennbar ausgesprochen worden.«

10. November: Das Kommando der Hochseeflotte in Kiel erläßt folgenden »Befehl«:

»Seine Majestät der Kaiser haben befohlen, daß das *Hurrarufen* innerhalb des einzelnen Schiffes *absolut gleichmäßig* unter Hochnehmen der Mützen zu erfolgen habe. Beim Paradieren und Hurrarufen ist daher nach folgendem Befehl zu verfahren: es sind Posten mit Winkflaggen auf beiden Brückennocken, auf der Hütte, am Bug, am Heck und an sonst geeigneten Stellen des Schiffes aufzustellen. Auf das Kommando: ›Drei Hurras für . . .‹, werden die Flaggen hochgenommen. *Gleichzeitig verläßt die rechte Hand der paradierenden Leute das Geländer und geht an den Mützenrand.* Auf das erste Kommando ›Hurra‹ gehen die Winkflaggen nieder, das Hurra wird wiederholt, während die Mützen *durch Strecken des rechten Armes unter einem Winkel von etwa 45 Grad kurz hochgenommen* und, sobald das Hurra verklungen ist, *unter Krümmung des Armes kurz vor die Mitte des Oberkörpers genommen werden.* Gleichzeitig gehen die Winkflaggen wieder hoch. Beim zweiten und dritten Hurra wird entsprechend verfahren; nur werden die Mützen nach dem dritten Hurra *nicht* wieder *vor die Mitte des Oberkörpers* genommen, sondern *kurz aufgesetzt,* worauf die rechte Hand wieder auf ihren Platz am Geländer geht.

Bei der bevorstehenden Anwesenheit Seiner Majestät des Kaisers zur Rekrutenvereidigung ist bereits nach diesen Bestimmungen zu verfahren.

I. V. v. Holtzendorff.«

[Zitiert nach: Die Welt am Montag (Berlin), XIV. Jg., Nr. 47 vom 23. November 1908]

14. November: Der Chef des Militärkabinetts, Graf Hülsen-Haeseler, stirbt, angetan mit einem Ballettröckchen, an einem Herzschlag, nachdem er der kaiserlichen Gesellschaft in Donaueschingen einen *pas seul* vorgetanzt hatte.

16. November: Der Kaiser kehrt von Donaueschingen nach Potsdam zurück.

17. November: Der Reichskanzler Fürst Bülow erstattet Wilhelm II. in Potsdam Bericht über die Reichstagsinterpellationen. Der Kaiser unterschreibt auf Anraten Bülows eine Erklärung, in der es heißt:

»Seine Majestät der Kaiser nahm die Darlegungen und Erklärungen des Reichskanzlers mit großem Ernst entgegen und gab Seinen Willen dahin kund: Unbeirrt durch die von ihm als ungerecht empfundenen Übertreibungen der öffentlichen Kritik erblicke er seine vornehmste kaiserliche Aufgabe darin, die Stetigkeit der Politik des Reiches unter Wahrung der verfassungsmäßigen Verantwortlichkeiten zu sichern. Demgemäß billigte Seine Majestät der Kaiser die Ausführungen des Reichskanzlers im Reichstage und versicherte den Fürsten von Bülow Seines fortgesetzten Vertrauens.«
[Zitiert nach: Emil Ludwig, Wilhelm II., Berlin 1925, S. 363]

5. Dezember: Deutsche Zeitungen übernehmen eine Meldung aus englischen Blättern, die besagt, daß der »Flottenverein deutscher Frauen bei den Schulkindern Sammelbüchsen zirkulieren lasse mit der Inschrift: ›Gib uns Deinen Pfennig, damit wir die Engländer verhauen können!‹«

1912 *7. Mai:* In der Zweiten Kammer des Reichslandes Elsaß-Lothringen kommt die Tatsache ans Licht, daß man einer Maschinenfabrik einen Auftrag für die Eisenbahn entzogen hat, weil ihr Direktor »deutschfeindlich« eingestellt sei. Der Kaiser besuchte kurze Zeit darauf Straßburg und ließ den dortigen Bürgermeister Dr. Schwander seinen Unwillen spüren: »Bisher haben Sie mich nur von der guten Seite kennengelernt. Wenn die Dinge so weitergehen, dann schlage ich Ihre Verfassung in Scherben, und wir verleiben Sie *in* Preußen ein.«

Heinrich Claß, Vorsitzender des Alldeutschen Verbandes, veröffentlicht unter dem Pseudonym Daniel Frymann ein Buch: ›Wenn ich der Kaiser wär – Politische Wahrheiten und Notwendigkeiten‹. Die Kritik eines Chauvinisten und Antisemiten an der Politik des Kaisers, die sich »den Schwächen der Zeit angepaßt« habe. Er schreibt (S. 222): ›Kein Zweifel: Kaiser Wilhelm II. hat ausgesprochenes Unglück in der Wahl seiner obersten Berater; kein Zweifel auch, daß er als Herrscher selbst kein Glück hat . . . Das Eigentümliche steht fest: kein absoluter Fürst war seinen Getreuen so unnahbar wie dieser konstitutionelle Herrscher . . . Das ist ein Widerspruch in sich, der sich rächen wird, und man soll nicht vergessen, daß durch äußerliche Mittel die Stellung der Krone sich weder heben noch halten läßt. Sie ruht in der Tüchtigkeit des Herrschers . . .«

Schließlich ruft Claß (S. 227), der die »Mannentreue« als einen der schönsten Züge des deutschen Volkscharakters bezeichnet, nach dem Kaiser als nach einem Führer:

»Das Bedürfnis lebt heute noch in den Besten unseres Volkes, einem starken, tüchtigen Führer zu folgen; alle, die unverführt geblieben sind von den Lehren undeutscher Demokratie, sehnen sich danach, nicht weil sie knechtisch gesinnt wären oder charakterschwach, sondern weil sie wissen, daß Großes nur bewirkt werden kann durch die Zusammenfassung der Einzelkräfte, was sich wiederum nur durch die Unterordnung unter einen Führer erreichen läßt.«

1913 *November:* Die Affäre von Zabern: preußische Militärherrlichkeit setzt sich gegen eine sie zunächst harmlos verulkende Zivilbevölkerung rücksichtslos durch. Es kommt zu einem Prozeß vor dem Kriegsgericht des 15. Armeekorps gegen den verantwortlichen Obersten von Reuter wegen Landfriedensbruch durch willkürliche Verhängung des Belagerungszustandes am 28. November, wegen Freiheitsberaubung durch willkürliche Einsperrung von 20 Zivilpersonen und gegen den Leutnant Freiherrn von Forstner wegen Bedrohung sowie Mißhandlung seiner Rekruten und wegen Körperverletzung. Der Oberst und der Leutnant werden freigesprochen. Der Kronprinz des Deutschen Reiches hatte dem Obersten von Reuter ein Telegramm geschickt: »Immer feste druff.« – In seinen ›Erinnerungen‹ (S. 126) berichtigt der Kronprinz diesen Wortlaut. Immerhin telegraphierte er seinen Wunsch, »daß ein Exempel statuiert werde, um den Herren Eingeborenen die Lust an derartigen Vorfällen zu versalzen«.

Zum Regierungsjubiläum des Kaisers erscheint Paul Meinholds Buch ›Wilhelm II. 25 Jahre Kaiser und König‹. Mit zahlreichen Abbildungen und Buchschmuck von Friedrich Felger. Titelbild: der Kaiser in Hofjagduniform. Eine Biographie, die an Patriotismus und Byzantinismus nichts zu wünschen übrigläßt.

1914   *4. März:* Zu Beginn einer Jagd bei Schloß Rauden sagt der Staatssekretär des Äußeren, Kiderlen-Wächter, zu dem Prinzen Ratibor: »Nun passen Sie gut auf, daß Sie den Kaiser nicht totschießen, denn der Junge [d. i. der Kronprinz] ist noch viel schlechter« (zitiert nach: Klaus W. Jonas, Der Kronprinz Wilhelm, Frankfurt am Main 1963, S. 111).

1915   Geheimrat Professor Max von Gruber, Universität München, Verfasser einer ›Hygiene des Geschlechtslebens‹, gründet den »Verein zur beschleunigten Niederkämpfung Englands«.

1916   *13. Februar:* Im ›Reformierten Sonntagsblatt für Lippe‹ lesen wir: »Jesus ist mit uns! Aber woher wissen wir denn das? Warum können wir das so zuversichtlich behaupten? Nun denn, die Beweise dafür liegen offenkundig vor uns. Die großen und herrlichen Erfolge, die wir errungen haben, die vielen glänzenden Siege, die wir gewonnen haben – haben wir sie nicht dem Herrn zu verdanken, der unsere Heere mit heldenhafter Tapferkeit erfüllt, unsere Heerführer mit großer Weisheit geleitet, unsere Waffen so reich gesegnet hat?«

7. Juni: In der Reichstagssitzung wird ein Befehl des Militärgouverneurs von Köln debattiert, der »jenen Soldaten, die auf zwei Krücken gehen müssen, verbietet, auf der Straße zu rauchen, weil sie bei der Begegnung mit Offizieren die Zigarre nicht aus dem Munde nehmen können« (Max Kemmrich, Moderne Kultur-Kuriosa, S. 94).

Weihnachten: Unter dem Titel ›Der Kaiser im Felde‹ veröffentlicht der Bibliothekar des Kaisers, Dr. Bogdan Krieger (auf Kosten der »Kameradschaft, Wohlfahrtsgesellschaft m. b. H. Kaiser-Wilhelm-Dank-Buchhandlung«), eine 472 Seiten starke, mit 80 Vollbildern versehene, genaue Chronik über die Tätigkeit des Kaisers während der ersten beiden Kriegsjahre. Die Darstellung beginnt mit dem 31. Juli 1914 und endet mit dem 1. August 1916. Eine Musikbeilage ›Deutscher Siegesmarsch und Deutsche Hymne‹ beschließt sie – die letzte offizielle Verherrlichung Seiner Majestät.

1918   *10. November, 5 Uhr:* Der Kaiser verläßt das Hauptquartier in Spa; der Zug passiert die holländisch-belgische Grenze bei Eysden. Vorläufig wohnt Wilhelm II. in einem Sonderzug. Auf Bitten der holländischen Regierung erklärt sich Graf Godart Bentinck, Ritter des Johanniter-Ordens, bereit, dem Kaiser in seinem Hause Amerongen Gastfreundschaft zu gewähren. Der Kaiser bringt ein Gefolge von 14 Personen mit.

11. November, nachmittags: Auf dem Bahnhof Maarn sehen sich der Kaiser und Graf Bentinck (ein Johanniter den anderen) zum erstenmal. Der Kaiser nach der Ankunft in Amerongen: »Jetzt müssen Sie mir eine Tasse heißen, guten echten englischen Tee geben lassen!« (Zitiert nach: Nora Bentinck, Der Kaiser im Exil, Berlin 1921, S. 12.)

21. November: »Der Kaiserin [in Potsdam] geht es ganz leidlich, so namenlos sie auch leidet. Gestern nachmittag ging sie noch in den Stall hinüber, ließ sich ihre Reitpferde herausführen, um Abschied von ihnen zu nehmen, ihnen zum letztenmal Zucker zu geben. Ein unvergeßlicher Augenblick!« (Aus dem Tagebuch der Gräfin Keller, Vierzig Jahre im Dienst der Kaiserin.)

27. November, abends: Die – ehemalige – Kaiserin bricht mit kleinem Gefolge, in einem »einfachen, neuen D-Zuge«, von Potsdam auf, um sich ins Exil zu begeben. Am 28. trifft sie wohlbehalten auf Schloß Amerongen, dem Wohnsitz des Kaisers, ein.

28. November: Der Kaiser unterzeichnet seine Abdankung. Das Dokument enthält kein Wort der Einsicht.

1920   *Mai:* Der Kaiser bezieht Haus Doorn, ein Besitztum, sein letztes – das er zu Beginn des Jahres erworben hatte, als feststand, daß die holländische Regierung dem Auslieferungsbegehren der Alliierten nicht stattgeben würde.

1921   *11. April:* In Doorn stirbt Kaiserin Auguste Victoria, »gebrochen durch die Schmach des Vaterlandes«.

Das Buch des Kaisers: ›Vergleichende Geschichtstabellen von 1878 bis zum Kriegsausbruch 1914‹ erscheint (laut Verlagsprospekt eine »übersichtliche Zusammenstellung geschichtlicher Ereignisse, als wichtige Anklageschrift gegen die wahrhaft Schuldigen am Weltkriege wirkend«).

1922   *5. November:* Der Kaiser heiratet eine entfernte Kusine, die Prinzessin Hermine Reuß, die fünfunddreißigjährige Witwe des Prinzen Johann Georg von Schönaich-Carolath, Mutter von fünf Kindern.

Die Memoiren des Kaisers ›Ereignisse und Gestalten. 1878–1918‹ erscheinen.

1926   Die Memoiren des Kaisers ›Aus meinem Leben. 1859–1888‹ erscheinen.

1941   *4. Juni, 11.30 Uhr:* Wilhelm II. stirbt; an einer Lungenembolie.

9. Juni: Offizielle Trauerfeier in Doorn. Hitler läßt sich durch den Reichskommissar für die Niederlande, Reichsminister Dr. Seyss-Inquart, vertreten und ordnet die Gestellung einer Trauerparade an. Die alte und die neue Wehrmacht stellen Abordnungen; ein aus den drei Wehrmachtteilen zusammengesetztes Bataillon erweist die letzten militärischen Ehren eines Feldmarschalls.

Literaturverzeichnis

Ferdinand Avenarius, Denkmäler, in: Der Kunstwart, München, 1. Januarheft 1902
–, Zur Rede des Kaisers, in: Der Kunstwart, München, 2. Januarheft 1902
Prinz Max von Baden, Erinnerungen und Dokumente, Stuttgart - Berlin - Leipzig 1927
Adolf Behne, Der Kaiser und die Kunst, in: Die Tat, 5. Jg., Heft 6, Jena 1913
Norah Bentinck, Der Kaiser im Exil, Berlin 1921
Fürst Otto von Bismarck, Erinnerung und Gedanke, Stuttgart - Berlin 1919
Willi Boelcke (Hrsg.), Krupp und die Hohenzollern, Berlin (1956)
Curt Böninger, Grundlagen und Bekenntnisse einer Weltanschauung. Notizen 1905 bis 1930, Bonn 1931
Max Buchner, Kaiser Wilhelm II., seine Weltanschauung und die deutschen Katholiken, Leipzig (1929)
Fürst Bernhard von Bülow, Denkwürdigkeiten, hrsg. von Franz von Stockhammern, 4 Bde., Berlin 1930
Daniel J. Chamier, Ein Fabeltier unserer Zeit, Zürich - Leipzig - Wien 1938
Heinrich Claß, Wider den Strom. Vom Werden und Wachsen der nationalen Opposition im alten Reich, Leipzig (1932)
Virginia Cowles, Wilhelm der Kaiser, Frankfurt am Main (1965)
Der große Krieg, Eine Chronik von Tag zu Tag. Urkunden, Depeschen und Berichte der ›Frankfurter Zeitung‹, Heft 1, Frankfurt 1914
Die Große Politik der Europ. Kabinette, 1871–1914. Hrsg. v. Joh. Lepsius, Albr. Mendelssohn-Bartholdy u. Friedr. Thimme, Berlin 1922 ff.
Die Tragödie Deutschlands, Stuttgart 1924 (anonyme Veröffentlichung)
Freiherr Hermann von Eckardstein, Lebenserinnerungen und politische Denkwürdigkeiten, 3 Bde., Leipzig (1919–1921)
Fürst Philipp zu Eulenburg, Mit dem Kaiser als Staatsmann und Freund auf Nordlandsreisen, 2 Bde., Dresden 1931
Erich Eyck, Das persönliche Regiment Wilhelms II., Erlenbach/Zürich (1948)
Eugen Fischer, Des Kaisers Glaube an seinen göttlichen Beruf, in: Die Tat, 5. Jg., Heft 6, Jena 1913
Friedrich Wilhelm Foerster, Weltpolitik und Weltgewissen, München 1919
–, Mein Kampf gegen das militaristische u. nationalistische Deutschland, Stuttg. 1920
–, Erlebte Weltgeschichte, Nürnberg 1953
Adolf Albrecht Friedländer, Wilhelm II. Eine polit.-psychol. Studie, Halle 1919
Daniel Frymann (Heinrich Claß), Wenn ich der Kaiser wär', Leipzig 1912
G. von Gleich, Die alte Armee und ihre Verirrungen, Leipzig 1919
John Grand-Carteret, »ER« im Spiegel der Karikatur, Wien - Leipzig 1906
Bernhard Guttmann, Schattenriß einer Generation (1888–1919), Stuttgart (1950)
Johannes Haller, Die Aera Bülow, Stuttgart - Berlin 1922
Otto Hammann, Der neue Kurs, Berlin 1918
–, Um den Kaiser, Berlin 1919
–, Bilder aus der letzten Kaiserzeit, Berlin (1922)
–, Deutsche Weltpolitik 1890–1912, Berlin 1925
Maximilian Harden, Köpfe, Berlin 1913
–, Von Versailles nach Versailles, Hellerau/Dresden (1927)
Karl Hoffmann: Modernes Kaisertum, in: Die Tat, 5. Jg., Heft 6, Jena 1913
Alexander von Hohenlohe, Aus meinem Leben, Frankfurt am Main 1925
Hans von Hülsen, Der Kaiser und das Theater, in: Die Tat, 5. Jg., Heft 6, Jena 1913
Paul Joachimsen, Vom deutschen Volk zum deutschen Staat, Göttingen (1956)
Klaus W. Jonas, Der Kronprinz Wilhelm, Frankfurt am Main (1962)

Gräfin Mathilde von Keller, Vierzig Jahre im Dienst der Kaiserin, Leipzig (1935)

Tim Klein (Hrsg.), 1848. Der Vorkampf deutscher Einheit und Freiheit. Ebenhausen - München - Leipzig 1914

Kotowski/Pöls/Ritter (Hrsg.), Das wilhelminische Deutschland. Stimmen der Zeitgenossen, Frankfurt 1965

Bogdan Krieger, Der Kaiser im Felde, Berlin (1916)

Joachim von Kürenberg, War alles falsch? Das Leben Kaiser Wilhelms II., Bonn 1951

Paul Liman, Fürst Bismarck nach seiner Entlassung. Neue vermehrte Volksausgabe, Berlin 1904

–, Der Kaiser, Berlin 1904

Emil Ludwig, Wilhelm der Zweite, Berlin 1925

Graf Ernst Wilhelm Lynar (Hrsg.), Deutsche Kriegsziele 1914–1918, Frankfurt am Main - Berlin (1964)

Golo Mann, Deutsche Geschichte des 19. Jahrhunderts, Frankfurt am Main (1958)

–, Deutsche Geschichte des 20. Jahrhunderts, Frankfurt am Main 1958

Heinrich Mann, Macht und Mensch, München 1919

Wilhelm von Massow (Hrsg.), Fürst Bülows Reden. Zweiter Band: 1901–1903, Leipzig o. J.

Paul Meinhold, Wilhelm II. 25 Jahre Kaiser und König, Berlin (1913)

Georg Michaelis, Für Staat und Volk, Berlin 1922

Moeller van den Bruck, Der Kaiser und die architektonische Tradition, in: Die Tat, 5. Jg., Heft 6, Jena 1913

Wolfgang I. Mommsen, Max Weber und die deutsche Politik 1890–1920, Tübingen 1959

Georg Alexander von Müller, Regierte der Kaiser? Hrsg. von Walter Görlitz, Göttingen - Berlin - Frankfurt 1959

Alfred Niemann, Wanderungen mit Kaiser Wilhelm II., Leipzig 1924

Friedrich Payer, Von Bethmann Hollweg bis Ebert, Frankfurt am Main 1923

Johann Penzler (Hrsg.), Die Reden Kaiser Wilhelms II., 4 Bd., Leipzig (1897–1913), Bd. 4 hrsg. von Bogdan Krieger

Graf Hans von Pfeil, Mein Kaiser! Leipzig (1924)

Frederick Ponsonby, Briefe der Kaiserin Friedrich. Eingeleitet von Wilhelm II., Berlin 1929

Ludwig Quidde, Caligula. Eine Studie über römischen Cäsarenwahnsinn, 25. Aufl., Leipzig o. J.

Gustav Adolf Rein, Die Reichsgründung in Versailles, München (1958)

Graf Ernst zu Reventlow, Kaiser Wilhelm II. und die Byzantiner, München (1906)

–, Deutschlands auswärtige Politik 1888–1914, Berlin 1917

–, Von Potsdam nach Doorn, Berlin 1940

Paul Rohrbach, Der Kaiser und die auswärtige Politik, in: Die Tat, 5. Jg., Heft 6, Jena 1913

Robert Saitschick, Bismarck und das Schicksal des deutschen Volkes, München 1949

Edgar von Schmidt-Pauli, Der Kaiser. Das wahre Gesicht Wilhelms II., Berlin 1928

Wilhelm Schröder (Hrsg.), Das persönliche Regiment. Reden und sonstige öffentliche Äußerungen Wilhelms II., München 1907

Lothar Engelbert Schücking, Die Mißregierung der Konservativen unter Kaiser Wilhelm II., München (1909)

Hans Schwerte, Deutsche Literatur im wilhelminischen Zeitalter, in: Wirkendes Wort, 14. Jg., 1964, Heft IV

Veit Valentin, Deutschlands Außenpolitik von Bismarcks Abgang bis zum Ende des Weltkrieges, Berlin 1921

Rudolf Vierhaus (Hrsg.), Am Hof der Hohenzollern. Aus dem Tagebuch der Baronin Spitzemberg, München 1965

Verzeichnis der Reden und Quellen

* Die Reden der Jahre 1888 bis 1911 [1–54] wurden der offiziellen, von Johannes Penzler und Bogdan Krieger herausgegebenen Sammlung entnommen: Die Reden Kaiser Wilhelms II., 4 Bde., Leipzig (1897–1913).

* Quellenangabe in der Fußnote auf der vorangehenden Seite.

Die Umgebung des Kaisers
Ein biographisches Verzeichnis

Seine Eltern

Friedrich III., Deutscher Kaiser (Friedrich Wilhelm, Kronprinz des Deutschen Reiches und von Preußen, 1831–1888), heiratete am 25. Januar 1858
Friedrich, Kaiserin (Victoria, Princess Royal von England und Deutsche Kronprinzessin [1840–1901])

Seine Geschwister

Charlotte, Prinzessin von Preußen (1860–1919), seit 18. Februar 1878 vermählt mit Bernhard, Herzog von Sachsen-Meiningen (1851–1928), der von 1914–1918 regierte
Heinrich, Prinz von Preußen, Großadmiral (1862–1929), seit 24. Mai 1888 vermählt mit Prinzessin Irene von Hessen und bei Rhein
Sigismund, Prinz von Preußen (1864–1866)
Victoria, Prinzessin von Preußen (1866–1929), seit 19. November 1890 vermählt mit Adolf, Prinz zu Schaumburg-Lippe (1859–1916), in zweiter Ehe mit dem Hochstapler Alexander Zoubkoff
Waldemar, Prinz von Preußen (1868–1879)
Sophie, Prinzessin von Preußen (1870–1923), vermählt mit Konstantin I., König der Hellenen (1868–1923), der von 1913–1917 und von 1920–1922 regierte
Margarethe, Prinzessin von Preußen (1872–1954), vermählt mit dem Landgrafen Friedrich Karl von Hessen (1868–1940)

Seine Ehen

1. Ehe: Prinz Wilhelm von Preußen, der spätere Kaiser Wilhelm II., vermählte sich am 27. Februar 1881 mit Auguste Viktoria (geb. 1861), der ältesten Tochter des Herzogs Friedrich von Schleswig-Holstein-Sonderburg-Augustenburg und der Prinzessin Adelheid von Hohenlohe-Langenburg; Auguste Viktoria starb am 11. April 1921 in Haus Doorn und wurde am 19. April 1921 im Antiken Tempel in Potsdam beigesetzt
2. Ehe: In seinem Exil ehelichte Exkaiser Wilhelm II. am 5. November 1922 Hermine Schönaich-Carolath-Beuthen, geb. Prinzessin Reuß, Ältere Linie (1887–1947)

Seine Kinder

Wilhelm, Kronprinz des Deutschen Reiches und von Preußen (1882–1951), ehelichte am 6. Juni 1905 Herzogin Cecilie zu Mecklenburg
Eitel Friedrich (1883–1942), Prinz von Preußen, vermählt mit Sophie Charlotte, geb. Herzogin von Oldenburg; 1926 wurde die Ehe geschieden
Adalbert, Prinz von Preußen (1884–1948), Korvettenkapitän, vermählt mit Prinzessin Adelheid von Sachsen-Meiningen
August Wilhelm, Prinz von Preußen (1887–1949), vermählt mit Prinzessin Alexandra von Schleswig-Holstein-Glücksburg
Oskar, Prinz von Preußen (1888–1958), vermählt mit Ina Marie Gräfin Bassewitz
Joachim, Prinz von Preußen (1890–1920 [Selbstmord]), 1916 vermählt mit Prinzessin Marie Auguste von Anhalt

Victoria Luise, Prinzessin von Preußen (geb. 1892), 1913 vermählt mit dem Herzog Ernst August zu Braunschweig und Lüneburg (1887–1953)

Seine Freunde

Maximilian Egon II., Fürst zu Fürstenberg (1863–1941), Königlich Preußischer Oberstmarschall, Kaiserlich-Königlicher Geheimer Rat und Vizepräsident des Österreichischen Reichsrates

Philipp Fürst zu Eulenburg-Hertefeld, Graf von Sandels (1847–1921), 1894–1902 Botschafter in Wien. Begleiter des Kaisers auf den Nordlandreisen 1889–1901 und 1903, Dichter der ›Skaldengesänge‹ und ›Rosenlieder‹

Fürst Pless Hans Heinrich XV. (1861–1938), schlesischer Großgrundbesitzer

Engelbert-Maria Herzog von Arenberg (1872–1949), Herr der Standesherrschaft Meppen, Großgrundbesitzer in Belgien

Hülsen-Haeseler, Graf Dietrich von (1852–1908), 1899 General, 1901 Chef des Militärkabinetts

Albert Ballin, Generaldirektor der Hamburg-Amerika-Linie (1857–1918 [Selbstmord])

Seine Kanzler

Otto von Bismarck (1815–1898), Reichskanzler vom 1. Januar 1871 (die Reichsverfassung war am 1. Januar 1871 in Kraft getreten, also noch vor der Kaiserproklamation vom 18. Januar 1871) – 20. März 1890

Leo von Caprivi (1831–1899), Reichskanzler vom 20. März 1890 – 26. Oktober 1894

Fürst Chlodwig Hohenlohe-Schillingsfürst (1819–1901), Reichskanzler vom 26. Oktober 1894 – 17. Oktober 1900

Bernhard Fürst von Bülow (1849–1929), Reichskanzler vom 17. Oktober 1900 bis 14. Juli 1909

Theobald von Bethmann Hollweg (1856–1921), Reichskanzler vom 14. Juli 1909 bis 14. Juli 1917

Georg Michaelis (1857–1936), Reichskanzler vom 14. Juli 1917 – 3. November 1917

Georg Graf Hertling (1843–1919), Reichskanzler vom 3. November 1917 – 3. Oktober 1918

Prinz Max von Baden (1867–1929), Reichskanzler vom 3. Oktober 1918 – 9. November 1918

Wilhelm II. und die Schwarzseher, 9. Aufl. von ›Unser Kaiser und sein Volk‹, mit
    einem neuen Vorwort, Freiburg/Br. 1919 (anonyme Veröffentlichung)
Wilhelm II., Ereignisse und Gestalten aus den Jahren 1878–1918, Leipzig - Berlin 1922
–, Aus meinem Leben 1859–1888, Berlin - Leipzig 1927
Bruno Wille, Das Gefängnis zum Preußischen Adler, Jena 1914
Erwin Wulff, Die persönliche Schuld Wilhelms II., Dresden (1920)
Graf Robert von Zedlitz-Trützschler, Zwölf Jahre am deutschen Kaiserhof, Stutt-
    gart - Berlin - Leipzig 1923

Augenzeugen- berichte

dtv-Atlas
zur Welt-
geschichte

Karten und
chronologischer
Abriss

Von den Anfängen
bis zur Französischen
Revolution
Band 1

**Hermann Kinder/
Werner Hilgemann:
dtv-Atlas zur
Weltgeschichte**
Karten und chrono-
logischer Abriß
Originalausgabe
2 Bände
3001, 3002

**Konrad Fuchs/
Heribert Raab:
dtv-Wörterbuch
zur Geschichte**
Originalausgabe
2 Bände
3036, 3037

dtv-Lexikon der Antike
Philosophe – Literatur –
Wissenschaft – Religion –
Mythologie – Kunst –
Geschichte – Kultur-
geschichte
13 Bände
3017–3083

**Theodor Mommsen:
Römische Geschichte**
Vollständige Ausgabe
in 8 Bänden
Mit einer Einleitung
von Karl Christ
Originalausgabe
5955

**Herbert Grundmann
(Hrsg.):
Gebhardt
Handbuch der
deutschen Geschichte**
17 Bände
WR 4201–4217

**Georg Iggers:
Deutsche Geschichts-
wissenschaft**
Ein kritischer Rückblick
WR 4059

**Jochen Schmidt-Liebich:
Daten englischer
Geschichte**
Von den Anfängen bis
zur Gegenwart
Originalausgabe
3134

Augenzeugen-berichte

Die Deutsche
Revolution
1848/49
in Augenzeugen-
berichten

dtv

Der Spanische
Bürgerkrieg
in Augenzeugen-
berichten

dtv